Julie Crèvecœur

Sursis pour l'amour

Éditions J'ai Lu

En vente dans les meilleures librairies

GÉRARD NÉRY

Julie Crèvecœur
Sursis pour l'amour

LE LUCIDE

— Il est fou! Ton mari est fou! Qu'il ait tué en duel à Berlin un petit lieutenant prussien qui te faisait les yeux un peu trop doux, passe encore! Cela s'inscrit, dirons-nous, dans une tradition bien française. Qu'il dévoile dans le journal qui l'employait jusqu'à ces dernières semaines une négociation ultra-secrète et ultra-délicate menée avec Bismarck par notre ambassadeur en Prusse et que cela fasse à Paris l'effet d'une bombe, c'est de bonne guerre! Après tout, Raoul est journaliste et, de surcroît, journaliste d'opposition. Mais qu'il se permette d'écrire ce qu'il écrit dans ce torchon qu'il vient de lancer, c'est... c'est tout simplement inqualifiable.

Jamais Julie Crèvecœur n'avait vu son père dans un tel état. David Avel, le calme personnifié, était hors de lui. Il arpentait la bibliothèque à grandes enjambées, un cigare éteint entre les dents.

— Veux-tu que je te dise, Julie? La Valette aura sa peau et je n'y pourrai rien... Ecoute ça...

Il avait tiré de la poche de sa redingote une brochure de couleur vive, orangée, de format in-16, sur laquelle s'étalait le titre en noir, très voyant : « *LE LUCIDE*, par Raoul de Saint-Cerre. » Julie, qui était assise sur une causeuse et avait écouté jusqu'alors son père sans manifester la moindre réaction, se leva brusquement.

— Vous permettez?

Elle saisit le fascicule avec des sentiments contradictoires. Ainsi donc, il y était arrivé... Il l'avait, son journal! Et sans l'aide de Julie... Elle ressentit cela comme un échec cuisant. Oui, son mariage avait été un échec, de bout en bout. Et *Le Lucide* qu'elle examinait sans pouvoir s'empêcher d'éprouver une profonde émotion, eh bien, *Le Lucide* qui avait vu le jour sans qu'elle n'en sût rien, c'était un coup de poignard supplémentaire qui lui était porté non pas par Raoul, mais par la vie, par les circonstances.

— Qu'est-ce que tu as, chérie? Tu es toute pâle...

— Ce n'est rien, monsieur. La chaleur...

Cette fin de l'été 1866 était orageuse, étouffante, même à Auteuil, en pleine campagne.

— Veux-tu que je sonne Antoinette ou la femme de chambre?

— Mais non.

Julie était le contraire d'une jeune femme douillette. Mais les semaines qu'elle venait de vivre avaient été plus qu'éprouvantes. Toute autre que Julie Crèvecœur se serait retrouvée sans forces, anéantie, au fond de son lit, avec un médecin à son chevet. Elle avait failli être fusillée comme espionne de l'empereur Napoléon III sur le champ de bataille de Sadowa; elle avait perdu, puis retrouvé la mémoire. Et puis, au terme de ces aventures en Bohême-Moravie, elle avait pris la décision de se séparer de Raoul, de son mari, jaloux, difficile à vivre, certes, mais qu'elle aimait toujours. Et cette brochure orangée n'en était qu'une preuve supplémentaire : voilà que Julie était au bord des larmes, à la fois heureuse et dépitée; heureuse parce que *Le Lucide* était devenu réalité; dépitée parce que c'était sans elle que Raoul avait atteint le but qu'il s'était depuis toujours fixé. Est-ce que David-Axel Dupeyrret avait conscience de tout cela? C'était un homme supérieurement intelligent, d'une grande finesse et qui adorait Julie. Mais, présentèment, il était tout à sa fureur, somme toute pardonnable, car il était l'un des intimes de Napoléon III, ministre sans portefeuille et conseiller de l'Empereur, ce qui ne l'avait pas empêché de prouver plus d'une fois qu'il était parfaitement en mesure de transférer une partie de l'affection qu'il portait à sa fille sur son gendre, celui-ci fût-il républicain ou même anarchiste, peu importait. Mais si la colère de David-Axel prenait de telles proportions, c'était sans doute aussi parce que Raoul n'avait pas su donner à Julie ce bonheur, cette sérénité à laquelle elle aspirait sans jamais pouvoir y parvenir.

— Tu n'as qu'à lire toi-même, Julie : le paragraphe en question est encadré de rouge!

Elle était heureuse qu'il ne se fût aperçu de rien. Et c'est d'une voix en apparence ferme qu'elle lut l'article signé de son époux :

« La presse bien pensante et lèche-bottes de Badinguet nous fournit quotidiennement des descriptions, ô combien lyriques, du fameux « Chassepot » qui devrait permettre à nos armées de conquérir dans l'avenir d'autres Mexique. C'est ainsi que nous apprenons que la balle tirée par l'un de ces admirables fusils à aiguille tourne dans la chair et dessine dans les intestins une spirale figurant le ressort d'un sommier élastique! N'hésitons pas, mes amis : essayons dès demain cette arme-miracle sur notre ministre de l'Intérieur, l'inénarrable M. de La Valette. Nous ferons ainsi d'une balle deux coups : nous abattrons l'un des ennemis les plus féroces de la liberté et nous prouverons au monde l'efficacité du Chassepot! »

— Tu sais comment on appelle ça, Julie?

— Non...

— De l'incitation au meurtre, tout simplement. Et cela se punit de prison!

Julie leva vers son père un visage effaré, des yeux humides. La colère de David-Axel s'apaisa aussi vite que ces orages qui éclataient sur Paris depuis huit jours, présages d'une fraîcheur qui ne durait guère. Il écrasa son cigare dans un cendrier, puis il la prit par les épaules. Il l'attira contre lui, malgré la réticence qu'elle lui opposait, car elle était trop orgueilleuse pour faire étalage de ses sentiments. Et elle ne voulait surtout pas qu'on eût pitié d'elle.

— J'aurais dû m'en douter, murmura l'homme d'Etat. Tu l'as quitté à votre retour de Berlin, mais tu l'aimes encore, n'est-ce pas? Tu as beau te raisonner, dresser la liste de vos malentendus, tu ne peux pas t'empêcher d'aimer Raoul de Saint-Cerre. Et tu vois, chérie, moi qui suis ton père et, par définition, jaloux des hommes que tu aimes, je te comprends très bien. Il est excessif, il est impossible, il est même affligé d'un grain de folie, mais c'est un homme. Et je peux te dire, ma Julie, que, de nos jours, ça ne court pas les rues, les hommes qui vivent et agissent selon leurs idées et leur conscience. Alors, comprends-tu, il faudrait savoir ce qu'on veut dans la vie : un homme tendre, soumis, tempéré, ou un homme parfois brutal, toujours révolté et vivant à la vitesse d'un pur-sang lancé au grand galop?

Alors Julie éclata en sanglots et son père la prit contre lui et la berça comme un enfant. Doucement, il la fit rasseoir, il prit la main qu'elle lui abandonna.

— Quelquefois, dit-elle en s'efforçant de sourire derrière les larmes, ça fait du bien de pleurer, même si c'est un peu humiliant.

— Garde ton orgueil pour les autres. Je te promets que le jour où j'aurai un grave, un terrible problème à résoudre, je me montrerai à toi tel que je peux être, moi aussi, tout aguerri que je suis. Alors, ce sera toi qui joueras les consolatrices.

Cette perspective parut tout à fait improbable à Julie qui avait rarement vu un homme autant maître de lui-même et de ses sentiments. David-Axel observait sa fille.

— Je crois te connaître suffisamment pour savoir

que tu ferais tout au monde pour éviter à Raoul une action en justice perdue d'avance et un emprisonnement de plusieurs mois, voire de plusieurs années.

— Je ferais n'importe quoi pour l'empêcher, murmura la jeune femme.

Son père se leva, alla jusqu'au bureau avant de revenir à elle.

— Dans ce cas, dit-il, il faudra que tu le persuades de quitter Paris dans les quarante-huit heures, en faisant taire ton orgueil.

Julie semblait ne pas comprendre.

— Je te connais, Julie. Si tu n'étais pas ce que tu es, tu l'aurais revu. De son côté, étant ce qu'il est, et même désespéré de votre séparation, il n'a jamais donné signe de vie; il n'a même pas voulu envoyer quelqu'un ici, à Auteuil, pour prendre ses affaires. Son bureau que voici est tel qu'il l'a laissé avant de partir pour la Bohême-Moravie, puisque j'y vois un article inachevé pour *Le Siècle* qu'il a quitté pour fonder *Le Lucide*... Vous êtes terribles tous les deux : aucun ne ferait le premier pas. Cette situation pourrait durer cinquante ans. Vous pourriez mourir, chacun de votre côté, chacun ayant totalement raté sa vie, mais vous n'auriez rien fait pour vous rapprocher l'un de l'autre, alors que vous vous adorez. Eh bien, Julie, si tu veux éviter la prison à ton mari, il faudra bien que tu le fasses, le premier pas.

Il ne s'en alla qu'à la nuit tombante, se rendant directement au château de Saint-Cloud, convié à dîner par l'Empereur.

Après le départ de son père, Julie constata qu'il avait oublié sur le bureau la publication à couverture orange avec son titre revendicateur, visible de très loin. Au bas de la couverture, il était spécifié que *Le Lucide* se vendait quarante centimes et que les bureaux de la rédaction se trouvaient au numéro 27 de la rue de Grammont.

Julie prit le fascicule et s'apprêta à quitter la bibliothèque. Dans la maison régnait une agréable fraîcheur due aux prodiges réalisés par Antoinette durant la journée pour créer des courants d'air. Tous les volets étaient clos, les hautes fenêtres entrebâillées. Un rempart contre la canicule. En quittant la pièce, Julie vit sa propre image réfléchie par le trumeau géant qui surplombait la cheminée. Silhouette longue et gracieuse dans sa robe d'intérieur en soie bleue, les cheveux simplement noués en chignon, dégageant le visage, le mettant impitoyablement à nu. Julie s'approcha de la cheminée comme si elle allait à la rencontre d'elle-même. Sans indulgence, elle examina ses traits, puis elle recula, effrayée. Malgré la pénombre flatteuse pour le teint, elle estimait qu'elle avait singulièrement vieilli en quelques mois.

« Je n'ai pas vingt ans, songea-t-elle, et l'image que me renvoie cette glace est celle d'une femme qui a déjà beaucoup vécu... »

Le Pr Trousseau était venu une fois à Auteuil, juste avant de se rendre à Deauville, et ce, sur l'insistance de David-Axel qui avait exigé que sa fille revît le chirurgien.

« Ma chère enfant, avait dit celui-ci, vous avez fait une fausse couche en juin, je vous avais prescrit le repos, au lieu de quoi vous avez couru l'Europe... Vous avez une santé de fer, mais ne jouez pas avec elle. Notre corps est rancunier; tôt ou tard, il se venge des mauvais traitements que nous lui infligeons. Il serait malhonnête de vous dire que je vous trouve en mauvais état; bien au contraire. Mais c'est là que ça ne va pas... (En disant ces mots il se touchait le front.) Et dans l'organisme tout se tient. Si vous vous tourmentiez moins, si vous mangiez davantage et si vous quittiez cette retraite... »

Julie, du bout de l'index, suivit le tracé du sillon sombre qui cernait ses yeux. Mais elle savait bien que ce n'étaient pas tant les traces des fatigues subies qui marquaient son visage; c'était l'expression qui avait changé, comme si Julie n'était plus celle qu'elle avait été au début de cet été 1866 qui aurait dû être celui du bonheur enfin trouvé.

— Je suis seule.

Elle venait de prononcer cette phrase à voix haute.

— Non. Vous n'êtes pas seule puisque je suis près de vous.

Antoinette se tenait sur le seuil de la bibliothèque. Bien plus qu'une gouvernante, l'ancienne femme de chambre était l'amie fidèle, dévouée, omniprésente, mais sachant s'effacer lorsqu'il le fallait.

— Ma pauvre Antoinette, je file vraiment un mauvais coton. Voilà que je parle à ma propre image dans ce miroir.

— Vous devriez sortir, aller à Paris, voir des gens...

Julie se retourna vers son amie.

— Demain! Demain, je vais à Paris... Dis à Félicien d'atteler pour 10 heures... Nous allons dans le quartier de l'Opéra, rue de Grammont, au 27!

Pendant le dîner, Antoinette lui demanda si elle avait parlé à son père des réparations qu'exigeait la toiture de la maison.

— J'ai complètement oublié...

— Alors, j'aurais dû le faire, dit Antoinette en soupirant. Quand je pense que vous étiez riche et que tout ce qui reste de votre fortune, c'est cette maison que votre tuteur, dans un sursaut de probité, vous a laissée en héritage après avoir dilapidé tout votre bien à la Bourse et... et ailleurs!

— Antoinette, je t'en prie... Ce sont de vieilles histoires.

Elle monta se coucher de bonne heure, sachant qu'elle aurait du mal à trouver le sommeil, mais incapable de rester en bas, dans le salon ou dans la bibliothèque à écouter le bavardage d'Antoinette ou à ressasser les souvenirs qui l'assaillaient de toutes parts dans cette maison où elle avait passé son enfance et les premiers mois de son mariage avec Raoul.

Elle posa *Le Lucide* sur la table de chevet puis, une fois couchée, elle lut la brochure de bout en bout, de la première jusqu'à la dernière ligne. Elle y trouva traités tous les thèmes chers à Raoul : celui de la liberté de la presse et de la liberté d'expression en général; celui de la guerre, c'est-à-dire de l'esprit de conquête ou de croisade. Raoul, l'an passé envoyé spécial du *Siècle* auprès de Maximilien, l'infortuné empereur du Mexique, cette année présent à Sadowa, fustigeait avec éclat les militaires, tous les militaires sans exception. Il évoquait pour les Français le spectre d'une guerre possible avec la Prusse, nouveau foudre de guerre révélé à Sadowa où soixante mille morts avaient été laissés sur le champ de bataille, pions anonymes engagés par MM. von Moltke et von Benedek, stratèges supérieurs qui jouaient à la guerre comme on joue aux échecs.

Julie crut entendre la voix de son mari, cette voix exaltée, juvénile, vibrante, voix de futur tribun... Et elle s'endormit, *Le Lucide* lui ayant échappé des doigts.

Elle se réveilla tôt le matin, mais reposée et dans un état d'esprit tout autre que celui qui l'avait animée durant ces semaines de solitude. Elle était trop lucide, elle aussi, pour ne pas savoir pourquoi elle n'éprouvait plus cette morne tristesse qu'elle redoutait à chaque aube nouvelle et qui la cernait, malgré elle, dès qu'elle prenait conscience de sa solitude et de son inutilité. David-Axel savait ce qu'il faisait lorsque, le soir précédent, il lui avait dit : « Tu es seule à pouvoir faire entendre raison à ton mari, mais si tu es décidée à le faire, alors fais-le tout de suite, sinon il sera trop tard. »

Tous les gestes qu'elle accomplit ce matin-là prirent une signification autre, alors qu'ils ressemblaient aux gestes de la veille. Elle se surprit à essayer de retrouver certaine coiffure mais, rageusement, elle défit le savant édifice et se coiffa, comme ces dernières semaines, de ce chignon sévère qui accentuait encore la fatigue de ses traits.

— Quel dommage! soupira Antoinette qui l'aidait à sa toilette. Cela vous allait si bien. Et M. Raoul en raffolait, de la coiffure « à la Belle Hélène »!

Leurs regards se croisèrent dans la psyché de la salle de bains.

— De deux choses l'une, Antoinette : ou bien tu as des dons de voyance, ou bien... tu écoutes aux portes.

Elle s'en voulut un peu de ne pas avoir mis Antoinette dans le secret. Pendant le dîner, elle avait bien failli lui confier son intention de revoir Raoul, mais elle y avait renoncé à cause du domestique qui servait à table et qui avait toujours une oreille qui traînait.

Antoinette protesta avec véhémence, mais elle avoua qu'elle avait deviné que Julie se rendait à Paris pour rencontrer son époux.

— ... d'abord, Mademoiselle fait dire à Félicien d'atteler pour ce matin 10 heures et ensuite Mademoiselle se plonge dans la lecture du nouveau journal où écrit M. Raoul. Comme *Le Lucide* traîne à l'office depuis deux jours qu'il a paru, que la cuisinière le lit et le commente à haute voix avec le reste du personnel, et comme le 27 de la rue de Grammont est, par hasard, l'adresse de cette publication, je laisse à Mademoiselle le soin de conclure...

— Pitié, Antoinette! C'est Vidocq en jupons! s'écria Julie en éclatant de rire.

Et, au même instant, elle se rendit compte que c'était la première fois, depuis de longues semaines, qu'elle riait de la sorte. A présent, elle était assise au fond de la berline qui roulait à vive allure en direction de Paris, toutes glaces baissées pour faire entrer un peu d'air dans l'habitacle. Lorsqu'ils traversèrent le pont du Point du Jour, Julie mit la tête à la portière et la brise presque fraîche qui montait de la Seine caressa son front brûlant.

Elle était incapable d'imaginer l'accueil que lui réserverait Raoul. Et elle n'avait aucune idée de la manière dont elle paraîtrait devant lui. Comme c'était elle qui, bouleversée par la mort du jeune Wolfenstein, avait exigé qu'ils se séparassent, elle ne voulait à aucun prix que Raoul puisse s'imaginer qu'elle éprouvait du regret ou, pis encore, qu'elle ne pouvait vivre sans lui. Et pourtant... Julie dut faire un effort pour chasser certaines pensées qui l'assaillaient.

« C'est étrange, se dit-elle, lorsqu'on vit jour après jour près d'un homme, l'on est sensible aux dissonances et celles-ci prennent parfois une importance capitale. Mais lorsque cet homme est absent, alors il se nimbe, qu'on le veuille ou non, de ses seules qualités, et il faut faire un grand effort sur soi-même pour se souvenir de tout ce qu'il y avait de détestable en lui. »

— On arrive, madame, s'écria Félicien sur son siège.

Il était le seul des vieux domestiques d'Auteuil qui l'avaient vue grandir à lui donner du « Madame », après l'avoir appelée « Mademoiselle » pendant près de dix-huit ans... Ils étaient pris dans la joyeuse cohue des boulevards. Julie n'était pas venue depuis plusieurs mois dans ce quartier du plaisir qui était celui des journaux. Mais elle savait que le prince de Sagan habitait à deux pas, rue Caumartin, et que Hortense Schneider, qui incarnait tous les soirs, aux Bouffes, la grande-duchesse de Gérolstein, demeurait à l'entrée de la rue La Fayette, au coin de la rue Laffitte.

En attendant, ils étaient bel et bien arrêtés au milieu d'un flot d'équipages qui descendaient ou montaient le boulevard des Italiens. Un cocher de fiacre

14

tançait vertement l'élégant propriétaire d'un attelage de demi-sang qui se croyait sur un champ de courses. Le temps passait et Julie s'impatientait.

— Nous sommes à deux pas de la rue de Grammont, Félicien. Je vais y aller à pied.

Déjà elle avait sauté en bas de la berline, sur la chaussée brûlante, malgré les protestations du vieux serviteur qui craignait sans doute les mauvaises rencontres pour elle.

— Tu m'attendras devant le 27!

— Bien, madame...

En quelques minutes Julie rejoignit l'immeuble où *Le Lucide* avait élu domicile. Elle constata qu'elle avait mis fort longtemps à venir d'Auteuil et qu'il était près de 11 heures et demie. Le *Jockey Club* tenait ses assises non loin de là et Julie aperçut le fameux escalier que son défunt tuteur avait tant de fois emprunté, la boutonnière fleurie d'un camélia. Elle ne put s'empêcher de sourire en pensant aux grands personnages, pour la plupart orléanistes, membres du *Jockey*, auxquels la promiscuité d'un brûlot tel que *Le Lucide* devait faire grincer les dents.

La rédaction se trouvait au premier étage. Il n'y avait pas de plaque, mais sur la porte d'entrée, grande ouverte, se trouvait épinglée une feuille de papier à dessin avec le titre de la publication calligraphié par un artiste pressé, mais qui avait eu le temps de caricaturer magistralement Raoul de Saint-Cerre, directeur et rédacteur en chef de la publication. L'œuvre était signée : Gill. De toute façon, Julie avait reconnu la manière du célèbre humoriste.

Elle ne prêta qu'une attention distraite aux trois hommes vêtus de sombre, gibus sur la tête, qui étaient accoudés au chambranle de la porte, moitié dedans, moitié dehors, l'air désœuvré, mais qui gratifièrent Julie d'un coup d'œil pénétrant lequel, en d'autres circonstances, aurait éveillé chez la jeune femme un sentiment proche de la suspicion. Elle connaissait

15

trop les journalistes pour ne pas se rendre compte que ces trois croque-morts n'en étaient d'aucune façon. Mais elle était tellement émue à l'idée de se trouver face à face avec son mari, qu'elle était incapable de penser à autre chose qu'à la manière dont se déroulerait leur entretien. Comment l'accueillerait-il? Elle se surprit à espérer vaguement qu'il ne fût pas au journal ce matin-là, mais elle se le reprocha aussitôt : « Ce n'est pas de ma petite fierté qu'il s'agit, mais de lui et de lui seul, de lui et de sa sécurité, de lui et de sa liberté! »

Elle passa ainsi le seuil de ce qui devait être une antichambre. Elle était vide, exception faite d'un canapé de lampas rouge où traînait une pile d'exemplaires du *Lucide*. Les murs étaient fraîchement peints. D'ailleurs, l'odeur qui régnait dans les bureaux ne pouvait laisser aucun doute à ce sujet. Derrière une table en bois blanc se tenait un garçon de bureau, quoique ni son air renfrogné ni sa tenue ne correspondent à l'idée que se faisait Julie des gens tenant cet emploi. Elle fut examinée des pieds à la tête et cela l'agaça prodigieusement.

— Je désire voir M. de Saint-Cerre, dit-elle.

Au lieu de lui répondre, l'employé eut un mouvement du menton qui indiquait une double porte fermée derrière laquelle on entendait des voix indistinctes. Il ne se leva point pour annoncer la visiteuse, à la grande surprise de Julie, et ne prit même pas la peine de lui ouvrir la porte, ce qui était pourtant dans les usages. Subitement, elle avait une envie irrésistible de déguerpir. Elle hésita pendant un moment très bref, se retourna même vers la sortie et constata alors que celle-ci était à présent obstruée par les trois individus qui, les bras croisés, s'y tenaient comme s'ils étaient chargés de garder le sérail.

Julie ressentit une curieuse impression au creux de l'estomac, comme une appréhension. Puis, subitement décidée, négligeant même de frapper, elle poussa la porte conduisant sans doute à la salle de rédaction. C'était une vaste pièce éclairée d'un jour cru qui entrait par deux hautes fenêtres. Il n'y avait pas de mobilier, en dehors d'une immense table recouverte d'un tapis bleu. Julie comprit immédiatement qu'il s'y passait des choses anormales et que l'activité qu'on y déployait ne ressemblait en rien à celle, joyeuse et même fiévreuse, qui régnait au sein des journaux dont Raoul avait été le collaborateur. Un groupe d'hommes, tous vêtus de sombre, comme ceux qui tiraient leur flemme à l'entrée et dans l'escalier, s'occupaient à diverses besognes dans un silence pesant que n'interrompait qu'une brève réflexion lancée par l'un ou par l'autre de ces individus :

— Ça, c'est peut-être intéressant...

— Jette un coup d'œil là-dessus...

Certains ficelaient avec soin des piles de dossiers; d'autres paperassaient dans des buvards, fouinant un peu partout et même au sol où traînaient des coupures de journaux et des brouillons roulés en boule.

— Voilà qui va faire le bonheur du juge, s'écria subitement l'un de ceux qui dépouillaient les dossiers étalés sur la table.

Au même instant, revenant à la réalité, Julie comprit qu'elle se trouvait en présence non pas de journalistes, mais de policiers. Elle voulut faire aussitôt demi-tour, mais déjà une voix très sèche la clouait sur place.

— Vous désirez... ?

Julie voulut s'élancer vers la sortie mais devant elle se dressait le policier qui avait tenu, combien médiocrement, l'emploi de garçon de bureau. Il empêchait toute retraite.

— Elle demandait à voir le sieur de Saint-Cerre, inspecteur.

— Ça peut s'arranger, petite madame.

L'inspecteur entrouvrit une porte au fond de la

pièce, y passa la tête, parlementa brièvement, puis se retourna sur Julie :

— Par ici.

Le faux garçon de bureau lui saisit le bras, elle se dégagea violemment et se dirigea d'un pas décidé vers la porte du fond où se tenait toujours l'inspecteur qui s'inclina légèrement devant elle, de façon plus ironique que courtoise.

— Qui dois-je annoncer?

Elle répliqua d'une voix cinglante :

— Mme Raoul de Saint-Cerre!

Le policier émit un sifflement qui pouvait passer pour un témoignage d'admiration.

— M. le commissaire sera certainement ravi de vous connaître...

Plusieurs policiers en redingote entouraient Raoul, les manches de sa chemise retroussées sur les bras, hirsute, point rasé depuis plusieurs jours, les yeux profondément enfoncés dans les orbites. Ce laisser-aller ne correspondait que de très loin au personnage de dandy que Raoul affectait de jouer lorsque Julie l'avait connu. D'un geste autoritaire et impatient, il écartait les représentants de l'Empire libéral et s'avança vers sa femme :

— Toi!

Dans ce seul mot, tel qu'il l'avait prononcé, il y avait un monde de tendresse et de regret. Elle en fut bouleversée. Elle aurait voulu se jeter dans ses bras, mais il y avait la présence pesante et menaçante de ces hommes. Ceux-là étaient d'un tout autre calibre que le menu fretin policier qui occupait les locaux de la rédaction.

Raoul la serra contre lui tout en répétant :

— Toi... toi... toi...

Et se tournant vers les policiers :

— Eh bien, messieurs, vous ne le croirez sans doute pas, mais cette journée sera marquée d'une

18

pierre blanche, non pas à cause de la souricière que vous avez mise en place ce matin pour cueillir sur les lieux de leurs forfaits le directeur et les collaborateurs du *Lucide*, mais parce que...

Il s'arrêta au beau milieu de sa phrase que Julie aurait pu terminer à sa place : « ... mais parce que ma femme est venue d'elle-même me voir ici après deux mois de silence. »

Raoul, lui, se contenta de dire :

— Mais je ne vois pas en quoi ma vie privée regarde la police de Sa Majesté! De toute façon, veuillez noter que je vis séparé de ma femme qui n'est en rien au courant de mes affaires.

Cette dernière phrase produisit sur Julie l'effet d'un soufflet. Mais Raoul lui jeta un regard éloquent au point qu'elle comprit qu'il avait dit cela pour la mettre hors de cause, pour lui éviter un interrogatoire fastidieux.

— D'ailleurs, ajouta-t-il, c'est la première fois qu'elle vient ici...

Il fit un geste circulaire :

— C'est d'ici, mon amour, de cette modeste officine que l'on complote, paraît-il, contre la sûreté de l'Etat; c'est ici, en principe, comme ces messieurs viennent de me l'apprendre, que je suis censé détenir des « papiers et écrits suspects, des armes, des munitions de guerre, etc. »!

— Je vous prie de noter, monsieur de Saint-Cerre, que toutes vos paroles peuvent désormais être retenues contre vous puisque vous êtes en état d'arrestation, dit le plus grand des magistrats présents, un homme chauve et visiblement imbu de son importance.

Julie essaya de se reprendre. Elle se dit que si elle était partie d'Auteuil une heure plus tôt, elle aurait peut-être eu le temps d'alerter Raoul et l'aider à fuir. Mais n'avait-il pas parlé de « souricière »? Celle-ci avait dû être tendue dès l'aube par les sbires aperçus dans l'antichambre et la salle de rédaction. On avait dû attendre l'ouverture des bureaux et l'arrivée des journalistes pour boucler le siège social de la publication. Julie avait entendu parler de ce procédé, élevé depuis peu à la hauteur d'une institution.

L'autre magistrat, qui n'avait rien dit, se contentant d'étudier les papiers qui couvraient le bureau de Raoul, avança un siège qu'il avait débarrassé des manuscrits qui l'encombraient :

— Asseyez-vous donc, madame, dit-il presque aimablement.

« Trop poli pour être honnête... », pensa Julie. Elle prit place, décidée à rester près de Raoul, à le soutenir par sa présence, à moins qu'on ne l'écarte de force, ce qui, pour le moment, n'était pas le cas. Sans doute, les policiers, qui n'avaient pas cru un mot de ce que leur avait dit Raoul, espéraient-ils obtenir de la femme des précisions que le mari refusait de leur fournir. Elle regarda autour d'elle. Des rayons de bois blanc croulaient sous les livres et les manuscrits. Fixés au mur, des dessins signés par des artistes en renom tels Cham, surnommé « l'Offenbach de la caricature », Stop, Régamey, Gilbert-Martin. Des photographies de Carjat. Encadré et dédicacé à Raoul, un superbe Daumier. Dans l'invraisemblable fouillis qui régnait sur le bureau de son mari, elle vit un très beau cadre en argent placé de façon telle que Raoul, travaillant à sa table, l'eût toujours en face de son regard. Elle se souleva un peu et découvrit alors la photographie que Nadar avait faite d'elle, du vivant de son tuteur, quelques années plus tôt : une Julie Crèvecœur jeune fille, presque adolescente, adossée à une colonne corinthienne. Elle ignorait que Raoul possédait ce portrait et elle resta saisie, bouleversée. Les larmes lui montèrent aux yeux.

— Allons, madame... dit celui des deux policiers qui se voulait aimable.

Elle se reprit aussitôt, honteuse de sa faiblesse.

« Décidément, pensa-t-elle, je ne suis plus celle que j'ai été. Voilà que ces affreux s'imaginent que je pleure sur mon sort! »

— Messieurs, dit Raoul, je vous demanderai de bien vouloir laisser repartir Mme de Saint-Cerre. J'estime que sa place n'est pas ici.

Les policiers se regardaient, indécis. Julie voulut intervenir, expliquer que la place de la femme, en de telles circonstances, était au contraire près de son époux, mais elle n'en eut pas le temps. Il avait enchaîné d'autorité :

— ... et j'ajouterai qu'il est de votre intérêt de ne point insister si vous ne voulez pas vous attirer des désagréments qui risquent de se répercuter sur votre carrière que vous chérissez tout particulièrement, messieurs, car un policier privé d'avancement est comme une bourrique privée d'avoine!

Le chauve haussa les épaules.

— Que voulez-vous insinuer exactement? Je vous rappelle que je suis mandaté par M. le Préfet de police, que je suis chargé de vous amener à la préfecture, vous, ainsi que ceux de vos collaborateurs que nous avons arrêtés ce matin, à la première heure.

— Parfait, dit Raoul, nous savons tout cela. Mais à ma connaissance, aucun mandat n'a été décerné contre mon épouse ici présente, proche parente de M. David-Axel Dupeyrret qui est, comme vous le savez, ministre de l'Intérieur depuis... depuis minuit!

Cela éclata comme un pétard. Les deux magistrats se dégonflèrent comme des baudruches, leur teint devenant cireux. Mais la plus ahurie fut encore Julie qui regarda Raoul, incrédule, abasourdie.

— Voyons, bredouilla-t-elle, voyons, Raoul, tu sais bien que ce n'est pas vrai... Il n'est pas ministre de l'Intérieur!

Elle avait vu son père hier au soir et elle pensa, effarée, que c'était David-Axel en personne qui lui avait conseillé de tenter la démarche qui venait d'échouer si lamentablement, la police l'ayant prise de court.

— Mais si, madame, dit le chauve, Son Excellence, M. Dupeyrret, a été nommé cette nuit.

— Messieurs, poursuivit Raoul, ravi de l'effet produit par ses paroles, vous voyez que le secret d'État joue même au sein des familles de nos chers ministres. Ma femme ignorait qu'au cours du conseil extraordinaire qui a eu lieu fort tard dans la nuit, au château de Saint-Cloud, il y a eu un remaniement ministériel important, puisque M. de La Valette quittait son ministère pour rejoindre celui des Affaires étrangères, que M. Drouyn de Lhuys venait d'abandonner. Et notre Empereur bien-aimé se tourna alors vers son conseiller, son ami Dupeyrret et lui dit : « David-Axel, tu assureras l'intérim au ministère de l'Intérieur en attendant que les choses se tassent! » C'est ainsi, dans les grandes lignes du moins, que s'écrit l'Histoire, messieurs! Et c'est ainsi que *Le Lucide* l'aurait transmise à son fidèle public si vous n'étiez pas venu interrompre brutalement la carrière, à vrai dire éblouissante, de cette publication qui, pour quarante centimes, vous dit la vérité qui, elle, n'a pas de prix.

Julie constata que Raoul n'avait rien perdu de sa verve habituelle. Et elle ne put qu'admirer sa combativité alors qu'il venait de perdre et son journal et la liberté. Les policiers, éberlués, déconcertés par ce qu'ils venaient d'apprendre, ne surent sur quel pied danser. Le plus aimable des deux, qui devait être aussi le plus diplomate, se tourna vers Julie.

— De toute manière, nous n'avions pas l'intention de retenir madame, puisque aucune charge ne pèse sur elle.

Julie, revenue de sa surprise, prit la situation en main.

— Dans ce cas, messieurs, dit-elle, je vous serais

reconnaissante de bien vouloir m'autoriser à prendre congé de mon mari...

Et devant leurs faciès qu'éclairait un sourire obséquieux, elle ajouta :

— ... en tête-à-tête, si vous le voulez bien.

Les policiers se regardèrent, indécis.

— Voyons, messieurs, qu'avez-vous à craindre? Votre prisonnier vous est acquis, puisque vous êtes une douzaine contre un. Ne croyez pas davantage qu'il me glisserait des documents compromettants. Dans ma situation... je veux dire en tant que proche parente du ministre de l'Intérieur, je ne peux me permettre de tromper la justice. D'ailleurs, si vous l'exigez, je me soumettrai à une fouille en sortant d'ici.

Les commissaires levèrent les bras au ciel.

— Il n'en est pas question, madame!

Et comme un seul homme, ils se dirigèrent vers la porte. Le plus chauve des deux lança tout de même à Raoul :

— Vous vous accordons trois minutes d'entretien avec Mme de Saint-Cerre, mais pas davantage... Et ceci est contraire au règlement et pourrait se retourner contre nous.

— Si cela devait arriver, fit Julie avec beaucoup de sérieux, je ne manquerais pas d'intervenir personnellement auprès du ministre...

Ils sortirent en prenant soin de laisser la porte entrebâillée. Mais Raoul n'avait même pas attendu qu'ils laissent le champ libre. Il avait saisi Julie à bras-le-corps, la serrant contre lui au point de lui couper le souffle, embrassant ses lèvres, ses cheveux, l'attirant vers la fenêtre ouverte afin que leurs paroles se confondissent avec le bruit de la rue.

— Pourquoi avoir choisi justement cette fichue matinée pour venir enfin jusqu'à moi? murmura-t-il à l'oreille de sa femme.

— C'est mon père, Raoul... Il est venu à Auteuil hier soir, avant ce fameux conseil, pour me prévenir de l'imminence de ton arrestation décidée par La Valette... Si j'avais su, je serais venue dans la nuit...

Elle aussi parlait à mi-voix. Raoul s'écarta un peu.

— Tu serais venue à quelle adresse? Tu ne sais même pas où j'habite...

C'était la vérité. Elle passa les bras autour de son cou et posa la tête contre sa poitrine.

— Pardon, mon chéri, pardon...

Elle s'en voulut à présent de lui avoir imposé cette séparation pourtant nécessaire. Elle croyait ne plus l'aimer. Elle pensait ne jamais plus pouvoir regarder sans colère l'homme qui avait tué en duel le pauvre Hugo von Wolfenstein... Et voilà qu'elle était dans les bras de celui que deux mois plus tôt elle avait traité d'assassin. Elle se rendit compte qu'un lien indestructible existait entre elle et son mari.

Jetant un regard par-dessus l'épaule de Raoul, elle aperçut, se rangeant tant bien que mal, entre un landaulet et un fiacre, sa propre berline conduite par Félicien qui avait dû avoir du mal pour venir jusque-là. Une idée folle lui traversa l'esprit.

— Regarde, Raoul... Juste en face!

Félicien les aperçut à la fenêtre et, cérémonieusement, il souleva son haut-de-forme à cocarde.

— Je sais à quoi tu penses, chuchota Raoul, mais il n'en est pas question!

Pourtant, le bureau se trouvant au premier étage et Raoul étant fort athlétique, il lui aurait été facile de tenter le tout pour le tout.

— Si je réussissais à leur fausser compagnie, c'est toi qui aurais tous les ennuis...

— Mais je sauterais aussitôt après toi, mon chéri.

— Pas question, Julie.

— Tu préfères la prison?

Il était penché sur elle, lui mordillant la nuque, l'embrassant derrière l'oreille et elle sentit contre elle le corps de celui qui était toujours resté son amant, alors même qu'il était son mari. Elle pensa

24

avec effroi qu'après ces brèves retrouvailles ils allaient être séparés à nouveau; et pour longtemps cette fois. Peut-être pour plusieurs années.

— Crois-moi, Julie : on s'évade plus facilement de la prison de Sainte-Pélagie que de ce bureau! Et je te retrouverai très bientôt...

La porte s'ouvrit brutalement :

— Désolé, madame, mais les trois minutes sont largement dépassées. Monsieur de Saint-Cerre, veuillez nous suivre...

« La Valette a eu sa peau, pensa Julie, se souvenant des paroles de David-Axel. Il a quitté son ministère cette nuit, mais il a eu le temps, avant de partir, de mijoter l'arrestation de Raoul et l'interdiction du *Lucide*, avec son ami intime, le Préfet de police! »

Une heure plus tard, Son Excellence Monsieur Dupeyrret lui confirma cette supposition. Il était installé en l'hôtel Beauvau, faubourg Saint-Honoré, qui abritait depuis six ans les ministres successivement chargés par Napoléon III de veiller sur l'ordre public et le respect de la légalité, ainsi que d'autres attributions, plus fluctuantes, dévolues par l'Empereur à ses ministres de l'Intérieur. Des commis zélés enlevaient des dossiers, d'autres en apportaient de nouveaux. Tout cela sentait le hâtif et le provisoire.

— Les ministres se suivent, dit David-Axel, la paperasse reste. Quand je suis venu hier après-midi à Auteuil, j'étais à cent lieues de me douter que dans la soirée l'Empereur me forcerait la main dans cette affaire...

Il désigna le gigantesque bureau Empire derrière lequel il trônait, beaucoup plus ennuyé que flatté.

— S'il est un ministère qui ne me convient guère, c'est bien celui-ci. Malheureusement, je n'ai qu'à m'en prendre à moi-même : j'étais en désaccord formel avec l'Empereur au sujet de sa politique prussienne que cette chiffe de La Valette approuvait pleinement. Drouyn de Lhuys, bien plus proche de moi, se voyait contraint de démissionner, et c'était évidemment La Valette, porte-voix de Napoléon, qui allait prendre sa place. D'ailleurs, il n'attendait que cela, le bougre. Et lorsque je suggérai à Sa Majesté de confier l'Intérieur à Drouyn, il me pointa l'index dans l'estomac en me disant : « Pas de dérobade. La France a besoin d'hommes de talent. Lorsque j'en aurai trouvé un autre, tu pourras te consacrer à nouveau au bonheur de ta ravissante fille! »

David-Axel essayait de dérider Julie qui, en d'autres circonstances, aurait peut-être beaucoup apprécié cette version définitive des événements historiques de la nuit. Le ministre avait du mérite de badiner de la sorte : Julie voyait très bien qu'il ne s'était pas couché et que, de surcroît, il était bouleversé par ce qu'il avait appris dans la matinée, à savoir l'arrestation de son gendre.

— Père...

Elle ne l'appelait jamais ainsi, sans doute parce qu'elle ne l'avait retrouvé que depuis un peu plus d'une année, et que, malgré les sentiments profonds qu'ils éprouvaient à présent l'un pour l'autre, Julie avait du mal à dire ce mot : « père ».

David-Axel s'était levé, il avait contourné le bureau, au moment où, une fois encore, un membre de son cabinet, après avoir frappé discrètement, parut les bras chargés de documents qu'il vint déposer sur le bureau du ministre.

— J'aimerais ne plus être dérangé.

— A vos ordres, Excellence.

L'homme sortit, referma avec soin la double porte matelassée de l'extérieur, au-delà de laquelle, dans une antichambre lambrissée d'or et décorée de tapisseries, on voyait s'affairer une armée d'huissiers en culotte de soie, la chaîne d'argent au cou. David-Axel vint prendre place dans le fauteuil qui se trouvait placé à côté de celui de sa fille et lui prit la main.

— Ecoute-moi bien, chérie, et essaie de me comprendre. Cette affaire est une peau de banane que La Valette, qui me hait, a voulu glisser sous la semelle de mes bottines pour que je me casse la figure. Tout ce que je ferai en faveur de ton mari sera aussitôt rapporté à l'Empereur que ton Raoul insultait dans chaque livraison de sa feuille. Je te jure sur ce que j'ai de plus cher, c'est-à-dire sur ta propre personne, que je me moque pas mal de ma carrière politique. Mais il se passe des choses graves dans ce pays et la santé de l'Empereur est chancelante. Je suis conscient de pouvoir jouer encore un rôle, non pas dans mon intérêt, mais dans celui de la France. Si je perdais la confiance de Napoléon, je ne serais plus rien, je n'aurais plus aucun pouvoir et certains hommes de l'entourage de l'Empereur et d'Eugénie nous conduiraient à la catastrophe, tant sur le plan intérieur que sur le plan extérieur.

« C'est épouvantable! pensa Julie qui, en cet instant, se souciait fort peu de l'intérêt de la France. Il ne fera rien pour Raoul, bien au contraire. Une fois de plus, je me trouverai seule, entièrement seule à devoir résoudre des problèmes en apparence insolubles. »

— Je crois savoir ce que tu penses, dit David-Axel, et je voudrais que tu saches que j'ai réfléchi au problème dès que j'ai appris l'arrestation de ton mari. Nous sommes responsables en grande partie de ce qui nous arrive, en bien ou en mal. Si vous vous aimez, Raoul et toi, vous serez en mesure de vous tirer vous-mêmes de ce mauvais pas à condition...

Il lui lâcha la main et se leva.

— ... à condition que le destin vous donne un petit coup de pouce! Et le destin, en l'occurrence, sera personnifié par un personnage qui m'est aussi familier, ou presque, que l'empereur Napoléon : le père Méchin!

— Le père Méchin? C'est un ecclésiastique?

— Non, chérie : c'est le gardien-chef de la prison de Sainte-Pélagie!

— Et comment se fait-il que vous connaissiez le gardien-chef de Sainte-Pélagie? demanda Julie, ahurie.

— Parce que c'est lui qui a gardé, il y a très longtemps, le prince Louis-Napoléon, actuellement empereur des Français, alors qu'il était prisonnier politique au fort de Ham. Pour l'avoir si bien gardé, l'Empereur l'a fait chevalier de la Légion d'honneur... C'est vrai, tu sais. Et c'est moi qui la lui ai remise, sa médaille.

Il se pencha vers elle et l'embrassa sur le front :

— Madame Raoul de Saint-Cerre, avec la protection du père Méchin, vous verrez votre mari autant de fois et aussi longtemps qu'il vous plaira. Et je vous fais confiance à l'un et à l'autre pour découvrir la meilleure manière de retrouver votre amour et... la liberté.

A SAINTE-PELAGIE

Rentrée chez elle, Julie eut la surprise d'y être accueillie par une Antoinette en larmes. La nouvelle de l'arrestation du directeur du *Lucide* s'était répandue à une vitesse incroyable et même à Auteuil, ce lieu paisible et champêtre, on ne parlait que de cela. Antoinette n'en revenait pas de voir Julie parfaitement maîtresse d'elle-même, nullement désespérée. Félicien avait raconté à l'office, enjolivant quelque peu la réalité, qu'il avait pu voir les jeunes époux, étroitement enlacés à l'une des fenêtres du 27 de la rue de Grammont, versant tous deux des larmes sur le destin cruel qui les réunissait à nouveau pour mieux les séparer. Pas un œil ne resta sec. On avait été bouleversé deux mois plus tôt lorsque « Mademoiselle » était revenue seule de Bohême-Moravie, sans son mari. On avait toujours espéré une réconciliation qui devait intervenir tôt ou tard. Et voilà que Monsieur allait être jugé pour « conspiration contre l'Empire », cueilli par la police au moment même où Madame venait de faire le premier pas vers une issue heureuse de ce qu'on considérait aux cuisines comme une scène de ménage, laquelle, vu le caractère excessif des époux, avait pris des proportions démesurées.

— Ces deux-là, avait déclaré en son temps Augustine, la cuisinière et l'épouse de Félicien, ces deux-là, si vous voulez mon avis, ils ne seront heureux que dans les drames.

Et par sa bouche le bon sens populaire avait parlé.

Julie n'était plus la même. Etait-ce parce qu'elle se trouvait jusqu'au cou « dans le drame »? En vérité, durement mise à l'épreuve, une fois encore, Julie avait acquis la certitude qu'elle aimait toujours Raoul. Elle l'aimait autrement qu'au début parce qu'il lui était difficile d'effacer de sa mémoire les épreuves endurées ces derniers mois. Elle avait tout attendu d'un homme, du mariage, de la vie commune. Au fil des jours, elle avait découvert qu'elle n'était pas de la race des femmes soumises qui tiraient leur substance, leur raison de vivre de l'amour qu'elles portaient à leur compagnon. Julie avait besoin d'autre chose; il lui fallait vivre sa propre aventure, suivre son propre chemin, s'assumer, se réaliser. Comme un homme. Et quel était l'homme qui acceptait cela d'une femme, de sa femme? Quel homme au monde n'était pas un tyran-né, un despote, même aimable, au fond de lui-même? Plus d'une fois, durant ces semaines de solitude, Julie s'était dit et répété qu'elle n'était pas faite pour le mariage, qu'il fallait à tout prix surmonter cette épreuve, recommencer à vivre et à vivre seule. Mais si elle n'était peut-être pas une épouse idéale, elle était une amoureuse, elle le savait bien. L'amour lui était indispensable. Elle était faite pour donner et pour recevoir. Et la solitude lui faisait horreur. Cet amour pour Raoul qu'elle croyait mort à Berlin, il était vivant, devenu autre, plus lucide, sans doute, plus grave aussi, mais il existait. Elle était incapable d'éprouver à l'égard de son mari de l'indifférence. Le combat qu'il menait, elle en était fière. Son caractère la hérissait, la heurtait souvent, mais l'homme savait la combler. Elle se dit qu'il fallait désormais savoir faire la part des choses. Raoul était en prison et personne n'était en mesure de dire pour combien de temps. Pour Julie, le chemin était tout tracé. Il fallait tout mettre en œuvre pour lui faire retrouver ce à quoi il tenait le plus au monde : la liberté.

Le lendemain, à la première heure, elle se rendit à Paris, conduite par Félicien, et arriva aux portes de Sainte-Pélagie bien avant l'heure des visites fixée à 10 heures.

La prison se trouvait dans l'un des plus vieux quartiers de Paris, rue Saint-Médard qui formait, avec la rue du Pont-aux-Riches et la rue de la Clef, un coin presque agréable, aéré, avec quelques arbres. La façade de cet ancien couvent était sévère, mais point trop rébarbative, exception faite des factionnaires qui veillaient, mousqueton au poing, à chaque coin du bâtiment.

Au grand étonnement de Julie, une foule joyeuse de visiteurs, qui grossissait à chaque instant, se trouvait déjà assemblée sur le terre-plein devant la prison spécialisée dans les « politiques ». Des voitures de maître déposaient des femmes élégantes et parfumées, alors que des personnages visiblement importants, souvent décorés, allaient de long en large, leurs porte-documents sous le bras, devisant entre eux. Il y avait aussi des mères de famille avec leur progéniture et, un peu à part, comme intimidée par cette foule de gens bien vêtus et parlant haut, la troupe misérable et grise de ceux qui venaient voir les « abandonnés de Malthus », les délinquants et même les enfants condamnés pour quelque menu larcin.

Julie fut frappée par ce spectacle insolite, elle qui savait bien, pour en avoir souvent parlé avec Raoul, à quel point le Paris de la misère était séparé de ce Paris du plaisir dont on parlait tant dans le monde entier, oubliant souvent que Paris était surtout cela : une ville immense où il fallait travailler dur pour des salaires presque toujours insuffisants, où les logements étaient insalubres, la nourriture médiocre et l'avenir incertain... Jusqu'à cette minute, l'épreuve que subissait Julie avait encore ce parfum de fantaisie aimable qu'elle connaissait bien et qui rendait possible l'impossible. Certes, Raoul courait le risque d'une peine sévère. Mais il semblait convaincu qu'il y avait toujours moyen de ruser avec le destin. Et même David-Axel, aussi aventurier que son gendre, quoique d'un autre bord, paraissait davantage blessé dans son amour-propre que réellement inquiet pour le journaliste.

« Il pense, sans doute, se dit Julie, à une possible amnistie de l'Empereur, un jour où celui-ci serait bien disposé... »

Mais Julie n'y croyait guère. N'avait-elle pas repoussé, indignée, les avances de Napoléon ? Elle n'en avait jamais soufflé mot à personne, mais elle avait la conviction que s'il était un homme au monde qui ferait tout pour laisser croupir en prison le mari de Julie Crèvecœur, c'était bien l'empereur des Français.

Lorsque David-Axel lui avait parlé de l'état de santé de l'Empereur, elle avait eu envie de lui rire au nez : le personnage qui s'était jeté sur elle, l'embrassant avec une fougue de jouvenceau, ne souffrait d'aucun rhumatisme paralysant...

Julie ne put détacher les yeux du groupe apeuré, mal vêtu, craintif, voire honteux, de ceux qui n'avaient point la chance d'avoir à rendre visite à un « politique ». Et d'en déduire que, pour le moment du moins, sous le règne impérial, ceux qu'on mettait en prison pour un délit d'opinion faisaient généralement partie d'une classe sociale aisée. Plus tard, elle réviserait cette opinion un peu hâtive qui ne s'appliquait, en fait, qu'aux hommes de plume.

La cloche de l'institution Savouré, un établissement d'éducation réputé qui se trouvait non loin de là, sonna la récréation de 10 heures. Le portail de la prison s'entrouvrit et ce fut aussitôt la ruée des visiteurs, dont certains, chargés de victuailles, brandissaient des jambons et des saucissons comme des massues au-dessus de leurs têtes.

Julie fut emportée par le flot humain et échoua devant un personnage impressionnant, sa Légion d'honneur épinglée à même sa tunique militaire, et qui saluait certains d'un sonore :

— Bien le bonjour, monsieur le député!

ou encore d'un :

— Mes respects, madame la baronne!

Il ne s'adressait ainsi, bien entendu, qu'à des visiteurs de marque qui portaient leur distinction sur la figure.

Des gardiens en uniforme plus sobre canalisaient le menu fretin avec une absence totale de prévenances. Julie avait immédiatement compris qui était l'homme à la médaille. Cernée de toutes parts, bousculée comme sous le péristyle des *Variétés* un soir de première, elle fut arrêtée dans son élan par un gardien qui lui barrait le chemin :

— Vot'nom?

— Je suis Mme Raoul de Saint-Cerre...

— Raoul de quoi? Jamais entendu parler.

32

Il se tourna vers son supérieur qui serrait justement la main d'un visiteur qui devait être au moins général, tant il lui témoignait de respect.

— Raoul de Saint-Cerre, ça vous dit quèque chose, chef? C'est sa dame qu'est là...

Le père Méchin tourna sa face rubidonde vers Julie, esquissa un large sourire et dit :

— Par ici, madame.

Julie, le cœur battant, suivit le gardien-chef à l'intérieur d'une salle basse qui avait tout d'une cellule où se tenaient quelques geôliers. Au mur des râteliers d'armes.

— Mauvaise nouvelle, petite madame...

Julie pâlit. Le bonhomme avait l'air sincèrement désolé.

— Et pourtant, ça m'aurait fait plaisir de vous recevoir, rapport à ce que j'ai rien à refuser à Son Excellence le ministre...

Julie leva vers le père Méchin un visage bouleversé.

— Vite, monsieur, dites-moi ce qui se passe... Il est arrivé quelque chose à mon mari?

Le père Méchin se gratta le nez qu'il avait bourgeonnant.

— Il est arrivé... Il est arrivé que j'ai plus de place! C'est que tout le monde veut y venir, à Sainte-Pélagie! J'en refuse tous les jours, des prisonniers, et du meilleur monde, je vous prie de le croire... Ce ne sont pas les demandes qui me manquent, c'est les chambres.

Julie n'en crut pas ses oreilles. Le gardien-chef s'exprimait comme le patron d'une auberge réputée, obligé de refuser de la clientèle.

— Je... je ne comprends pas très bien, bredouilla-t-elle. M. de Saint-Cerre ayant été arrêté par la police, il doit bien se trouver en prison, en attendant.

— Je pense bien, concéda le gardien-chef. Votre mari, il est à la Conciergerie.

Julie secoua la tête, incrédule.

— A la Conciergerie?

— C'est moins bien que chez nous, mais ce n'est que provisoire.

« Insensé! pensa Julie, il me rappelle ces généraux au rancart chargés, lors des chasses impériales à Compiègne, de distribuer leurs appartements aux hôtes de Napoléon! »

Il baissa le ton pour ne pas être entendu :

— J'aurai quelque chose au pavillon des princes ces jours-ci... Malgré les pressions qu'on exerce sur moi, madame, je vous donne ma parole que c'est M. de Saint-Cerre qui passera en priorité... en priorité, madame!

Julie s'était faite progressivement au cocasse de la situation.

— J'en suis convaincue, monsieur Méchin, rétorqua-t-elle avec gravité, et je vous en remercie d'avance. Je tiens tellement à ce qu'il soit chez vous plutôt... plutôt qu'ailleurs.

— Vous avez bien raison, petite madame. La Conciergerie et même Mazas, qui peut pourtant se vanter d'avoir eu naguère pour pensionnaire M. Jules Vallès, ne sont pas comparables avec Sainte-Pélagie question accueil et confort...

A la Conciergerie les visites étaient interdites, mais chaque matin Julie se rendait à Sainte-Pélagie avec l'espoir d'y trouver son époux. De loin déjà, en l'apercevant, le père Méchin lui faisait comprendre par gestes qu'il n'y avait rien de nouveau. Elle alla ainsi d'espoir en déception; trois jours durant lesquels il lui fallut tout son courage pour ne pas succomber aux idées noires qui l'assaillaient. Elle était trop fière pour retourner à Beauvau, mais David-Axel lui fit parvenir un message par courrier spécial, un gendarme, qui arriva à Auteuil, à bride abattue et couvert de poussière, fichant la trouille à tout le monde. Dans sa missive, le ministre la rassura sur le sort de Raoul qui se portait on ne pouvait mieux et qui devait être transféré « ailleurs » d'un jour à l'autre. Cela rassura beaucoup Julie qui prit son mal en patience.

Le quatrième jour, ayant fait atteler, comme de coutume, tôt le matin, elle se présenta parmi les premiers visiteurs au portail de Sainte-Pélagie. Elle eut la joie d'entendre le père Méchin la saluer d'un retentissant :

— Par ici, madame de Saint-Cerre!

Elle avait tant attendu cet instant, affreusement inquiète sur le sort de Raoul, qu'il lui semblait n'être plus que l'ombre d'elle-même, alors qu'elle aurait voulu paraître devant l'homme qu'elle avait tant aimé non pas en vaincue, mais en triomphatrice, consciente d'avoir encore un rôle capital à jouer dans sa vie. Elle ne savait pas encore exactement quel serait ce rôle, mais elle le pressentait déterminant.

Au pas de charge, distribuant à droite et à gauche sourires, poignées de main, le gardien-chef emprunta un couloir qui débouchait sur une cour où s'élevaient divers bâtiments que le père Méchin désignait à Julie avec la fierté du propriétaire :

— L'établissement, madame, est divisé en quatre grandes sections : le pavillon de la dette à votre droite, précédant le pavillon des voleurs et des vagabonds... De l'autre côté, nous avons le pavillon des politiques et le pavillon de la presse que MM. les journalistes ont baptisé eux-mêmes « le pavillon des princes »! Ce n'est pas la modestie qui les étouffe... Vous devez en savoir quelque chose, madame de Saint-Cerre! Par ici...

Julie constata qu'il y avait même quelques arbres dans la cour qui ressemblait davantage au préau d'une école qu'à une cour de prison. Le père Méchin pénétra dans le bâtiment, salué militairement par les gardiens dont la présence ramena Julie aux réalités de l'heure. Sainte-Pélagie était bel et bien une prison. A l'intérieur du pavillon des princes, les prisonniers allaient et venaient dans les couloirs sur lesquels s'ouvraient les portes des cellules, petites chambres parcimonieusement meublées, certes, mais contenant, outre la paillasse traditionnelle, une table, une chaise et surtout, bien inappréciable, une véritable fenêtre!

Apparemment libres à l'intérieur de leur pavillon, les détenus arboraient tous, cependant, la même casaque grise qu'ils agrémentaient, selon leur fantaisie, de foulards de soie, de grandes cravates ou d'autres accessoires vestimentaires avec l'accord tacite, semblait-il, de leurs geôliers.

Le père Méchin fut accueilli par des lazzi et des quolibets antibonapartistes auxquels le gardien-chef répliqua par des : « Voyons, messieurs... » scandalisés. La présence de Julie à ses côtés provoqua un déluge de commentaires, tous plus flatteurs les uns que les autres, sans jamais tomber dans la trivialité.

« Décidément, pensa Julie, ce pavillon mérite bien son appellation... On dirait qu'il n'y a là que des poètes et des hommes du monde. »

Mais elle ne put s'empêcher d'éprouver une sorte de gêne devant cette discrimination qui faisait que les uns étaient princes et les autres mendiants, même en prison. Il n'y avait donc d'égalité que devant la mort?

— Et voilà la chambre de M. de Saint-Cerre!

Cette petite phrase prononcée d'un air réjoui par le gardien-chef ramena Julie au moment présent. Et tout ce qui la tourmentait depuis des jours et des jours, ses angoisses, ses inquiétudes, les questions qu'elle se posait au sujet de l'avenir, tout s'effaça et rien ne comptait que cette minute précieuse entre toutes; le lieu était sinistre, les circonstances dramatiques, mais tout était désormais possible, puisqu'ils avaient retrouvé le chemin de leur propre vie, celui de leur existence commune.

A l'encontre des autres chambres, celle de Raoul était fermée. Au grand ébahissement de Julie, le père Méchin frappa à la porte avant d'en abaisser la poignée.

— Une visite pour vous, monsieur de Saint-Cerre! Il s'effaça.

Raoul se dressa devant sa femme :

— Julie!

Avant de sortir, le gardien-chef lui glissa à l'oreille :

— Je ferme la cellule à clef... dans votre intérêt.

Elle entendit la clef tourner deux fois dans la serrure.

— Julie!

Elle se dit qu'elle était prisonnière, elle aussi, et heureuse de l'être! Prisonnière des bras de son mari. Il portait encore les vêtements qu'il avait sur lui le jour de son arrestation. Sa chemise blanche était devenue grisâtre, innommable, et son pantalon jaune, à l'origine, était couvert de taches noirâtres, bosselé, chiffonné. Visiblement, Raoul avait dormi ainsi vêtu à la prison de la Conciergerie. Sa barbe dorée, embroussaillée, lui donnait un air de prophète, ainsi que ses cheveux trop longs. Amaigri, avec une lueur combative dans les yeux, il n'avait rien perdu de sa fougue ni de son beau tempérament. Il avait couché sa femme à même la paillasse douteuse dont elle ne sentait même pas le contact rugueux; il s'était agenouillé au pied du châlit d'une étroitesse telle qu'un homme quelque peu corpulent devait avoir du mal pour y tenir sans risquer la chute. Il avait posé la tête sur le ventre de Julie, ce qui la bouleversa, car c'était un geste qu'il avait eu parfois au moment où elle attendait ce bébé qui ne devait jamais naître...

— Comment as-tu vécu sans moi, Julie? Bien? Mal?

— Mal, tu sais... très mal! Et toi?

— Moi, mon amour? Il me semble que je n'ai pas vécu. J'ai travaillé... travaillé... travaillé... Et la nuit, je buvais sec. Trop. Je me suis enivré presque chaque soir... Enfin, j'essayais sans y arriver. Alors, je sortais...

Il la prit par les épaules, la forçant à se relever à moitié.

— Tu as eu des amants?

Julie redoutait cette question. Elle ne s'attendait pas à ce qu'elle vînt si vite, alors qu'ils avaient tant de choses à se dire, tant de décisions à prendre. Mais le regard brûlant de Raoul exigeait une réponse. « Il n'a pas changé... » songea Julie.

— Et toi, Raoul, as-tu eu des maîtresses?

Il lâcha les épaules de sa femme.

— Ce n'est pas la même chose, murmura-t-il.

« Mais si, pensa Julie, c'est exactement la même chose... »

On n'arrêtait pas de frapper à la porte; c'étaient les détenus, journalistes politiques, bien sûr, comme Raoul, mais aussi des chansonniers, des dessinateurs qui se nommaient les uns après les autres, souhaitant la bienvenue au nouvel arrivant, le conviant à venir les rejoindre à la « chambre d'honneur » du premier étage où un « buffet froid » attendait les convives...

— Excusez-moi, mais j'ai de la visite, clamait Raoul, excédé.

— Pardonne-nous, coprince, pardonne-nous, frère d'infortune! hurlaient des voix joyeuses. Muse de brasserie, femme du monde ou professionnelle de l'extase?

— C'est ma femme et je vous serais reconnaissant de changer de registre, répliquait Raoul.

Cette mise au point mit un terme à l'effervescence dans le couloir. Julie entendit des chuchotements, des rires étouffés derrière la porte, puis des pas qui s'éloignaient.

— Il ne faut pas leur en vouloir, dit Raoul. Certains sont là depuis plus de six mois sans savoir si on les libérera demain ou jamais.

A présent, ils étaient assis l'un à côté de l'autre sur

la paillasse, comme des enfants sur un banc. Julie était aussi troublée que Raoul. Le désir qu'ils avaient l'un de l'autre créait une sorte de gêne émouvante entre eux, car ce lieu sordide, exagérément sonore, ne prédisposait guère aux ébats amoureux. Pourtant, Julie connaissait suffisamment son mari pour savoir qu'il n'était pas homme à se laisser troubler par l'atmosphère des lieux. Il l'attira à lui.

Il se passa une chose curieuse en Julie : elle se rappela certaines soirées, à Auteuil... Parfois elle se rebellait lorsque Raoul se montrait trop entreprenant, alors qu'ils étaient couchés l'un près de l'autre, au retour d'un dîner ou d'une soirée au théâtre. Rien n'était plus naturel, aux yeux de Raoul, marié avec Julie, que de la prendre alors dans ses bras, que de la dépouiller de son vêtement de nuit... Julie n'était pas moins ardente que son jeune époux, mais elle se révoltait contre cette idée de cérémonial immuable, de régularité dans la passion qu'elle jugeait néfaste pour la passion.

— Pourquoi ne me fais-tu pas l'amour le matin? lui demandait-elle, un peu par jeu aussi.

Et Raoul de répondre :

— Parce que, avec ta permission, le matin, je travaille!

— Faux! s'exclamait Julie. Votre métier de journaliste, monsieur, vous autorise les horaires les plus fantaisistes. J'exige que vous me fassiez la cour selon nos deux caprices, à n'importe quel moment, mais pas chaque soir ou tous les deux soirs ou, comme certains, plus sages et plus vieux, tous les samedis soirs.

Raoul se souvenait-il, lui aussi, de ces assauts d'éloquence qui débouchaient généralement sur d'autres joutes plus astreignantes? Quoi qu'il en fût, matin ou pas matin, prisonnier barbu à Sainte-Pélagie, il n'y alla point par quatre chemins. Et Julie n'en fut pas le moins du monde choquée, heureuse, par ailleurs, qu'il préférât agir plutôt que d'entamer le sujet redoutable des amants qu'aurait pu avoir Julie durant ces longues semaines où elle se morfondait à Auteuil.

Un instant très bref, l'ombre de Maxime, qui avait surgi du passé, vint troubler la jeune femme; l'ombre de Maxime, le Chourineur, l'amant prodigieux, mi-bête mi-homme, et l'ombre aussi, bien plus irréelle, d'Alain, son premier grand amour, revenu, lui aussi, d'un autre monde, pour rappeler à Julie qu'elle avait vécu intensément avant de lier son existence à celle de Raoul de Saint-Cerre... Les ombres s'effacèrent. Il ne resta que le moment présent, miraculeux, puisqu'ils étaient ensemble. Pour Julie, le décor désespérant devint flou, comme si les murs de la prison s'écartaient, vaincus par l'amour. Jamais deux amants ne connurent de couche plus inconfortable. Mais tout devenait possible en un pareil instant; et la paillasse douteuse, rebutante, devenait fourrure précieuse. Julie réalisa que rien n'était plus important que cet élan qui jetait deux êtres dans les bras l'un de l'autre; que la réalité acceptait de se transfigurer pour peu que la ferveur l'y contraignît. La réalité, Julie la sentait dans sa chair, c'était le châlit trop étroit et qui gémissait comme si on le torturait sous le poids du couple enlacé. La réalité, c'était aussi cet homme qui avait souffert d'être privé de sa liberté et qui retrouvait dans les gestes de la passion son entité d'homme, sa fierté, son orgueil.

Julie, peu esclave de nature, souvent opposée à cet égoïsme des hommes dans le plaisir, ne pensait qu'à lui et s'oubliait elle-même. Elle lui dit des mots qu'elle n'aurait jamais prononcés en d'autres lieux et qu'elle inventait, ignorant que des femmes bien plus expertes qu'elle, professionnelles de l'amour, les disaient sciemment pour exacerber le désir de leur partenaire. Julie avait conscience qu'il y avait comme du désespoir dans la fureur amoureuse de son mari; comme s'il l'aimait pour la dernière fois.

40

Et Julie se dit que tous les amants devraient s'aimer comme si c'était la dernière fois...

Le temps passa. Etait-ce une heure ou plus? On ne vint plus frapper à leur porte et jusqu'aux bruits de la prison qui avaient cessé. Du moins c'est ce que crut Julie, alors qu'elle se retrouva nue et frissonnante, blottie au creux de l'épaule de Raoul, apercevant un morceau de ciel par la fenêtre grillagée. Paris se morfondait sous la canicule orageuse, mais il faisait presque froid derrière les murs épais de Sainte-Pélagie!

— Je suis libre, murmura Raoul, tu m'as libéré!

— Ce n'est pas vrai, mon chéri, tu n'es pas libre, mais tu le seras très vite...

Raoul l'écarta de lui pour mieux voir son visage défait par l'amour, mais radieux.

— Tu crois sérieusement qu'on va me relâcher?

— Non, mon chéri. Franchement, je ne le pense pas... Mais je suis convaincue qu'il existe un moyen de sortir d'ici.

Julie était bien moins convaincue qu'elle ne le paraissait. Ce qu'elle redoutait, c'était le procès. Comment ne pas oublier ce que David-Axel lui avait fait entendre à demi-mot, à savoir que, poursuivi par la haine de M. de La Valette qui s'était juré, par ailleurs, de discréditer le nouveau ministre de l'Intérieur par intérim auprès de l'Empereur, Raoul ne pouvait compter que sur lui-même... et sur sa femme.

— L'idéal, vois-tu, ce serait de ne pas attendre ton procès...

Elle sentait que toute son énergie, son amour de la vie et de la lutte étaient ressuscités.

« C'est étrange, se dit-elle, avec toutes les idées que je me suis forgées sur le destin de la femme libre, voilà que je redeviens courageuse et forte parce que j'aime un homme et que je suis aimée de lui. J'ai beau me rappeler les dissonances du passé, ma révolte contre la tyrannie masculine, mon goût de

41

l'indépendance, voilà que je n'aspire qu'à une chose : retrouver ma prison. »

Mais en même temps elle se reprochait de ne pas être tout à fait franche avec elle-même. N'était-ce pas plutôt parce que Raoul était privé de liberté et qu'il dépendait d'elle qu'elle avait retrouvé cette vigueur d'esprit et de caractère qui lui étaient propres? Au fond, n'était-elle pas heureuse de l'avoir à sa merci, cet homme qui aimait tant la dominer et qui devenait fou de colère lorsqu'il se rendait compte qu'elle lui échappait ou qu'elle lui tenait tête, œil pour œil, dent pour dent?

Julie chassa ces pensées qui la troublaient. Ils restèrent encore ensemble une heure qui leur parut trop courte. Si Raoul réussissait à s'évader de Sainte-Pélagie, il avait l'intention de gagner Bruxelles, afin d'y faire reparaître *Le Lucide*. Comment? Avec quels capitaux? Il n'en savait encore rien.

— Il me reste quelques bijoux, surtout ce diadème de ma mère qu'elle avait glissé dans mes bagages, à Palerme, suggéra-t-elle.

Raoul l'empêcha de poursuivre.

— Il n'en est pas question, mon amour... J'ai trouvé des gens pour financer *Le Lucide* en France où il avait pris un départ foudroyant. J'en trouverai d'autres en Belgique... ou les mêmes!

Julie n'eut pas le temps de demander à son mari quelques éclaircissements sur le problème de ses bailleurs de fonds, problème sur lequel, par ailleurs, il ne semblait guère désireux de s'étendre.

On frappa discrètement à la porte de la cellule.

— C'est moi, les enfants...

Le père Méchin!

— On peut entrer? demanda ce geôlier exemplaire, de l'autre côté de la porte.

— Faites comme chez vous, s'écria Raoul dont la figure s'était assombrie.

La clef tourna deux fois dans la serrure, la porte

42

s'entrouvrit et la silhouette imposante du gardien-chef, débonnaire, faisant sonner son trousseau de clefs, se dressa devant le couple. Julie n'avait pas eu le temps de se recoiffer. Sa chevelure aux reflets d'or lui tombait jusqu'au milieu du dos. Telle quelle, c'était une apparition irréelle dans ce lieu sordide et le père Méchin en avait tout à fait conscience, car il s'écria :

— J'en ai vu défiler ici, des dames, mais aussi belle que la vôtre, monsieur de Saint-Cerre, jamais!

Quelques instants plus tard, Julie se retrouvait sur le terre-plein inondé de soleil. Etrange sensation que d'être libre, alors qu'elle laissait derrière elle un homme dont l'univers se limitait à une cellule, une cour plantée de quelques arbres, mais aussi à la chambre d'honneur du « pavillon des princes » qui accueillait, d'après ce que Raoul lui en avait dit, jusqu'à vingt-cinq convives, où l'on mangeait presque aussi bien qu'à la Maison d'Or, où l'on débouchait les meilleurs crus et où l'on discutait avec fièvre, oubliant sa condition de prisonnier politique. Elle pouvait voir, de loin, Félicien, au pied de la berline, son haut-de-forme à cocarde à la main, en grande conversation avec un jeune homme élégant qu'elle ne reconnut pas immédiatement. En se rapprochant, elle découvrit avec surprise qu'il s'agissait de Patrice Kergoat, l'ancien secrétaire de son tuteur, devenu lui-même banquier. Elle l'avait vu la dernière fois au moment où elle se remettait de sa terrible chute de cheval en forêt de Fontainebleau, peu de semaines avant qu'elle ne parte pour la Bohême-Moravie... Elle avait trouvé, à ce moment-là, qu'il prenait un peu d'embonpoint, les années et la réussite aidant. Mais il avait toujours ce regard brûlant et cette fougue juvénile. Et il avait prétendu que malgré les années et tout ce qui s'était passé, son mariage et celui de Julie, il l'aimait comme au premier jour. Et c'était bien un regard d'adorateur sans rémission qu'il posait sur elle alors qu'elle s'avançait vers lui, sur le fond austère de la prison de Sainte-Pélagie, superbement échevelée et indifférente à la surprise que provoquait son apparition chez les passants, le gardien-chef de la prison l'ayant lui-même reconduite jusqu'au portail de l'établissement pénitenciaire. On aurait pu la prendre pour une prisonnière qu'on venait de libérer!

Patrice se précipita à sa rencontre :

— Je m'attendais un peu à vous trouver là, Julie. Chère Julie, courageuse Julie...

Sa chaleur était vraie. Il avait toujours été un ami exemplaire et lui avait prouvé à plusieurs reprises son attachement profond.

« Ce qui est surprenant, se dit Julie, c'est qu'il ne soit pas accouru au moment de ma séparation avec Raoul, le mois dernier... Patrice aurait pu croire que son heure sonnait enfin... »

— Moi, en revanche, je suis plutôt surprise de vous rencontrer devant Sainte-Pélagie, lui dit-elle. Vous n'allez pas me faire croire que vous avez des amis de l'autre côté de ces murs?

Elle avait dit cela avec une gaieté qui sonnait faux. En d'autres circonstances, en un autre endroit, elle aurait peut-être été heureuse de le revoir.

— Détrompez-vous, Julie, rétorqua Patrice, la mine soucieuse. Je m'apprêtais à rendre visite à celui que vous venez sans doute de quitter...

Elle crut avoir mal entendu :

— Raoul? Vous alliez rendre visite à Raoul dans sa cellule?

C'était impensable. Les deux hommes se détestaient depuis que Julie Crèvecœur s'appelait Mme de Saint-Cerre. Raoul était jaloux de tous les anciens soupirants de sa femme; Patrice ne s'était jamais consolé de n'avoir été que l'ami fraternel de Julie Crèvecœur. La stupéfaction de cette dernière était donc compréhensible.

Patrice la conduisit jusqu'à sa voiture, dont Félicien tenait la portière, prêt à reprendre les rênes pour la ramener à Auteuil.

— Montons dans votre voiture, Julie, et bavardons tranquillement pendant quelques instants. Vous voulez bien?

— Nous ne partons pas tout de suite, Félicien, dit Julie à l'adresse du cocher.

— Bien, madame, dit celui-ci.

Et au lieu de grimper sur son siège, il resta en faction près de la berline. C'était un homme sûr et discret que ce brave Félicien. Lui aussi connaissait Patrice depuis le jour où celui-ci, fraîchement débarqué de sa province, était entré au service du banquier Rémy Gaspard.

Les jeunes gens prirent place sur la banquette. Félicien avait pris soin de garer l'attelage dans une zone d'ombre. Patrice s'était enfoncé dans son coin, tourné de trois-quarts vers Julie qui constata qu'il avait maigri depuis leur dernière rencontre, mais que son visage de condottiere portait les traces d'une existence trépidante où le travail devait le disputer au plaisir.

— Je ne suis rentré d'Angleterre que depuis deux jours, dit le jeune homme qui avait saisi la main de Julie pour la porter à ses lèvres.

Le geste était à la fois tendre et respectueux, mais Julie retira sa main, doucement.

— Voyons, Patrice, murmura-t-elle.

— Vous êtes de plus en plus belle, Julie.

— Vous vouliez me parler de l'objet de cette visite que vous vous apprêtiez à rendre au prisonnier Raoul de Saint-Cerre.

— En deux jours, j'ai appris un certain nombre de nouvelles qui m'ont fait regretter amèrement cette absence prolongée de Paris, soupira Patrice. J'ai su évidemment que vous vivez séparée de Raoul. Vous n'ignorez pas que Paris est un village. Si j'avais été ici au lieu de conclure des marchés mirifiques de l'autre côté de la Manche, je me serais présenté chez vous, je vous aurais invitée à déjeuner, à dîner et à souper; je vous aurais fait une cour tellement... pressante que...

— Assez, Patrice!

Elle l'avait interrompu sèchement, mais elle se radoucit aussitôt :

— ... Je suis désolée, mais vous choisissez mal le moment...

Il la regarda seulement. Avec ferveur. Puis :

— J'allais rendre visite à votre mari parce que le bailleur de fonds de son journal *Le Lucide*, c'est moi.

Il jugea calmement de l'effet produit par ces paroles.

Ce fut comme un coup de tonnerre qui résonna aux oreilles de Julie. Pourquoi Raoul le lui avait-il caché? Sans doute avait-il honte d'avoir accepté les capitaux d'un homme qui faisait, depuis plusieurs années, la cour à sa femme et qu'il battait froid pour cette raison bien précise. Mais l'hostilité qu'il manifestait à Kergoat avait fondu, semblait-il, lorsque celui-ci s'était révélé susceptible de l'aider à réaliser l'ambition de sa vie : avoir son journal.

Une immense déception envahit Julie. Elle eut envie de pleurer, mais elle se maîtrisa. Patrice avait dû lire sur son visage bouleversé ces réflexions amères. Il se pencha vers elle en s'efforçant de sourire, comme si tout cela n'avait pas tellement d'importance.

— Rassurez-vous, chère Julie : si ce que je vous dis là est parfaitement exact, je me dois d'ajouter que Raoul n'en savait rien.

Julie le regarda, ébahie.

— Vous vous moquez de moi, Patrice? Vous ne voulez pas me faire croire que mon mari ignorait d'où lui venaient les capitaux qui l'ont financé?

— C'est pourtant la stricte vérité, expliqua le

jeune homme, et vous allez très vite comprendre, même si vous êtes quelque peu novice en matière de finance. J'ai des intérêts dans une multitude d'affaires et dans différents établissements bancaires dont le Crédit Lyonnais et le Comptoir d'Escompte. Je suis pour quelque chose, hélas! dans la Compagnie des Petites Voitures qui ont connu bien des avatars, mais aussi dans les chemins de fer romains et du Graissessac. M. de Girardin m'a entraîné avec lui aux mines de Saint-Bérain, et je ne m'en plains pas, et Jules Mirès, qui a marié sa fille au prince de Polignac, et qui vaut la bagatelle de trois cent cinquante millions, m'a proposé il y a quelque temps de m'intéresser aux affaires de presse. J'ai connu par lui le bibliophile millionnaire Collard qui professe des idées libérales et qui s'était entiché de votre époux, Raoul de Saint-Cerre. Bref, il finança *Le Lucide* et m'offrit d'entrer avec lui dans cette affaire à cinquante-cinquante. C'était juste avant mon départ pour Londres. J'ai accepté parce que, sentiments personnels mis à part, je respecte le grand talent de Raoul. En même temps, je ne vous le cacherai pas, chère Julie, cela m'amusait de penser que j'allais être le commanditaire de votre mari, à son insu, car ce brave Collard n'avait pas soufflé mot à Raoul de son association avec moi, qui ne regardait personne, car le nom seul de Collard figurait aux accords que celui-ci avait pris avec Raoul. Je n'entre pas dans les détails, ce serait fastidieux pour vous. Mais, à mon retour de voyage, je trouve Collard au fond de son lit, sous le coup de l'arrestation du directeur du *Lucide* et redoutant à son tour les foudres de la justice impériale. Je l'ai rassuré de mon mieux et je lui ai promis de me rendre ce matin, à sa place, ici même, pour apporter à votre époux le réconfort de ses financiers. C'est que, voyez-vous, le petit père Collard, tout libéral qu'il se dit, est courageux mais non téméraire... Et les policiers de Sa Majesté sont partout, même aux abords des prisons politiques.

— Et vous, Patrice, êtes-vous téméraire au point de vous exposer à encourir les foudres impériales?

Il regarda la jeune femme bien en face :

— Oui, dit-il, vous devriez le savoir, car vous me connaissez mieux que quiconque, Julie Crèvecœur.

Elle détourna les yeux.

— C'est vrai, murmura-t-elle. Au fond, vous êtes quelqu'un de très bien et de très courageux.

— Merci pour le... « au fond »!

Il changea complètement de ton pour ajouter :

— ... En rangeant mon cabriolet aux abords de Sainte-Pélagie, la première chose que je vois, c'est votre berline et Félicien. J'en ai déduit que vous vous êtes réconciliée avec Raoul.

Il poussa un énorme soupir comme s'il se moquait de luï-même.

— Décidément, chère Julie, je crois que mon amour pour vous restera jusqu'au bout une passion malheureuse...

Il se pencha pour ouvrir la portière :

— ... et je pense qu'il serait de mauvais goût de vous inviter à dîner alors que Raoul croupit au fond d'un cachot humide?

— De très mauvais goût, Patrice, dit Julie en souriant. Mais je voudrais vous dire tout de même que je vous aime bien et que je vous remercie de m'avoir fourni toutes ces explications. Je pense que mon mari ne sera pas du tout heureux de savoir que vous êtes pour la moitié des sommes investies dans *Le Lucide*...

Patrice haussa les épaules.

— De nos jours, tout ceci n'a aucune espèce d'importance. L'argent n'a point d'odeur. Et j'avais l'intention de rappeler à Raoul, au cas où il l'ignorerait, que j'ai aussi de grandes possibilités en Belgique... Vous saisissez, Julie?

— Très bien. Mais, pour le moment, Raoul est prisonnier à Sainte-Pélagie et pas près d'en sortir.

Patrice avait déjà posé un pied sur le marchepied de la berline. Il se retourna vers la jeune femme :

— J'ai à ce sujet une petite idée qui pourrait rapidement prendre tournure, murmura-t-il.

Elle posa son bras sur celui de son ami.

— Vous parlez sérieusement?

— Très. Dommage que vous refusiez de dîner avec moi. J'aurais été en mesure de vous raconter des histoires très édifiantes à ce sujet. A bientôt, ma Julie!

Il se dirigea à grands pas vers l'entrée de la prison en faisant des moulinets avec sa canne.

Dès son retour à Auteuil et, pour la première fois depuis de longues semaines, Julie poussa la porte de la chambre conjugale, qu'elle avait désertée pour réintégrer sa chambre de jeune fille. Les affaires de son époux s'y trouvaient soigneusement rangées et entretenues par Antoinette.

D'un geste décidé, Julie ouvrit les tiroirs de la commode pour préparer le linge de rechange qu'elle porterait le lendemain à Sainte-Pélagie. Elle avait vu que, sous leur casaque de prisonniers, les pensionnaires du « pavillon des princes » arboraient tranquillement qui sa veste d'intérieur de bourgeois cossu, qui sa redingote d'homme public. Il n'y avait que les « droits communs » pour être vêtus des pieds à la tête par l'administration.

Cela fit une étrange impression à Julie de retrouver l'intimité du mariage en poussant les tiroirs d'un meuble... Sous une pile de mouchoirs de lin apparaissait ce qui était sans nul doute le canon d'une arme à feu. Un petit joyau à crosse de nacre de marque Smith et Wesson, dont Julie avait complètement oublié l'existence, un joujou pour demoiselles, certes, mais qui tuait facilement un homme à vingt pas.

« La vie est drôle, songea Julie. Je viens de retrouver Patrice Kergoat et voici l'arme dont se servit sa femme, Blanche d'Antigny, qui n'était alors que sa maîtresse, pour essayer de l'assassiner! »

Elle revit la scène, sur un quai désert, dans le port du Havre où elle venait de débarquer avec Patrice, venant de La Nouvelle-Orléans.

« Ce jour-là, pensa-t-elle, nous avons bien failli mourir ensemble, Patrice et moi... »

Elle revit Patrice, blessé, perdant son sang. Elle se revit, elle, saine et sauve, désarmant Blanche d'Antigny. Et elle se souvint comment elle réussit, avec l'aide de Patrice, à faire en sorte que la police ne soupçonna jamais Blanche d'avoir été l'auteur des coups de feu tirés sur les quais du Havre. Kergoat avait insisté pour qu'elle conserve l'arme du « crime ». Elle l'avait glissée dans ce tiroir, il y avait bien longtemps...

Sans s'expliquer son geste, elle emporta le pistolet sous la pile de linge et referma derrière elle la porte de la chambre.

Alors que le personnel de la villa affichait un air de circonstance empreint de gravité, croyant Julie accablée de chagrin, celle-ci ne cherchait même pas à cacher ce qu'elle éprouvait, c'est-à-dire un extraordinaire bien-être, un sentiment de bonheur, presque de sérénité qui devait rayonner sur son visage, car Antoinette ne put s'empêcher de lui en faire la réflexion au terme d'une journée où Julie avait déployé une activité considérable, ce qui ne lui était pas arrivé depuis longtemps.

— Mademoiselle m'étonnera toujours : vous avez un mari à Sainte-Pélagie et pour un peu vous chanteriez dans votre glace!

Julie la saisit par la taille et lui fit faire un tour de valse à travers le salon, ce qui était vraiment scandaleux.

— Je suis comme ça et je ne vais pas me refaire pour te faire plaisir. Mais comprends donc, Antoinette : il m'aime.

— Pardi! Il vous a toujours aimée, voyons... C'était inscrit sur sa figure...

Julie redevint grave.

— Je me suis sans doute mal exprimée : je voulais te faire comprendre que je l'aimais, moi aussi, que j'en ai maintenant la certitude et que, par conséquent, tout sera possible, tout, entends-tu?

— A condition que monsieur Raoul ne moisisse pas éternellement en prison, murmura l'ancienne femme de chambre.

Julie voulut répondre, mais un bruit dans la cour lui fit dresser l'oreille : une voiture qui venait de pénétrer par le porche et qui brinquebalait sur les pavés inégaux avant de s'immobiliser au pied du perron. Qui pouvait bien venir à pareille heure? On avait fini de dîner depuis longtemps et il faisait presque nuit.

— Je ne veux voir personne ce soir, s'exclama Julie.

Elle pensait se coucher de bonne heure, car elle était rompue et par l'amour et par les émotions. Et puis ne voulait-elle pas se présenter demain aux portes de Sainte-Pélagie dès leur ouverture?

— C'est peut-être M. le ministre qui vient aux nouvelles? supputa Antoinette en se dirigeant vers la fenêtre.

— Je ne suis là que pour lui, trancha Julie. Je serais incapable de soutenir ce soir une conversation avec qui que ce soit d'autre que mon père.

Antoinette écarta les doubles rideaux qui avaient été tirés comme chaque soir à la tombée de la nuit.

— Une dame!

Intriguée, Julie s'approcha à son tour de la fenêtre. Emergeant d'une voiture de place, une femme rousse, vêtue de gris, leva les yeux vers le premier étage.

Julie et Antoinette reculèrent, se regardèrent, perplexes, et presque en même temps elles s'écrièrent :

— Blanche d'Antigny!

Puis Julie rectifia :

— Pardon : Mme Patrice Kergoat!

— Qu'est-ce que je lui dis? demanda Antoinette. Que vous êtes souffrante?

— Pas du tout, répliqua Julie qui semblait avoir changé d'avis. Je vais la recevoir.

— Décidément, ce soir, Mademoiselle fait tout à l'envers : elle a envie de danser alors que son mari est en prison, elle me dit qu'elle ne veut recevoir aucun visiteur et elle va courir au-devant d'une femme qui fut, en son temps, la maîtresse de M. Rémy Gaspard et qui, à ce titre, dépouillait Mademoiselle de tous ses biens puisqu'elle ruina votre tuteur.

— Tout ceci, ma petite Antoinette, c'est le passé, dit Julie avec une pointe d'impatience.

L'apparition à pareille heure de l'ex-demi-mondaine avait de quoi la surprendre : les deux femmes ne s'étaient pas revues depuis le mariage de Blanche avec Patrice, au terme d'une longue liaison des plus orageuses; un mariage, par ailleurs, que Julie soupçonnait être un mariage de dépit pour Kergoat qui n'avait jamais cessé de déclarer à qui voulait bien l'entendre qu'il n'avait eu qu'un seul amour dans sa vie : Julie Crèvecœur. Mais ce qu'il y avait de plus troublant dans la visite de Blanche, c'était le fait qu'elle survenait au soir du jour où son mari avait rencontré Julie...

Cette dernière était fort intriguée et, sans attendre qu'on lui annonçât la visiteuse, elle alla au-devant d'elle :

— Je suis confuse, madame de Saint-Cerre, murmura celle qui avait, il y a peu d'années encore, la réputation de collectionner les amants et les bijoux, ceux-ci étant la preuve tangible de la reconnaissance de ceux-là...

— Il me semble que vous m'appeliez « Julie »... Et si cela ne vous ennuie pas, je vous appellerai « Blanche », comme par le passé...

Ces paroles dégelèrent quelque peu l'arrivée guindée de « la » d'Antigny que Julie eut du mal à reconnaître : elle, qui avait été l'une des femmes les plus élégantes de Paris, avait une apparence presque spartiate. Elle n'arborait aucun bijou; elle était à peine fardée et était coiffée sans le moindre apprêt. Malgré cela, elle était d'une grande séduction, mais cette radieuse beauté semblait s'être desséchée intérieurement. On aurait dit qu'elle avait emprunté à son mari cette fièvre qui habitait Patrice Kergoat lorsqu'il dardait sur son interlocuteur un œil étincelant. Mais alors que le jeune financier irradiait comme un charme auquel peu résistaient, son épouse, quoique toujours désirable, provoquait une sorte de malaise comme si la sévérité qu'elle affichait présentement n'était qu'un masque qui pouvait tomber à chaque instant. Du moins était-ce là ce qu'éprouvait Julie qui était assise en face d'elle.

— Je suppose que ma visite vous surprend...

— Un peu, acquiesça Julie.

Mais elle ajouta aussitôt :

— ... Je vous prie de croire, ma chère Blanche, que je n'ai envers vous aucun sentiment d'animosité. Je n'ai jamais jugé personne et... et mon tuteur, sur son lit de mort, a reconnu ses torts. Lorsque je pense à lui, qui a tenu pendant mon enfance le rôle du père, je n'éprouve aucune amertume. Je... je ne suis pas rancunière, vous le savez bien.

Il fallait le dire. Julie l'avait dit. Il n'y eut chez Blanche aucune réaction à ces paroles. Elle affichait un visage inexpressif. Mais ses mains la trahissaient, de longues mains déjà striées de veines bleues très apparentes et qui jouaient nerveusement avec un gant de chevreau gris, exactement le même gris que la robe grise.

— Vous avez rencontré Patrice ce matin devant Sainte-Pélagie?

Julie fit « oui » de la tête.

— Vous savez, Julie, rien n'a changé depuis... depuis l'époque où votre tuteur vivait encore. J'aime Patrice et Patrice vous aime. Il m'a épousée peu après votre mariage. Et à partir de ce moment-là, nos rapports n'ont cessé de se détériorer. Il a trouvé l'argent et j'ai trouvé une raison de vivre : pour tout vous dire, Julie, je milite en faveur de l'émancipation des femmes, un problème dont on ne s'occupe pas encore assez en France. Mais cela viendra...

Julie écouta ces paroles avec une certaine stupéfaction. Jamais elle n'aurait imaginé Blanche capable de tenir un tel langage, Blanche qui avait été la futilité faite femme et qui lui avouait en son temps que Patrice était le seul homme pour lequel elle pouvait éprouver quelque chose susceptible de ressembler à un sentiment.

Julie essaya d'imaginer la vie de ces deux êtres qui n'avaient en commun que des souvenirs et qui semblaient davantage des associés que des époux. Patrice ne cachait pas, en effet, que la fortune de Blanche lui avait permis de mettre le pied à l'étrier et de devenir à son tour un homme qui manipulait les capitaux, les gens, les événements.

— Patrice est convaincu que s'il arrivait à faire renaître de ses cendres *Le Lucide*, en dehors de France, bien entendu, il ferait une excellente affaire pour peu qu'il réussisse à faire entrer en France et diffuser clandestinement cette publication; et aussi une opération politique qui lui permettrait, un jour ou l'autre, de jouer un rôle de premier plan dans la vie publique... Il m'a exposé ceci durant le dîner qu'il a bien voulu prendre en ma compagnie, ce qui ne lui arrive plus tellement souvent. Remarquez que je ne me fais guère d'illusions : s'il me parle de ce qui le préoccupe, c'est qu'il a besoin de moi ou de certaines de mes relations qui sont, vous ne l'ignorez pas, importantes et diverses. (Elle changea totalement de ton pour ajouter :) J'ai couché non seulement avec le Tout-Paris, mais avec le Tout-Europe!

Julie retrouva subitement la vraie Blanche d'Antigny. Elle jugea déplacé de faire remarquer à Blanche que Raoul de Saint-Cerre refuserait certainement l'aide financière de Patrice dont il ignorait, jusqu'à ce jour, l'association avec le dénommé Collard. Mais elle ne put s'empêcher de murmurer :

— Je ne doute pas que votre mari soit en mesure d'aider à faire renaître *Le Lucide* à l'étranger, mais vous oubliez, ma chère Blanche, que M. de Saint-Cerre est à Sainte-Pélagie, que l'on est en train d'instruire son procès et qu'il risque une condamnation sévère.

Blanche se pencha vers Julie :

— Patrice estime à juste titre que M. de Saint-Cerre aurait intérêt à ne pas s'éterniser là où il se trouve présentement. Et comme j'ai un mari qui a, hélas! beaucoup de mémoire, il m'a rappelé l'existence d'un de mes anciens amants, du temps d'avant M. votre tuteur, et dont j'avais eu le malheur de lui parler dans un de ces moments de faiblesse comme toutes les femmes en connaissent : sur l'oreiller...

Ce seul rappel du passé semblait la remplir de dégoût.

— Ah! dit Julie.

— Cet homme, qui m'adorait, habitait et habite encore un ravissant hôtel situé dans la rue Lacépède...

Julie se demandait pourquoi Blanche lui fournissait tous ces détails qu'elle trouvait sans intérêt aucun; d'ailleurs, le sens de cette visite lui échappait. Mais elle avait vaguement l'impression que Patrice lui avait malicieusement adressé Blanche comme s'il avait voulu dire par là : vous refusez de dîner avec moi, Julie? Soit. Mais comme j'ai certaines choses à vous dire, je vais charger mon épouse de le faire à ma place.

— La rue Lacépède, cela ne vous dit rien? interrogea Blanche.

— Rien du tout.

— Pourtant, chère Julie, la rue de la Clef où se trouve la prison de Sainte-Pélagie aboutit rue Lacépède!

Cette fois, Julie dressa l'oreille.

— ... L'un des côtés de l'ancien couvent de Sainte-Pélagie, bâtiment plus connu de nos jours sous le nom de « pavillon des princes », donne directement sur la rue Lacépède.

— Je vois mal le rapport avec l'hôtel particulier qu'occupe votre ami dans cette rue, dit Julie.

— Vous verrez bien mieux, ma chère, lorsque vous serez sur place. Car ce qu'on ignore généralement, c'est que le jardin de cette ravissante demeure communique àvec la prison de Sainte-Pélagie par un souterrain long de dix-huit mètres!

— Oh! fit Julie, abasourdie.

Mais elle retrouva très vite ses esprits.

— ... Vous ne voulez pas me faire croire, Blanche, que la police ignore l'existence de ce souterrain? Si tel était le cas, tous les prisonniers se seraient évadés depuis belle lurette.

Blanche sembla s'amuser de cette remarque pourtant pertinente.

— Pardon, rétorqua-t-elle, il s'agirait de s'entendre. Ce souterrain est, en effet, un ouvrage d'art historique puisqu'il permit, il y a trente ans, l'évasion d'une trentaine de détenus, tous politiques, bien sûr. Et comme vous pouvez vous en douter, il a été muré depuis à ses deux extrémités... Seulement, et cela personne ne le sait, l'actuel propriétaire de l'hôtel a passé plusieurs années de sa vie à remettre en état ledit souterrain... Au temps où il m'aima à la folie, il s'amusait parfois à m'y entraîner... Inutile de vous dire que j'étais morte de peur.

— Je pense que cet homme n'a pas entrepris de

tels travaux dans le seul but de faire peur à ses maîtresses? murmura Julie.

— Evidemment, non. C'est un orléaniste acharné, un adversaire irréductible de tout ce qui se nomme Bonaparte et il avait l'intention de faciliter l'évasion des prisonniers monarchistes détenus à Sainte-Pélagie. Seulement voilà : ce brave Armand, car mon ancien soupirant se nomme Armand, ne trouva jamais d'orléaniste digne de ce nom détenu au « pavillon des princes »! Uniquement des républicains, des anarchistes et pires! Lui qui avait horreur de tout ce qui rappelait de près ou de loin M. Victor Hugo et ses idées subversives, il finissait par admettre que Napoléon III avait bien raison de mettre tous ces révolutionnaires sous les verrous...

— Voilà qui est clair et net, dit Julie. M. Armand ne facilitera jamais l'évasion d'un Raoul de Saint-Cerre...

Blanche sourit.

— Sans doute pas si on le lui demandait de but en blanc. Mais il suffirait que certaine nuit il soit très, très occupé, c'est-à-dire très très amoureux, pour que l'on puisse utiliser le souterrain à son insu...

Julie regarda Blanche, incrédule.

— Enfin, Blanche, réfléchissez... Il faudrait que la dame dont il est amoureux soit complice de l'évasion.

— Mais elle l'est, ma chère Julie, puisque pour une nuit seulement, cette dame, ce sera moi.

— Vous?

— Figurez-vous que depuis que je l'ai quitté, Armand est inconsolable. Il n'a cessé de me relancer, aussi bien du vivant de M. votre tuteur que depuis que j'ai épousé Patrice. Rien ne me sera plus facile que de le rencontrer fortuitement aux *Quatre Sergents de La Rochelle*, dont il est un habitué, de pleurer un peu dans son gilet sous prétexte que mon mari me trompe, ce qui est d'ailleurs vrai, pour me retrouver le soir même ou le lendemain couchée dans son lit à colonnes, rue Lacépède! Le reste, Julie, ne sera qu'un jeu d'enfant. Laissez-moi faire.

Julie l'avait écoutée, abasourdie.

— Mais pourquoi feriez-vous cela, Blanche? Pourquoi?

Blanche avait sorti de son réticule un de ces petits cigares de La Havane qu'affectionnait George Sand. Elle l'alluma avec soin, puis :

— Je le ferai parce que je suis d'accord avec les idées de votre mari, fit-elle, mais je le ferai aussi parce que j'ai un petit compte à régler avec les hommes en général et que chaque fois qu'une occasion s'offre à moi de ridiculiser ou de berner un de mes anciens amants, en particulier, je n'hésite pas. Je m'offrirai le luxe de m'offrir à Armand, puis de me refuser à lui, bref de le rendre fou, pendant que M. de Saint-Cerre débouchera du souterrain le plus tranquillement du monde. Qu'Armand, le farouche royaliste, puisse être le complice involontaire de l'évasion de Raoul de Saint-Cerre me remplit d'une joie ineffable... Cette seule pensée me procure plus de plaisir qu'aucun homme n'aura jamais su me donner.

— Je croyais vous connaître, Blanche, mais je vous découvre seulement.

Julie ne pouvait s'empêcher d'éprouver une sorte d'admiration pour cette ancienne cocotte qui lui avait fait tant de mal et qui se révélait comme apparentée à celles qu'on appelait, sous la Révolution, les tricoteuses. Pourtant, dans ce qu'elle venait d'entendre, il y avait, en dehors de l'intérêt évident que représentait l'existence du souterrain, plusieurs points d'interrogation.

— Cependant, je me pose un certain nombre de questions. Par exemple, comment accède-t-on au souterrain qui conduit à la liberté? S'il existe une entrée à Sainte-Pélagie même, comment se fait-il que depuis que M. Armand s'est livré à ses travaux clandestins, personne parmi le personnel pénitentiaire n'ait découvert le pot-aux-roses?

— Précisément parce que cette entrée est couverte de roses, répliqua avec superbe l'épouse de Patrice Kergoat. Peut-être pas exactement de roses, mais certainement de gazon; un gazon auquel personne n'a jamais eu l'idée de toucher, car il marque l'emplacement d'une tombe...

— D'une tombe? répéta Julie, impressionnée.

— Une idée d'Armand qui, bien entendu, a fait déboucher son souterrain ailleurs que là où les autorités l'avaient fait murer en 1834. Dans la cour de Sainte-Pélagie se trouve la tombe présumée d'une actrice du Théâtre-Français qui fut emprisonnée le 3 septembre 1793, à la suite du vote de la loi sur les Suspects. Comme me l'a expliqué mille fois ce brave Armand, l'actrice en question était restée fidèle à la monarchie. Il en faisait tout un plat, Armand. Et cela vous situe bien le personnage : il prétendait que cette pauvre Claparède lui était apparue en rêve et lui aurait dit : « Armand, je veux servir mon Roi, sers-toi de mon tombeau! »

— Quelle horreur! s'exclama Julie.

— En tous les cas, dit Blanche, très calme, l'endroit est marqué d'une plaque entourée d'un grillage. Il n'est pas un prisonnier de Sainte-Pélagie qui ne connaisse le tombeau de la Claparède. Mais personne ne se doute qu'il suffit d'enjamber le grillage, de soulever la plaque, pour découvrir une sorte de caveau bien propre, bien déblayé, au fond duquel s'ouvre un long boyau : le souterrain qui conduit à la liberté.

— Et... et les restes de la comédienne?

Blanche haussa les épaules.

— Poussière, ma chère, poussière...

Elle se leva :

— ... Réfléchissez à tout ceci. Si vous m'y autorisez, je vous ferai savoir dans les prochains jours si Armand a mordu à l'hameçon.

Julie avait connu Blanche dans le passé. Elle savait que c'était un cerveau parfaitement organisé. Elle sentait qu'il était indispensable de prouver qu'elle avait confiance en elle. Blanche devait être une alliée sûre. Julie prit une décision :

— Attendez-moi un instant. Je voudrais vous rendre un objet qui vous appartient et que j'ai retrouvé, par hasard, cet après-midi alors que je faisais des rangements.

Blanche serait sensible à son geste qui signifiait que le passé était définitivement oublié.

Un quart d'heure plus tard, Blanche d'Antigny remonta dans le fiacre qui avait attendu tout ce temps dans la cour de l'hôtel. Au moment où l'attelage s'ébranla, une main gantée de gris parut à la portière et agita, en guise de salut, en direction de Julie restée sur le perron, un objet métallique qu'un témoin attentif aurait identifié comme étant un pistolet Smith et Wesson à crosse de nacre, un joujou pour demoiselles, certes, mais qui vous tuait facilement un homme à vingt pas.

Cette nuit-là, Julie était tellement excitée par le projet que lui avait soumis Blanche d'Antigny qu'elle se tourna et se retourna dans son lit, ressassant tout ce qu'elle avait entendu, pesant les chances de succès d'une évasion, guettant le jour à travers les rideaux tirés, impatiente de retrouver son mari.

Le lendemain, la berline conduite par Félicien se présenta devant Sainte-Pélagie à 9 heures et demie, une demi-heure avant l'ouverture des portes, et Julie fut parmi les tout premiers visiteurs, nombreux comme toujours, chargés de colis et discutant ferme. Félicien avait tenu à accompagner sa maîtresse avec les affaires de Raoul que Julie avait préparées la veille. Mais on refoula le cocher et ce fut le père Méchin en personne qui se chargea du paquet après s'être excusé de devoir le soumettre à la fouille obligatoire.

— Vous comprendrez, madame de Saint-Cerre, il y en a qui ont essayé d'introduire à Sainte-Pélagie des ouvrages interdits par la censure! Parole.

Julie n'osa pas lui demander si personne n'avait glissé dans les pains blancs des pistolets ou des poignards, ce qui, dans le cas présent, aux yeux de la jeune femme, paraissait nettement plus utile que des pamphlets politiques.

Le père Méchin jugea en connaisseur les fines chemises de Raoul, clignant des yeux vers Julie.

— Ah! jeunesse... marmonna-t-il.

S'il n'avait été gardien de prison, Julie l'aurait trouvé fort sympathique. Elle fut admise auprès de son époux un peu plus tard et le trouva prostré sur sa paillasse et d'humeur plutôt sombre. Elle comprit très vite que la visite de Patrice Kergoat, la veille, n'était pas étrangère à ses états d'âme.

— Je n'en ai pas cru mes oreilles, explosa-t-il. Mon commanditaire se nommait Kergoat! Un monsieur qui n'a pas cessé de courtiser ma femme, même après notre mariage... J'ai failli le jeter dehors, Julie. L'argent!... Comment disait Collard qui s'était bien gardé de me parler de son associé? Il me disait : « Mon cher, l'argent change de mains, constamment. Les fortunes s'édifient, s'écroulent, se reconstituent. Il faut prendre l'argent là où il se trouve. » Et il se trouvait ce jour-là du côté de Monsieur Patrice Kergoat, l'argent! Et quand je pense que ce garçon était l'homme-à-tout-faire de ton défunt tuteur, il y a moins de deux ans, qu'il vivait dans un garni, mangeait dans des gargotes et couchait avec la maîtresse de son patron et bienfaiteur, tu ne sais pas ce que j'ai envie de faire? J'ai envie de m'en aller très loin... en ballon captif, tiens, avec mon ami Nestor d'Aran! Je ne t'ai jamais parlé de Nestor d'Aran?

— Jamais, mon chéri, répliqua doucement Julie.

Elle laissa passer l'orage, connaissant Raoul. Mais lorsqu'il l'attira, impatient comme toujours, prêt à la dépouiller de ses vêtements, elle résista gentiment.

— Raoul, nous avons à parler, murmura-t-elle, nous avons à parler de choses importantes.

— Il n'y a qu'une chose qui soit importante pour moi : ton amour. Je suis aimé de ma femme. Voilà ce qui est important.

— Contrairement à ce que pensent beaucoup de femmes, il n'y a pas d'amour sans liberté. Et je suppose que tu n'as pas l'intention d'attendre ici que le juge ait fini d'instruire ton dossier?

Elle s'était levée, regardant la cour par la fenêtre grillagée. Elle cherchait des yeux une pierre tombale, mais ne la vit point. Raoul vint près d'elle, la prit par la taille dans un geste charmant de jeune homme amoureux.

— Joli paysage, n'est-ce pas, ma Julie?

— Pas mal, dit-elle. Vous avez le droit de vous promener quand vous voulez?

Il éclata de rire.

— Nous ne sommes pas trop à plaindre, mais tout a des limites. L'heure de la promenade comme celle de la pitance, comme celle de l'extinction des feux, obéit à un règlement, mon amour, le règlement de l'administration pénitentiaire.

— Et le règlement prescrit la promenade le matin ou le soir?

Raoul consulta sa montre qu'on lui avait laissée, les « politiques » bénéficiant d'un traitement particulier pour ce qui était des objets dits personnels.

— La promenade aura lieu dans exactement quarante-cinq minutes, ce qui videra le pavillon des princes et nous permettra de nous aimer en toute quiétude sans que l'on frappe à la porte de ma cellule, sans que des oreilles indiscrètes se collent à la serrure, sans que...

Julie posa la main sur la bouche de son mari.

— Ce matin, mon amour, tu iras à la promenade avec les autres.

Raoul bondit.

— Quoi?

Elle essaya de le calmer.

— Allons... Viens t'asseoir près de moi et écoute-moi très attentivement. As-tu déjà entendu parler du tombeau de la Claparède?

Il la regarda comme si elle était en train de divaguer.

— Bien sûr. Tout le monde en a entendu parler. Cela fait partie de la tradition de Sainte-Pélagie...

— Parfait.

Julie commença à lui expliquer à mi-voix et, au fur et à mesure qu'elle racontait la visite de Blanche d'Antigny à Auteuil, Raoul se transforma... Ses yeux brillaient d'excitation et Julie sentait qu'il échafaudait à son tour des projets d'avenir.

— Il est indispensable de savoir s'il est possible de s'introduire dans... dans ce monument funéraire sans attirer l'attention des gardiens, comprends-tu? conclut Julie. Toute la difficulté est là. J'imagine que votre promenade est surveillée?

— Naturellement. Mais les gardiens font comme nous : ils se promènent. D'après ce que j'ai entendu, il y en a qui sont achetables. En réalité, Julie, l'obstacle éventuel n'est pas là du fait que les militaires armés de mousquetons et qui, eux, sont vraiment dangereux, se trouvent à l'extérieur de l'enceinte.

— Alors, où est l'obstacle? questionna la jeune femme.

— Il est d'ordre moral, comprends-tu? Dans une opération de ce genre, en admettant qu'on puisse la mener à bien, il est exclu que je m'évade seul. Il y a dans cette prison un certain nombre d'hommes que j'estime et qui risquent des peines de prison considérables pour avoir défendu leurs idées, pour s'être battus, avec leur plume, soit, mais battus tout de même, pour la liberté. Je ne peux pas ne pas les associer à nos plans...

— Tu as raison, murmura Julie. Mais si parmi tes compagnons il n'y a qu'une brebis galeuse, une seule, vous en pâtirez tous!

Raoul réfléchit.

— Badinguet a des espions un peu partout et certainement aussi à Sainte-Pélagie, cela ne fait pas l'ombre d'un doute. Mais ceux des détenus dont je suis absolument sûr se retrouvent dans la « chambre d'honneur » du premier étage et ils sont suffisamment malins pour détecter le mouton possible... Je leur parlerai de l'existence du souterrain. Si nous agissons, ce sera de concert.

A cet instant, Julie perçut le bruit d'une paire de bottes dans le couloir, alors qu'une voix avinée criait à tue-tête :

— Promenade! Promenade! Et au trot, messieurs... au trot!

Ils se regardèrent. Raoul la prit dans ses bras, l'embrassa avec cette fougue qui le caractérisait et lui dit des choses un peu incohérentes à l'oreille. Julie comprit des mots par-ci par-là; de quoi faire rougir un pensionnat au grand complet. Et puis, subitement, il redevint sérieux, très sérieux même, ce qui ne l'empêcha pas de tenir sa femme serrée contre lui.

« Mais peut-être, se dit Julie, le fait-il pour pouvoir continuer à me parler à voix très basse... »

— Ecoute-moi bien, mon amour. Voilà ce que tu vas faire dès cet après-midi afin que nous ne soyons pas pris de court au moment opportun... Tu vas te rendre chez Nestor d'Aran, boulevard des Italiens...

« Encore ce Nestor, pensa Julie. Décidément, c'est un personnage important dans la vie de Raoul et pourtant il ne m'en a jamais soufflé mot. Cela lui ressemble. Je crois que je le déteste, ne serait-ce que parce qu'il me cache certains de ses amis. Comment peut-on faire confiance à un homme qui a des secrets pour sa femme? »

— Est-ce que tu m'écoutes, chérie?

— Je t'écoute avec ravissement, murmura Julie, un peu hypocrite. (Mais ne l'avait-il pas cherché?)

— Nestor est un photographe, l'un des plus grands de Paris. Mais c'est aussi un farouche opposant au régime de Badinguet. A ce titre, il est très surveillé. Cet après-midi, habillée et coiffée à ravir, tu iras te faire tirer le portrait par Nestor... Tu verras, c'est un grand artiste dans son genre!

Julie crut avoir mal entendu.

— Est-ce bien le moment d'aller poser chez un photographe? demanda-t-elle.

— Je pense bien, mon amour. Ton portrait trônera là... non là, au-dessus de ma paillasse!

Julie se rebella.

— Mais enfin, c'est ridicule, puisque tu m'as chaque jour, telle que Dieu m'a faite et pas du tout sur papier glacé?

— C'est tout à fait exact, murmura Raoul dont une main impatiente s'aventurait dans les endroits que Julie croyait inaccessibles de par la conception de la toilette féminine en cet été 1866.

— Et avec ça, chaude comme caille, ajouta le jeune homme. Pas du tout glacée.

Ils s'embrassèrent longuement et soupirèrent tous les deux à la pensée de la séparation imminente. On frappa violemment à la porte.

— Promenade!

Le bruit des bottes du gardien s'éloigna.

— Il a toujours été convenu avec Nestor qu'au cas où *Le Lucide* aurait des ennuis avec la justice, il ferait le nécessaire pour me procurer un faux passeport. Comme photographe il est admirablement outillé pour ce genre de travail. Il suffira que tu te nommes pour qu'il comprenne aussitôt que ce n'est pas un, mais deux passeports dont nous aurons besoin. S'il ne comprend pas, tu feras en sorte que sa lanterne soit éclairée. Dis-lui que c'est très urgent. Il y a toujours un monde fou dans son atelier. Donc, prudence! D'où la séance de portrait. Il n'est pas une jolie femme à Paris qui ne se soit pas rendue au moins une fois chez Nestor d'Aran, soit pour se faire photographier, soit pour... Nestor, c'est Don Juan sous la défroque d'un photographe à la mode! Mais toi, tu n'as rien à craindre, puisque tu es ma femme et que tout le monde sait que la femme d'un ami, c'est sacré!

Quelques instants après, elle prit le chemin opposé à celui de son mari : celui-ci rejoignit ses camarades d'infortune qui allaient entamer un interminable va-et-vient dans la cour de la prison, dans la chaleur moite de cette fin d'été qui s'éternisait, autour des quelques arbres rabougris dont l'un, d'après les on-dit, avait été planté par Béranger, et autour du petit enclos grillagé où, sur une dalle couverte de mousse, on pouvait lire : « Ici repose Claparède, interprète de Marivaux et de Molière, morte à Sainte-Pélagie le 18 janvier 1794. Paix à son âme. »

Julie, accompagnée de l'inévitable père Méchin, qui était un peu amoureux d'elle et bombait le torse à ses côtés, fut escortée jusqu'au portail.

— Pourquoi le quitter si tôt, votre homme? s'inquiéta le gardien-chef. Vous savez, ici, il y en a qui arrivent à l'ouverture des portes et ne s'en vont qu'à 5 heures au moment de la soupe!

— Mais, monsieur Méchin, soupira Julie, j'ai une maison et des obligations...

— Evidemment, évidemment... Mes respects à M. le ministre!

Dans un bruit horrible, grinçant, funèbre, la porte de la prison se referma sur la jeune femme. Elle se dit qu'elle était plutôt soulagée de faire évader Raoul par l'intermédiaire de Blanche d'Antigny et de ses relations amoureuses.

« Un bonhomme comme le père Méchin, songea Julie, j'arriverai facilement à le circonvenir pour une tentative d'évasion par la grande porte. Mais cela pourrait coûter très cher au gardien-chef... »

Si Julie avait été tout à fait sincère avec elle-même, elle aurait dû admettre que l'autre façon de s'évader, par le souterrain de la rue Lacépède, risquait, elle aussi, de mettre les geôliers sur la paille. Mais avait-on jamais pu faire une omelette sans casser des œufs? Elle remonta dans sa berline, perdue dans des réflexions d'où tout pessimisme était banni.

Dans l'après-midi du même jour, une jeune femme visiblement habillée par Maugas, le couturier à la mode cette année-là, se fit déposer devant un immeuble du boulevard des Italiens au fronton duquel s'étalait une signature qui s'éclairait au gaz dès la tombée de la nuit : d'Aran. C'est en levant les yeux vers les lettres, orgueilleusement tracées au-dessus du grouillement des calèches et des flâneurs, que Julie se rendit compte qu'elle était passée cent fois devant cette façade sans jamais se rendre compte que « d'Aran » était autre chose qu'une simple raison commerciale. Au même titre que Disdéri, le photographe officiel de l'Empereur, qu'il était en train d'éclipser, Nestor d'Aran était une gloire parisienne. Sa réputation grandissante faisait pâlir celle de l'atelier Bisson, où toutes les célébrités du moment avaient pour habitude de se faire « tirer le portrait ».

Julie avait scrupuleusement suivi les recommandations de son époux. Elle arborait un costume de jour en poult de soie garni de jais, à la fois sobre et audacieux. L'audace naissait du contraste existant entre la dignité de sa toilette et la jeunesse de celle qui l'arborait. Raoul aurait dit que, vêtue de la sorte, Julie Crèvecœur avait de l'esprit jusqu'à la courbe de ses hanches. Rien chez elle n'était lourd ou seulement lascif, comme chez certaines femmes qui font perdre aux hommes le sens des convenances. Mais la fermeté de ce corps, étroitement moulé dans la soie de M. Maugas, ce qu'il recelait de promesses était en mesure d'émouvoir tout individu épris de perfection et de conquêtes difficiles, car manifestement Julie Crèvecœur était tout, sauf une femme facile. En vérité, devenue femme, Julie avait conservé le mystère de certaines jeunes filles. Et il y avait à parier que bien des années s'écouleraient avant que ne s'évapore ce parfum inimitable que Raoul, toujours lui, aurait défini comme étant « une forme de nostalgie qui habite tout homme digne de ce nom et qui lui fait rechercher sa vie durant un idéal féminin qui n'existe qu'à de rares exemplaires ». Eh bien, Julie Crèvecœur était un de ces exemplaires rarissimes.

Elle pénétra sous le porche de l'immeuble et avisa une sorte de petite cage vitrée au pied de l'escalier à double volée : un ascenseur hydraulique! C'était là le dernier cri du modernisme et très peu d'immeubles pouvaient s'enorgueillir de posséder cet objet quasiment miraculeux qui vous haussait en moins de dix minutes du rez-de-chaussée jusqu'au cinquième étage dans un vacarme de fin du monde et une appréhension qui faisait descendre l'estomac dans les talons...

L'atelier de Nestor d'Aran se trouvait au dernier étage. Une plaque gravée, à l'intérieur de la cage ascendante, le spécifiait. Julie, quoique d'un naturel téméraire, fut plutôt soulagée lorsque l'ascenseur s'arrêta enfin avec un bruit qui ressemblait à quelque soupir monstrueux. La cage tremblait au point que Julie crut qu'elle allait se disloquer. Mais non. Elle s'immobilisa et Julie retrouva le palier couvert d'un tapis noir sur lequel s'entrelaçait en rouge le monogramme « N. D'A » artistement entortillé. Derrière une double porte Julie perçut un cliquetis que l'oreille exercée de la jeune femme reconnut pour être celui de lames d'escrimeurs entrechoquées. Il semblait évident qu'on était en train de se battre en duel dans l'atelier du photographe!

Julie tira le cordon de la sonnette. Un domestique vint lui ouvrir.

— J'aurais voulu voir M. Nestor d'Aran, mais je tombe peut-être mal? supputa Julie.

— Monsieur tire toujours au fleuret entre deux séances de pose, histoire de se dégourdir les jambes, expliqua le valet. Est-ce que Madame à rendez-vous?

— Non, pas précisément.

L'antichambre était entièrement tapissée de noir avec l'inévitable « N. D'A » qui servait de motif de décoration. Accrochés les uns à côté des autres, des portraits de personnages illustres immortalisés sur plaques de verre enduites de collodion, autrement dit : photographiés, mais amples comme des Van Dyck, fouillés comme des Holbein.

Julie, subjuguée par l'art du photographe, reconnut Courbet, le chirurgien Nélaton qui avait été appelé en consultation lors de l'agonie de M. Gaspard, Marie d'Agoult, Emmanuel d'Arago, George Sand... Elle se rendait compte qu'au mur de l'antichambre de Nestor d'Aran n'étaient accrochés, dans de magnifiques cadres dorés, que des ennemis de l'Empire!

Une double porte s'ouvrit violemment sur un homme de haute taille, noir de poil et de peau, avec une moustache tombante et de longs cheveux bouclés avec art sur le col Danton largement échancré. La poitrine, athlétique et velue, était luisante de transpiration. Il tenait à la main un sabre de combat qu'il pointait dangereusement sur son domestique.

— Qu'est-ce que c'est, Homère? Je n'ai pas de séance de pose prévue avant...

Il découvrit Julie tout en parlant, s'interrompit au beau milieu de sa phrase, la gratifia d'un regard qui ne laissait rien au hasard, s'inclina devant elle et ajouta à l'intention du valet :

— ... avant mon rendez-vous avec Mademoiselle!

— Je n'ai pas de rendez-vous, monsieur, dit Julie. Je suis Mme Raoul de Saint-Cerre.

— N'ajoutez rien! s'écria le photographe et venez par ici.

Il la prit par le bras et la fit passer dans l'atelier, pièce immense et presque vide, dont le plafond mansardé était entièrement vitré. Au milieu se tenait un autre escrimeur, aussi dépoitraillé que son partenaire, échevelé et botté jusqu'aux cuisses.

— Mon ami Duchaussoy, de la Comédie-Française, présenta brièvement Nestor d'Aran.

Le comédien s'inclina, boutonna le plastron de sa chemise et disparut derrière un paravent en laque chinoise. Disséminés dans l'atelier, il y avait quelques sièges gothiques à dossier droit, un fauteuil à oreillettes, des poufs, une causeuse... D'Aran désigna le fauteuil à Julie et resta lui-même debout.

— La situation est grave, mais non désespérée, déclara le photographe. Est-ce que vous l'avez vu au fond de son cachot?

— Je le vois tous les jours, monsieur, répliqua Julie, et il m'a chargée d'un message à votre intention...

D'Aran posa un doigt sur ses lèvres charnues et regarda du côté du paravent chinois avec une mimique adéquate.

— Eh bien, Duchaussoy?

De derrière le paravent parut le comédien sanglé dans une jaquette en soie légère, à rayures grises et noires sur laquelle se répandait, en un flot harmonieux, une cravate de soie à pois noirs sur fond gris. Il baisa la main de Julie en la gratifiant d'un sourire de loup croqueur d'infantes; autour de lui flottait un parfum que Julie reconnut pour être de l'Extrait du Jockey Club qu'elle avait acheté elle-même, à l'intention de son époux, au début de leur mariage, chez Violet, « A la Reine des Abeilles », boulevard des Capucines.

70

— Adieu donc, ravissante madame, ou plutôt :
au revoir, murmura Duchaussoy.

Il serra la main de son ami et s'éclipsa, faisant
comprendre d'un signe de la main qu'il était super-
flu qu'on le reconduisît. Lorsque la porte se fut refer-
mée sur lui, d'Aran se tourna vers Julie :

— C'est un ami sûr, mais on rend service à ses
amis en les laissant dans l'ignorance de ce qui peut
les mettre dans l'embarras un jour ou l'autre...

Il alla à son tour jusqu'au paravent, disparut, réap-
parut presque aussitôt ayant enfilé la fameuse vareuse rouge des photographes. Puis il s'installa sur
un pouf aux pieds de la jeune femme, prit sa tête
entre les mains, la regarda longuement et avec une
telle intensité qu'elle finit par en être gênée.

— Excusez-moi, dit-il, mais je suis certain que
vous devez littéralement « crever la plaque »!

Ce singulier compliment désarçonna Julie.

— ... Je veux dire par là, ajouta d'Aran, que votre
visage doit prendre admirablement la lumière... C'est
tout le secret de mon art, madame. Faire en sorte
qu'il y ait une harmonie entre le modèle et la lumière.

— Ce n'est pas l'artiste auquel je suis venue rendre visite, murmura Julie, mais... mais...

— ... mais le faussaire!

Il se releva, regarda Julie du haut de son imposante stature.

— Il le veut pour quand, son passeport?

— Le plus rapidement possible, monsieur. Et...
et il vous demande si vous seriez éventuellement en
mesure de m'en procurer un par la même occasion...

D'Aran inclina la tête.

— Unis dans le malheur comme dans la félicité.

Julie estima qu'il était inutile de le contredire.

— Je comprends que Raoul vous ait tenue jusqu'à présent soigneusement à l'écart et pour ainsi
dire cachée! Je le comprends, le bougre... Mais tout

de même, il aurait pu vous montrer à son ami Nestor, au moins une fois, même de loin... au temps où aucune ombre ne ternissait votre bonheur. A sa place, ma chère, j'aurais tout fait pour ne pas vous perdre. Tout! Ce duel malencontreux où il tua son homme avec tant de conviction que vous en prîtes ombrage, eh bien, madame, moi qui aime ferrailler pour un oui ou pour un non, je me serais abstenu pour ne pas vous déplaire. Parfaitement. Plutôt passer pour un pleutre que risquer de me trouver dépossédé d'un tel trésor.

Julie se leva.

— Croyez-vous vraiment, monsieur, que je sois en mesure d'écouter tout ceci en ce moment alors que mon mari se trouve à Sainte-Pélagie? Je vous suis très reconnaissante pour ce que vous faites pour lui et pour moi, mais soyez généreux jusqu'au bout et... et...

Elle avait les yeux pleins de larmes. Etait-il donc impossible aux hommes de ne pas se livrer à leur jeu préféré autour des femmes qui leur paraissaient désirables ou seulement aimables? Nestor d'Aran était bien le « lion » parisien paré de grâces certaines, mais en même temps soucieux de ne pas faillir à sa réputation de séducteur. Mais c'était aussi un garçon à l'esprit vif. Il comprit aussitôt qu'il avait déplu à Julie et il essaya de réparer la gaffe commise.

— Ce n'est pas l'homme qui s'exprimait ainsi, madame, mais l'artiste! Je vous prie de me pardonner... Bien entendu, je ferai en sorte que les deux passeports soient prêts au plus vite. Ils seront libellés au nom de « Santerre » et de son épouse, chirurgien des hôpitaux de Paris. Cela vous convient-il?

— Parfaitement, dit Julie qui s'était reprise. Ne m'en veuillez pas de ce que je vous ai dit. Peut-être que je ne suis pas dans mon état normal...

Il lui prit la main.

— Qui le serait dans une situation aussi pénible? Mais je suppose que mon ami Saint-Cerre avec l'aide d'une épouse telle que vous ne restera pas longtemps prisonnier de Badinguet... Avez-vous mis au point un projet d'évasion?

Julie hésita avant de répondre. Elle retira sa main en douceur.

— Il vaut mieux laisser ses amis dans l'ignorance de ce qui peut les mettre dans l'embarras un jour ou l'autre, chuchota-t-elle.

Nestor d'Aran éclata d'un rire de mousquetaire.

— Ha! Ha! Vous me plaisez au delà de toute expression, madame Raoul Santerre!

Il reprit son sérieux.

— Je suppose que Raoul vous a bien spécifié que l'on venait chez moi se « faire tirer le portrait »?

Julie acquiesça d'un mouvement de tête.

— C'est que la maison est surveillée de jour et de nuit, chère madame. Il paraît que ces messieurs en noir ont pris position dans une mansarde de l'immeuble d'en face pour mieux observer les allées et venues dans mon atelier. Il faut leur en donner pour leur maigre traitement. Je ne vous cacherai pas que, pour un artiste, vous êtes le modèle rêvé... Veuillez me suivre sur la terrasse, je vous prie...

Pas très rassurée, Julie emboîta le pas à « l'artiste du collodion ». Avait-il pour habitude d'entraîner ses modèles sur le toit de son immeuble? En même temps, elle se dit qu'elle devait courir moins de dangers face à un tel homme sur une terrasse que dans un boudoir.

Le photographe avait dû engager des frais considérables pour aménager ce lieu aérien d'où Julie découvrit une perspective de toitures et de cheminées. C'était la fin de l'après-midi, les jours raccourcissaient imperceptiblement, le soleil rougeoyait à l'horizon, le feuillage touffu des platanes et des marronniers se desséchait et changeait déjà de couleur;

l'automne s'annonçait. Julie en avait conscience lorsque, au matin, très tôt, elle découvrait sur la campagne d'Auteuil un léger voile de brume qui se dissipait au soleil.

Elle regardait, du haut de la terrasse, l'enchevêtrement des rues et des ruelles, le tracé orgueilleux des avenues du baron Haussmann. Elle essayait de situer Sainte-Pélagie de l'autre côté de la Seine... Pendant ce temps-là le photographe s'activait autour d'elle et c'est alors seulement qu'elle comprit la présence d'une installation extraordinaire qui était en mesure de transformer ce lieu en un véritable atelier en plein ciel, qui ne nécessitait nullement l'apport du soleil, source de lumière que Julie avait cru jusqu'alors indispensable à l'art de la photographie.

Nestor d'Aran avait disposé sur sa terrasse des batteries constituées par une cinquantaine de « piles Bunsen » susceptibles de fournir un éclairage artificiel, électrique, suffisamment intense pour remplacer celui du soleil. Julie dut fermer les yeux, tant ces sources de lumière, subitement braquées sur elle, l'aveuglaient.

— Alors ces messieurs de la sûreté s'imaginent que Nestor d'Aran conspire? Nous allons leur prouver le contraire, si vous le voulez bien, ravissante madame... Je vais vous inonder de clarté au point de vous faire ressembler à une apparition supra-terrestre, une figure de proue rayonnante au-dessus des bassesses humaines, je veux dire : au-dessus du boulevard. Veuillez libérer vos cheveux, je vous prie... Merci, c'est admirable!

Tout en parlant de la sorte sur un ton incantatoire, d'Aran braqua sur Julie un jeu de panneaux de coutil blanc qui jouèrent le rôle de réflecteurs de lumière, créant des zones d'ombre et de clarté.

— ... Et maintenant, tournez votre tête un peu vers la droite, en direction de l'Opéra... C'est parfait.

74

Restez ainsi, nous allons opérer... Sur un fond de toits et de ciel se détachera votre divine silhouette.

Il introduisit une plaque au collodion dans l'énorme boîte plantée sur son trépied et disparut à mi-corps sous un drap sombre qui étouffait sa voix. Il se mit à opérer, alors que Julie transpirait tant et plus, mais tenait stoïquement son rôle de modèle. De temps à autre, il resurgit comme un diable et tint des discours extravagants :

— ... Je vous imagine, madame, debout dans la nacelle du *Sentimental*, alors qu'un million de Parisiens, le nez en l'air, vous rendront hommage... (Et comme Julie paraissait un peu ahurie, il expliqua :) *Le Sentimental* est le nom de mon ballon captif installé présentement au Champ-de-Mars dans une enceinte réservée, comme un lion d'Afrique à la Foire du Trône, et où l'on peut visiter moyennant un droit d'entrée de dix centimes... Voilà! Conservez, je vous prie, cette expression surprise et intéressée.

Manipulant son appareil avec des gestes de prestidigitateur, Nestor d'Aran retira la plaque après le temps d'exposition voulu.

« Quel homme! songea Julie. Il parle, photographie, divague et photographie à nouveau sans discontinuer... »

Il surgit près d'elle, fit mine d'arranger un pli de sa robe.

— Un ultime cliché et votre supplice prendra fin!

Julie se rappela que Raoul lui avait parlé de la passion de Nestor pour le « plus lourd que l'air ». Elle se dit qu'être propriétaire d'un objet aussi encombrant qu'un ballon captif devait poser de multiples problèmes. Mais elle n'était pas sans savoir que l'aérostation passionnait le public, la presse et même l'Empereur...

— Photographe, aéronaute, boulevardier... Vous ne devez pas vous ennuyer dans la vie, monsieur d'Aran...

— M'ennuyer? Je n'en ai guère le temps...

Il débrancha ses batteries l'une après l'autre et la terrasse se trouva très vite plongée dans la pénombre d'un soir gris-violet qui tombait sur Paris, alors que çà et là s'allumaient les becs de gaz le long des artères de la ville et que montait vers eux une rumeur diffuse : le piétinement des chevaux sur les pavés, les sonneries aigrelettes des omnibus, les cris des marchands et des flots de musique très lointaine s'échappant des cafés, des brasseries, des bals : le Paris du travail rentrait dîner en famille; le Paris du plaisir se réveillait.

— Vous avez oublié dans votre nomenclature l'essentielle de mes activités, dit le photographe en reconduisant Julie, fourbue par la séance, dans le grand atelier vitré où le domestique venait d'allumer les appliques au gaz en forme de nacelles de ballon captif.

— Laquelle? demanda Julie, imprudente.

— L'amour, ma chère, l'amour!

Il lui avait pris le bras avec familiarité. Julie se dégagea.

— Vous voulez peut-être vous recoiffer? demanda d'Aran.

Julie se dit que son intérêt serait de quitter au plus vite ces lieux trop accueillants. Le photographe avait déjà ouvert une porte donnant sur une pièce contiguë à l'atelier.

— ... C'est ici que les plus jolies femmes de Paris viennent réparer le désordre de leur toilette ou de leur coiffure après avoir posé pour le plus célèbre photographe d'Europe.

— Ce qu'il y a d'émouvant chez vous, c'est votre modestie, répliqua Julie.

Elle hésita au seuil du cabinet où tout était, en effet, prévu pour l'agrément d'une femme : psyché, table de toilette avec étagères, arsenal de flacons et de boîtes, cuvette, broc... Au mur, il n'y avait pas de gravures licencieuses, comme on aurait pu l'imaginer, mais des photographies. Ce sont elles qui firent que Julie franchit sans hésiter le pas qui la séparait de cette pièce d'où l'on découvrait, par une porte entrebâillée, une chambre meublée à l'orientale avec un lit gigantesque et des amphores suspendues d'où s'échappait une légère fumée. Une odeur entêtante d'encens flottait dans l'air.

Julie ne regarda rien de tout cela, car elle était subjuguée par les agrandissements photographiques qui décoraient les murs du cabinet de toilette. Ces clichés n'étaient ni plus ni moins que des vues aériennes prises sans aucun doute de la nacelle d'un ballon. Elles représentaient l'avenue de l'Impératrice avec, en amorce, l'arc de Triomphe et aussi la perspective des Ternes, Batignolles, Montmartre... Mais celle qui avait immédiatement sauté aux yeux de Julie montrait avec une précision mathématique, vue à basse altitude, une partie du quartier Censier Daubenton avec, en enfilade, la rue de la Clef et, parfaitement reconnaissables, les bâtiments de Sainte-Pélagie, la cour, l'arbre planté par Béranger et, Julie put s'en assurer en examinant le cliché de très près, le tombeau de la Claparède qu'elle n'avait pu apercevoir de la cellule de Raoul.

— Il n'est pas exclu, dit alors à son oreille la voix de Nestor d'Aran, pour peu que vous acceptiez que je vous fasse les honneurs du *Sentimental*, que nous ne soyons en mesure d'apercevoir Raoul à la fenêtre de sa cellule rêvant de liberté... et de sa femme.

Julie se retourna.

— Si j'ai bien compris, c'est une invitation à monter à bord de votre aérostat?

— Paris vu d'en haut est un spectacle inoubliable. Et vous pouvez avoir confiance : je suis un aéronaute aguerri. J'ai essuyé là-haut vents et tempêtes.

Julie le regarda bien en face.

— Et vous êtes un ami, un véritable ami pour Raoul?

Il ne détourna pas les yeux.

— En doutez-vous, madame?

Il paraissait si sincère que Julie murmura :

— Non, bien sûr.

Elle se dirigea vers la psyché; en quelques gestes adroits, elle releva ses cheveux et les fixa sur le dessus de la tête. D'Aran regarda son image, adorable, les bras levés, dans le miroir.

— Vous n'avez jamais mis les pieds dans la nacelle d'un ballon?

— Jamais... Mais je meurs d'envie de découvrir l'univers vu d'en haut.

Elle avait fini de se coiffer et se retourna vers l'homme à la vareuse rouge. Une idée extravagante était née dans son esprit alors qu'elle contemplait les photographies que Nestor d'Aran avait réussi à prendre du haut de la nacelle de son aérostat.

— Je suppose, dit-elle, que *Le Sentimental* permet de transporter plusieurs passagers?

En même temps, elle retraversa le cabinet de toilette en direction de l'atelier, ayant fait semblant de ne pas voir la chambre de l'artiste par la porte ouverte. D'Aran appartenait évidemment à cette race de séducteurs capables de tout, et même de courtiser la femme de leur meilleur ami, contrairement à ce que pensait Raoul.

— Plusieurs pasagers, madame? Mais je pense bien. Tout est prévu pour une dizaine de personnes dans la nacelle du *Sentimental*. Celle-ci est susceptible de se transformer en chambre noire me permettant de la sorte de collodionner, de sensibiliser et de développer l'image à deux mille cinq cents pieds d'altitude.

— Extraordinaire! s'exclama Julie. Monsieur d'Aran, vous êtes un homme extraordinaire et j'en veux à mon mari d'avoir attendu une circonstance aussi dramatique pour me permettre de vous rencontrer... J'ai la conviction que la promenade en plein ciel que vous me proposez sera pour moi une aventure inoubliable.

— Inoubliable, je vous le certifie, renchérit le photographe-aéronaute. Voulez-vous que nous prenions date? Les conditions atmosphériques sont encore excellentes, profitons-en...

Il l'escorta jusque dans l'antichambre. Au moment de prendre congé, Julie, qui n'avait pas immédiatement répondu à sa question, lui tendit la main qu'il saisit et baisa avec un tout petit peu trop de ferveur.

— Je vous ferai parvenir un message demain, lui dit-elle. Je deviendrai facilement une passionnée de l'aérostation. A propos, j'aimerais savoir une chose : vous venez de dire que les conditions atmosphériques sont ENCORE excellentes. Je suppose que d'ici peu elles le seront moins?

Par un geste significatif, d'Aran avoua sa perplexité.

— Chère madame, nous allons vers l'automne... La science aérostatique en est encore à ses premiers balbutiements... L'aéronaute propose, les courants atmosphériques disposent...

— Vous voulez dire par là que vous n'êtes pas maître de votre ballon? Que vous n'êtes pas en mesure de le diriger à votre guise dans la direction que vous avez choisie?

Nestor d'Aran baissa la voix pour répliquer :

— Si. Je suis parfaitement en mesure de diriger *Le Sentimental* grâce à un système fort ingénieux et que je vous expliquerai lorsque nous nous connaîtrons mieux. Car ceci est un secret; c'est même le grand secret de Nestor d'Aran. Je suis sans doute le premier à l'avoir expérimenté et mis au point...

— Décidément, monsieur, murmura Julie, vous me captivez.

— Je n'en espérais pas tant, répliqua le galant Nestor.

Cinq minutes plus tard, Julie avait regagné sa berline qui stationnait non loin du Café Anglais où se pressait une foule élégante et gaie qui semblait ignorer que des hommes jeunes et brillants, tels que Raoul de Saint-Cerre, croupissaient derrière les barreaux d'une cellule dans les prisons de l'empereur Napoléon III.

— Nous rentrons à Auteuil, madame?

— Oui, Félicien. Mais je voudrais passer par le Champ-de-Mars.

— Ça rallonge, madame, ça rallonge, marmonna le cocher.

Julie fit semblant de n'avoir point entendu et la calèche se dirigea à vive allure vers la Madeleine afin de bifurquer ensuite vers la place de la Concorde. Il y avait un nombre considérable de véhicules et de piétons quoique ce fût l'heure du dîner ou précisément pour cette raison, le Parisien des beaux quartiers étant par nature dîneur aux terrasses et flâneur sous les marronniers. Le trajet habituel de Félicien passait par les Champs-Elysées et la place de l'Etoile de ce côté-ci de la Seine, ce qui lui permettait de rejoindre en droite ligne le bois de Boulogne. Lorsqu'ils arrivèrent en vue de ce monument que Julie n'aimait guère et qui était la reproduction fidèle d'un fort de Cadix, plus connu sous le nom de Trocadéro, la nuit était complète. Il faisait plus frais que les jours précédents. Prémices de l'automne, un coup de vent balayait des feuilles mortes sous les sabots des chevaux qui se cabraient.

— Il y a dix ans encore, je conduisais au Champ-de-Mars M. votre tuteur qui était grand amateur de courses de chevaux, dit Félicien en ouvrant la portière à sa jeune maîtresse. Depuis, on a construit l'hippodrome de Longchamp et c'est pas plus mal...

Aux pieds de Julie se déroulait la belle perspective du Champ-de-Mars. En son milieu, se balançait avec grâce au-dessus de la nacelle que retenait au sol un nombre important de sacs de terre, un ballon captif recouvert de son filet qui avait bien la hauteur d'un immeuble : *Le Sentimental*. Une foule nombreuse se pressait à distance, le terrain autour de l'aérostat étant délimité par des barrières. Des sentinelles en armes veillaient à ce que personne n'approchât de trop près. Des lampadaires à gaz éclairaient la scène que Julie contempla longuement sans dire un mot.

Elle songeait aux paroles de Nestor d'Aran : « ... je suis parfaitement en mesure de diriger *Le Sentimental* grâce à un système fort ingénieux... »

— Il faudra qu'il m'en administre la preuve, dit à haute voix la jeune femme. Et ce, le plus rapidement possible...

Moins d'une heure plus tard, la berline pénétra dans la cour de l'hôtel Gaspard, à Auteuil. Antoinette attendait en haut du perron, guettant Julie qui remarqua qu'un coupé, une voiture de louage sans doute, était rangé dans la cour.

— Tu n'étais pas inquiète, j'espère, mon Antoinette? Si tu savais la journée que j'ai eue...

Elle s'engouffra dans le grand hall, suivie d'Antoinette.

— On vous attend depuis plus d'une heure dans la bibliothèque. Et rien à faire pour qu'elle s'en aille... Elle prétend que c'est très important, que vous êtes au courant...

Julie s'arrêta net.

— « Elle »?... Blanche d'Antigny!

Elle bifurqua vers la double porte entrouverte de ce qui avait été jadis le cabinet de travail de son tuteur. Blanche se tenait debout à la fenêtre. Elle avait assisté, elle aussi, à l'arrivée de la maîtresse de céans. Elle se retourna sur Julie.

— Armand, comme prévu, a mordu à l'hameçon, dit-elle seulement. J'étais encore avec lui en fin d'après-midi et je pensais qu'il fallait prendre nos dispositions sur-le-champ. Ah! ma chère, il n'y a pas plus lamentable qu'un homme qui vous désire! Du temps où j'étais une petite actrice, les directeurs et les auteurs à l'unanimité m'ont trouvée détestable. Eh bien, il faut croire qu'aujourd'hui je n'étais pas si mauvaise puisque ma comédie de femme délaissée a bouleversé Armand... Il est vrai que, cette fois, j'ai dit mon propre texte qui est sans doute supérieur à celui de MM. Dumas, Augier et consorts. Bref, Armand me veut toujours et j'ai eu toutes les peines du monde à le calmer, car il me voulait ce soir même dans son lit à colonnes de la rue Lacépède.

Les deux jeunes femmes face à face, si différentes tant au moral qu'au physique, ayant des raisons graves de se haïr, devaient se sentir solidaires l'une de l'autre, car spontanément elles s'embrassèrent.

« Oui, songea Julie, le passé est vraiment enterré cette fois... »

Mais elle se demandait en même temps si Blanche était en mesure d'oublier une réalité avec laquelle elle était confrontée pour ainsi dire quotidiennement : le détachement de son mari, Patrice Kergoat, et l'amour que celui-ci portait à Julie Crèvecœur.

— Il reste mille choses à régler, Blanche... Raoul refuse de s'évader seul.

— Aïe...

Elle réfléchit. Puis :

— ... Après tout, cela ne m'étonne pas de votre mari. Et si nous pouvons en faire passer un par le souterrain, pourquoi pas deux, trois ou même dix? Pourquoi pas?

— Il ne faudrait pas que nous dépassions le chiffre dix, dit Julie.

— Pourquoi?

Julie la regarda au fond des yeux avant de fournir cette réponse incroyable qui fit bondir Blanche d'Antigny.

— Parce que, ma chère Blanche, en principe, la nacelle du ballon captif qui devrait emmener les évadés de Sainte-Pélagie en Belgique ne peut contenir que dix passagers.

— Le... le ballon captif? bégaya Blanche. Quel ballon captif?

Julie passa son bras sous celui de la « militante » pour l'émancipation des femmes, vêtue, sans doute pour mieux séduire son Armand, de façon bien plus provocante que le jour précédent. Sa robe en taffetas vert eau avait la couleur de ses yeux et la chemisette de Valenciennes riche révélait une poitrine de déesse antique.

— Je quitte à l'instant l'homme qui est en mesure de se rendre à Bruxelles par la voie des airs, survolant les frontières, les patrouilles de gendarmerie et tout ce qui sera mis en place pour empêcher les évadés de Sainte-Pélagie de gagner la Belgique. L'homme dont je vous parle est propriétaire d'un ballon captif et aéronaute expérimenté...

Blanche paraissait abasourdie.

— Et vous croyez qu'il acceptera de?...

— Je le crois, Blanche. Si besoin est, je... je saurai le convaincre. Est-ce que vous vous rendez compte que Paris est truffé de policiers? Qu'il y en a même sur les toits des maisons? Si, grâce à vous, Raoul est en mesure de s'évader, il sera en un rien de temps signalé à toutes les portes de Paris, à tous les postes-frontières. Il faudra qu'il se cache, comme un rat dans les égouts, qu'il essaie de se faire oublier... J'ai vécu de la sorte, Blanche, et j'en garde un souvenir affreux, malgré l'amitié... Raoul brûle de reprendre ses activités, d'imprimer et de diffuser son journal. La liberté pour lui, c'est la liberté de s'exprimer. Puisque nous avons décidé de l'aider, aidons-le jusqu'au bout; ne faisons pas les choses à moitié; amenons-le au delà des frontières...

— ... en ballon captif!

— En ballon captif, Blanche.

Mme Kergoat ouvrit son réticule, en sortit un

petit cigare de La Havane qu'elle alluma avec soin.

— Je croyais vous connaître, Julie, je ne vous connaissais pas vraiment, dit-elle enfin en soufflant l'allumette. Quand voulez-vous que je passe une folle nuit d'amour dans le lit à colonnes d'Armand, rue Lacépède?

Julie réfléchit intensément. Puis :

— Les choses sont moins simples que vous ne le croyez, murmura-t-elle. La promenade des prisonniers de Sainte-Pélagie a lieu tous les matins vers 11 heures et la surveillance semble extrêmement relâchée dans l'enceinte de la prison, du moins au moment où les visiteurs envahissent le pavillon des princes. Malheureusement, *Le Sentimental*, c'est le nom de l'aérostat susceptible d'enlever les évadés à leurs poursuivants, *Le Sentimental* donc est installé au Champ-de-Mars, exposé au public, au milieu d'une enceinte et, de surcroît, gardé militairement.

— Juste ciel! s'écria Blanche. Mais comment voulez-vous mener à bien votre entreprise dans de telles conditions? C'est impossible, Julie, pratiquement impossible. Renoncez à cette folie... Et puis, je n'ai jamais pensé que l'on puisse emprunter le souterrain d'Armand en plein jour... Imaginez sa réaction, à ce royaliste acharné, lorsqu'il verra surgir dans son jardin des têtes de républicains aussi connus que M. Raoul de Saint-Cerre...

— Il ne faut surtout pas qu'il soit dans son jardin à ce moment-là, concéda Julie.

— Et où voulez-vous qu'il soit?

— Dans son lit, ma chère Blanche. Avec vous!

Les deux jeunes femmes se séparèrent un peu plus tard, étant convenues que Blanche attendrait les dispositions que prendrait éventuellement Julie dans les jours à venir, tenant pour ainsi dire son soupirant « sous pression », à la façon des locomotives... Pendant ce temps, Julie devait prévoir, avec Raoul et ses amis détenus à Sainte-Pélagie, leur évasion par le souterrain menant du tombeau de la Claparède au jardin de la rue Lacépède... Cette entreprise à elle seule ne s'avérait pas si commode que cela. Mais Julie se faisait fort d'amener les futurs passagers du ballon captif jusqu'au pied de l'aérostat et de les y embarquer avec la complicité du fameux Nestor d'Aran.

De prime abord, ce projet relevait de l'utopie pure et simple, mais dès le lendemain la lecture du *Constitutionnel*, quotidien gouvernemental auquel David-Axel avait abonné sa fille sans lui demander son avis, fournissait à cette dernière les éléments qui lui manquaient dans la mise au point d'un plan qui nécessitait autant d'imagination que d'audace. Or, Julie Crèvecœur n'en manquait pas et elle l'avait prouvé dans le passé à maintes reprises. Aussi se rendit-elle à Sainte-Pélagie, *Le Constitutionnel* sous le bras, ce qui la fit paraître bien plus sérieuse qu'elle ne l'était en réalité...

Lorsqu'elle descendit de sa berline, elle tendit un billet à Félicien.

— Tu porteras ceci boulevard des Italiens, chez M. Nestor d'Aran, tu attendras la réponse et tu reviendras me prendre ici, à Sainte-Pélagie.

Le cocher porta la main à son haut-de-forme :

— Bien, madame.

Il rayonnait, car toutes ces allées et venues l'enchantaient et il était conscient qu'il se tramait des choses intéressantes où lui, Félicien, tout dévoué à la jeune Mme de Saint-Cerre, aurait sa partie à tenir. Et, en effet, dans l'esprit de Julie, la voiture et le cocher étaient indispensables à la réalisation des projets qui étaient en train de prendre forme dans sa petite tête organisée comme celle d'un général qui aurait de l'imagination, ce qui, comme chacun sait, n'est pas toujours le fait des généraux.

Elle trouva son mari très nerveux. Il s'était mis en frais pour elle, ayant taillé sa barbe, arborant une des chemises fines qu'elle lui avait apportées la veille, décidé, semblait-il, à ne pas tomber dans le piège du laisser-aller, danger menaçant pour celui qui menait une vie de reclus derrière les murs de Sainte-Pélagie.

Ils s'étreignirent comme s'ils se retrouvaient après une longue absence. Julie entra immédiatement dans le vif du sujet.

— As-tu pu parler avec tes amis, mon chéri?

Il fit « oui » de la tête.

— Hier soir, avec du champagne rosé et du foie gras en provenance directe du Café Riche, dans la « chambre d'honneur » où nous nous sommes trouvés entre princes, comme disent les gardiens. Et là, mon amour, j'ai découvert une chose stupéfiante : mes amis sont, en fait, ravis de se trouver ici. Ils jouent aux martyrs et ils aiment ça. Ils prétendent le plus sérieusement du monde être bien plus utiles à la cause de la liberté entre les murs de Sainte-Pélagie qu'au-dehors. Ajoute à cela que certains ont échappé ainsi à leurs femmes, qu'ils ne supportent plus, à leurs maîtresses, qui les fatiguent, et à leurs créanciers qui cessent enfin de les harceler... Je dois mentionner à leur décharge qu'ils ont tous le double de mon âge, sinon plus, et qu'ils sont convaincus que Badinguet les libérera sous peu. Voilà : ils n'ont aucune envie de s'évader.

Il avait l'air accablé. Julie lui embrassa la joue, lisse pour une fois, comme celle d'un nouveau-né, et imprégnée encore de l'odeur de la mousse de savon. Elle eut subitement une grande envie de tendresse, de lit commun, de cabinet de toilette bouleversé par la double présence d'un homme et d'une femme, de toute cette intimité parfois difficile à vivre et qu'on nomme « mariage ».

— Et le tombeau de la Claparède?

— Ils feront le nécessaire pour que je puisse emprunter le souterrain, mais ils refusent de m'y suivre.

Et ils feront en sorte que ce moyen idéal de fausser compagnie à nos geôliers ne soit révélé qu'à ceux qu'ils en jugeront dignes. Il est de notoriété que certains des gardiens sont corruptibles et que ceux d'entre nous qui le désirent peuvent s'évader en y mettant le prix. Mais pour une évasion réussie, il y en a deux de ratées. Alors que le souterrain est plus sûr, à condition que les gendarmes ne m'attendent pas à la sortie.

— Laisse-moi faire, murmura Julie. C'est moi, mon chéri, qui t'attendrai à la sortie. Et à deux pas, dans la rue Lacépède, se trouvera Félicien avec la berline astiquée et pomponnée à neuf. Et à l'intérieur un habit de cérémonie, un plastron, une cravate noire et un gibus.

Raoul crut avoir mal entendu.

— Lis *Le Constitutionnel* de ce matin et tu comprendras...

Il protesta avec véhémence :

— Lire cette feuille immonde, moi, le fondateur du *Lucide*? Jamais! Dis-moi plutôt si tu as vu mon ami Nestor et si nos passeports sont en bonne voie...

Julie lui mit sous les yeux, de force, l'article du *Constitutionnel* où il était précisément question de Nestor d'Aran, « le célèbre photographe et aéronaute ». Il y était dit que plusieurs membres du gouvernement honoreraient sans doute de leur présence la présentation officielle, en fin de semaine, du *Sentimental*, le dernier-né des aérostats, construit par les frères Mollard pour Nestor d'Aran, « le fou du plus lourd que l'air », qui allait se livrer ce jour-là à une expérience sensationnelle encore jamais tentée : celle qui consistait à se servir des courants atmosphériques pour diriger son ballon dans une direction voulue... La fin de l'article faisait remarquer que M. d'Aran était bien connu pour son non-conformisme qui le portait à être toujours « contre » tout, y compris le régime impérial. « Notre artiste volant ne ferat-il pas la grimace devant tous ces beaux messieurs de l'entourage de l'Empereur et toutes ces belles dames de la cour qui viendront ce jour-là admirer de plus près l'aéronaute dans sa nacelle? »

Perplexe, Raoul posa le journal.

— Je ne comprends pas très bien où tu veux en venir, Julie...

— C'est pourtant simple, mon amour. Un de ces beaux messieurs dont parle *Le Constitutionnel,* ce sera toi. Et moi, je serai l'une des belles dames. Nous visiterons *Le Sentimental* très officiellement. Seulement, voilà : quand l'aéronaute prendra l'air, il ne sera pas seul. Non. Nous serons trois : toi, moi et ton ami Nestor! Et puisque le génial artiste volant sait si bien se servir des courants atmosphériques, lesdits courants nous emmèneront tout droit jusqu'à Bruxelles.

Au fur et à mesure qu'elle expliquait son plan, Raoul changeait totalement de visage. Et à la fin il souleva sa femme, la tint en l'air, l'embrassa aux endroits les moins conventionnels de sa personne et s'exclama ravi :

— Ton idée est complètement folle, mais c'est justement à cause de cela qu'elle me plaît.

Ensuite, redevenant sérieux :

— ... Et Nestor? Crois-tu qu'il sera d'accord? C'est un républicain et un homme courageux, mais tout de même : se faire complice aussi ouvertement de l'évasion d'un prisonnier politique, cela signifie pour lui la ruine. Et c'est un homme qui mène grand train et a besoin de beaucoup d'argent. Les aérostats lui coûtent encore plus cher que les femmes!

— Nous ferons en sorte que ton ami agisse sous la menace d'une arme que tu auras sur toi et que tu sortiras à bon escient...

— Tu as pensé à tout, mon amour, dit Raoul.

Il y avait dans sa voix du respect et de l'admiration.

Un peu plus tard, Julie quitta Sainte-Pélagie. Sa toilette était un peu chiffonnée, elle avait des mèches folles dans son cou et l'œil légèrement cerné. Mais elle paraissait radieuse au delà de toute expression.

« Les choses prennent tournure », se dit-elle, fort satisfaite, quoique un peu rompue par un début de matinée mouvementé.

Félicien était de retour, assis sur son siège, très droit comme de coutume. Voyant venir Julie, il sauta à terre, se découvrit et lui tendit une enveloppe qu'elle décacheta avec hâte. Elle parcourut la missive, puis, alors que Félicien l'aidait à monter en voiture, elle lui dit :

— A l'heure du déjeuner, je m'envolerai du Champ-de-Mars avec le ballon captif que nous avons admiré hier soir!

Félicien prit un air à la fois ahuri et consterné.

— Comment? Mademoiselle... Je veux dire : Madame, va-t-elle vraiment se risquer là-haut, dans ce machin?

— Mais oui, dit Julie en souriant. Et comme j'ignore absolument où nous atterrirons une heure plus tard, tu rentreras à Auteuil après m'avoir déposée au pied du *Sentimental*.

Félicien referma la portière. Il paraissait perplexe.

— Monsieur est au courant? demanda-t-il avec un mouvement de la tête en direction des murs rébarbatifs de Sainte-Pélagie.

— Bien sûr, répliqua avec assurance Julie qui n'avait pas soufflé mot à Raoul de son intention d'aller se rendre compte par elle-même si Nestor d'Aran ne s'était pas vanté lorsqu'il prétendait pouvoir diriger son ballon où bon lui semblait et à des distances considérables.

« De toute manière, pensa-t-elle, il faut que je précise à M. d'Aran que je désire ne pas trop m'éloigner des faubourgs de Paris, car je dois revoir Blanche d'Antigny au plus vite, aujourd'hui encore. »

Une joyeuse excitation l'habitait. Elle se sentait forte, maîtresse de son destin et de celui de l'homme qu'elle aimait. Et, une fois de plus, elle entendit une voix, une toute petite voix intérieure qui la rappelait à l'ordre : « Ne peux-tu être heureuse, Julie, que lorsque tu distribues les cartes au grand jeu de la vie? Rappelle-toi cette fureur qui t'habitait, proche du désespoir, quand tu te trouvais seule sur le champ de bataille de Sadowa, seule femme du *Kriegsspiel* (jeu de la guerre) gigantesque qui se déroulait à tes pieds, oubliée de tous, même de l'homme qui t'aimait, laissée pour compte, livrée au hasard... »

Julie fit taire cette voix qui l'agaçait. Etait-ce bien le moment?

Elle fit quelques courses dans Paris et abandonna ses paquets dans la berline lorsque Félicien s'arrêta non loin de l'enceinte réservée au *Sentimental*. Il était midi précis, l'heure fixée par l'aéronaute. Il y avait bon nombre de badauds, mais ce n'était pas la grande foule. Ils étaient contenus à distance respectueuse du ballon. Celui-ci n'était plus retenu au sol par des sacs de terre, mais par une vingtaine de jeunes soldats accrochés aux cordages. Debout dans sa nacelle, point de mire de tous les regards, Nestor d'Aran, dont les boucles brunes à la Byron flottaient au vent, n'attendait apparemment que sa passagère pour s'élancer à l'assaut d'un ciel serein qu'aucun nuage ne troublait. Ce devait être un temps rêvé pour une ascension en ballon.

— Madame va pas nous faire ça? marmonna Félicien, effaré à la pensée de voir Julie s'élever dans les airs.

De son côté, et de manière tout à fait inattendue, Julie fut prise d'une subite appréhension. C'était comme une petite douleur au creux de l'estomac. Elle évitait généralement de trop se pencher aux fenêtres ou aux balustrades des balcons, redoutant un certain attrait que le vide exerçait sur elle. Elle se rappela, bêtement, l'ascenseur de l'immeuble du boulevard des Italiens. C'était le même sentiment, mais très amplifié. Presque de la panique.

« Il ne manquerait plus que ça, se dit-elle. Voilà que j'ai peur! Et c'est la faute à Félicien qui est bien trop vieux pour apprécier les bienfaits du progrès... »

Nestor d'Aran lui faisait de grands signes :

— Venez... venez... On n'attend plus que vous.

Elle répondit par un geste de la main qu'elle aurait voulu très dégagé, ramassa ses jupes et ses jupons et s'avança vers l'aérostat comme si elle se dirigeait vers un fiacre qui allait l'emmener faire le tour des lacs du Bois de Boulogne. Mais, en même temps, elle avait tout à fait conscience qu'elle était en train de franchir un pas décisif et qu'elle pénétrait de plain-pied dans le futur, dans un monde nouveau qui était en train de naître au bruit des machines, à la fumée des cheminées d'usine, au fracas des trains express lancés sur les rails, et que des hommes audacieux s'apprêtaient à regarder ce monde de très haut, du ciel où ils se déplaçaient à présent, armés d'appareils photographiques.

Des bras robustes la saisirent alors qu'un murmure admiratif parcourut l'assistance. Et Julie se retrouva dans la nacelle aux côtés du beau Nestor qui saluait la foule.

Elle remarqua immédiatement que l'aérostat, de dimensions respectables, susceptible d'embarquer sans aucun doute une dizaine de personnes, était encombré de caisses reliées les unes aux autres par des tuyaux, rappelant un ouvrage de plomberie. Emergeant de la caisse supérieure, un tube d'un métal très rare (du platine), étincelant au soleil, muni d'un robinet. Si Julie avait été une scientifique, ce qui n'était pas le cas, elle aurait compris aussitôt que l'appareillage en apparence si compli-

qué, était tout bonnement un chalumeau à gaz...
De la partie inférieure du ballon, dont la masse
imposante se balançait au-dessus de la tête des passagers, sortaient deux tubes séparés par un petit inter-
valle. Ces tubes descendaient jusque dans la nacelle
et aboutissaient dans une caisse en fer de forme cylin-
drique. Hé oui! Il aurait fallu à Julie une formation
d'ingénieur (que peu de femmes possédaient à cette
époque) pour comprendre que l'ensemble de ces
caisses, de ces tubes, de ces tuyaux, n'était ni plus ni
moins qu'un système de chauffage au gaz ou, si l'on
veut, un calorifère volant. Et même si Julie avait
réalisé cela, elle n'aurait sans doute pas été en mesure de faire le rapprochement entre le pilotage d'un
ballon captif et cette étonnante installation destinée,
grâce au chalumeau, à augmenter ou à diminuer la
température du gaz contenu dans le ballon...

Nestor n'était pas mécontent de l'effet que semblait
produire sur la jeune femme l'aménagement de la
nacelle qui aurait ressemblé à une petite usine si elle
n'avait été tapissée de lustrine noire, ce qui était à
la fois funèbre et solennel, avec un plafond mobile
constitué par une draperie d'un jaune éclatant. S'il
n'y avait eu ces caisses, ces tuyaux et ces robinets,
Julie aurait pu se croire transportée sous la tente
d'un potentat oriental. D'autant plus qu'il y avait
partout, disséminés dans la nacelle du *Sentimental*,
d'épais coussins confectionnés en soie des Indes
ou en fourrure rare.

La jeune femme n'eut guère le temps de prendre
conscience du fait qu'elle allait s'envoler de la terre
d'une minute à l'autre, entourée de toute cette machinerie peu rassurante, en compagnie d'un homme qui
ne l'était pas tellement, ne serait-ce que du fait que
Julie le considérait bien davantage comme un « artiste » que comme un ingénieur et qu'elle avait de
bonnes raisons pour être quelque peu inquiète non
pas de son sort, mais de celui de son époux qui

devait, dans son esprit, emprunter ce moyen de locomotion révolutionnaire pour se rendre hors de
France...

Enfin, c'était précisément pour vérifier si oui ou
non il était possible de voyager en ballon captif
comme en chemin de fer qu'elle avait provoqué
l'ascension qu'elle était en train de vivre et que
d'Aran semblait vouloir lui offrir d'enthousiasme,
malgré les frais considérables qu'une telle promenade
devait entraîner.

Pour l'instant les événements se précipitaient :
Nestor d'Aran, avec des gestes sûrs qui dénotaient
une grande habitude, alluma le chalumeau, poussa
la flamme. Le calorifère commença à chauffer, aug-
mentant de minute en minute la température du gaz
qui gonflait le ballon. Celui-ci, qui se maintenait
jusqu'alors au sol en parfait équilibre, se souleva
un peu. Les soldats filèrent les cordes qui le retenaient... Et Julie éprouva à la fois un sentiment
d'exaltation et un petit choc, car la nacelle s'éleva
d'une vingtaine de pieds. Le célèbre photographe
salua les badauds, Julie en fit autant en direction
de son cocher, figé près de la berline, tout pâle sous
son haut-de-forme, et qui se mit subitement à hur-
ler :

— Que Madame ne prenne pas froid!

Ce qui déchaîna l'hilarité de la foule. En même
temps la force ascensionnelle de l'aérostat s'accrut
avec une foudroyante rapidité. *Le Sentimental*, par
ce beau temps qu'animait une brise légère, monta
presque perpendiculairement. Aux pieds de Julie,
éblouie et qui oubliait ses appréhensions, se dessinait la magnifique perspective du Champ-de-Mars,
le Trocadéro paraissait presque beau et le tracé des
avenues conçues par le baron Haussmann sur la
rive droite de la Seine se déroulait avec une précision mathématique.

— C'est merveilleux! s'écria-t-elle.

Elle en oublia ses appréhensions et même la relative fragilité de la nacelle en osier, renforcée (heureusement) par une armature en fer et revêtue en sa partie inférieure de ressorts élastiques destinés à amortir les chocs lors des atterrissages.

— Nous sommes à trois cents mètres! lui lança Nestor en gardant un œil sur le baromètre et le thermomètre, suspendus à l'intérieur de l'habitacle.

L'aéronaute se servait de son chalumeau comme d'une sorte de gouvernail : en chauffant le gaz contenu dans le ballon, il le gonflait davantage, et l'aérostat montait proportionnellement à la dilatation de l'hydrogène... Dès que Nestor modérait la chaleur du chalumeau, la température se refroidissait et le ballon amorçait la descente.

Julie, extrêmement attentive aux opérations fort simples auxquelles se livrait le photographe, avait assez de vivacité d'esprit pour comprendre que grâce à l'appareillage que celui-ci avait mis au point, il était maître absolu de son vaisseau, se plaçant au gré de sa volonté dans les courants atmosphériques susceptibles de le conduire là où il désirait se rendre. Seulement, voilà : accepterait-il de voler ainsi en direction de la frontière belge, ayant à son bord un prisonnier politique évadé de Sainte-Pélagie?

— Trois cent cinquante mètres! annonça d'Aran.

« Nous verrons bien, pensa Julie, décidée à aborder sans tarder le vif du sujet. S'il m'oppose un refus formel, il faut abandonner le projet. Mais ce sera le regret de mon existence, car il est évident qu'à bord du *Sentimental* nous atteindrons Bruxelles sans encombre et en un minimum de temps. »

Elle était plongée dans ses pensées et ne s'était guère rendu compte que le ballon survolait à présent de vertes prairies, des champs de blé où paissaient de paisibles ruminants, taches blanches sur tapis vert.

— Mais où sommes-nous? s'écria Julie, ébahie.

Vous m'aviez assuré que nous ne nous éloignerions pas de Paris...

— Ce village là-bas, c'est Auteuil, expliqua l'aéronaute. Vous ne le reconnaissez donc pas?

— C'est la première fois que je contemple mon village du haut du ciel, murmura la jeune femme.

Il n'y avait plus de brise du tout; l'air semblait immobile, comme figé. Nestor d'Aran, se servant de son chalumeau tel un violoniste de son archet, chercha vainement un courant à différentes hauteurs. Heureusement, et Julie s'en félicita, alors que le ballon montait à une rapidité extrême, il mettait bien plus de temps à effectuer sa descente.

— Voyez-vous, expliqua d'Aran, on a de toute manière intérêt à descendre en douceur; les dangers se trouvent toujours en bas et jamais en haut. La marche ascensionnelle rapide permet d'éviter les obstacles éventuels.

Le Sentimental redescendit à quatre cents mètres et là il s'immobilisa dans les airs. Le grand calme, le silence, l'infini du ciel, le paysage à leurs pieds, doucement vallonné, et plus loin, derrière un rideau de brume de chaleur, Paris assoupi comme une bête.

— Monsieur d'Aran, s'exclama Julie, c'est bien le plus beau voyage qu'il m'ait été donné de faire.

Le photographe vint près d'elle, n'ayant sans doute plus besoin de consulter ses appareils que complétaient une boussole, un chronomètre, un horizon artificiel et un altazimuth dont il avait expliqué l'usage à sa passagère : l'altazimuth servait à relever les objets lointains et inaccessibles.

— Madame de Saint-Cerre, dit-il gravement, vous êtes bien la plus jolie femme qui soit jamais montée à bord du Sentimental!

La conversation en plein ciel prenait un tour embarrassant.

— Vous n'entreprenez rien, monsieur, lorsque votre ballon s'immobilise ainsi entre les courants?

Il passa le bras autour de la taille de sa passagère.

— Ne croyez pas que je n'entreprenne rien dans ces cas-là, murmura-t-il.

Julie se dégagea en douceur. La situation était ambiguë, elle s'en rendait très bien compte. Elle ne s'était jamais trouvée seule avec un homme qui se prenait pour Don Juan en personne, à des centaines de mètres au-dessus du monde habité...

— Admettons, dit Julie, que vous soyez pressé d'arriver à... au but que vous vous êtes fixé (elle pensait à Bruxelles, mais Nestor, lui, devait penser à autre chose). Je suppose que vous n'attendez pas tout bonnement une brise meilleure. Elle peut se faire attendre...

— Il est très rare qu'en cherchant bien on ne finisse pas par trouver un courant atmosphérique favorable.

— Alors, pourquoi ne cherchez-vous pas, monsieur d'Aran?

D'un mouvement brusque et tout à fait inattendu, le photographe attira Julie contre lui. Il avait une force peu commune, car il devait être rompu à tous les sports, comme il convenait à un héritier des mousquetaires du roi.

— Etes-vous stupide, merveilleuse créature, ou faites-vous seulement semblant? N'avez-vous pas compris que je remercie le ciel d'être de mèche avec moi? Il n'y a pas un souffle d'air; *Le Sentimental*, qui n'a jamais mieux porté son nom, a jeté l'ancre dans le vide. Nous sommes en sécurité absolue, à mi-chemin entre la terre et le soleil; personne au monde n'est capable de venir nous déranger ici; personne, entendez-vous, Julie? Et vous me croyez capable de résister à l'extraordinaire envie que j'ai de vous serrer dans mes bras, de vous faire voyager, voyager, de vous procurer la plus grande joie, le plus grand plaisir que vous ayez jamais connu? N'éprouvez-vous pas, comme moi, le désir insensé de vivre pleinement, dépouillée de tout artifice, ce moment unique qui marquera votre vie à tout jamais?

Suffoquée tant par les paroles de celui qui se disait « le meilleur ami » de Raoul, que par les gestes sans équivoque qu'il était en train d'esquisser, Julie essaya de se dégager, y parvint, mais le photographe la rejoignit aussitôt, et il n'existait aucun moyen de lui échapper, sinon en sautant par-dessus bord.

— Comment osez-vous me tenir des discours aussi insensés? s'écria-t-elle. Les mots « amitié » et « respect » n'ont donc, à vos yeux, aucune signification?

De nouveau, il la tenait serrée contre lui, essayant même de dégrafer sa robe d'été, légère, qui se boutonnait dans le dos. Elle se débattait en pure perte, se demandant quelle tournure dramatique n'allaient pas prendre les événements...

— J'ai une grande habitude des femmes, lui dit d'Aran, pour ainsi dire contre son oreille, surtout des femmes mariées. Toutes celles qui ont insisté pour monter avec moi en ballon n'attendaient que le moment propice où, grâce aux courants de l'atmosphère favorables, elles allaient goûter à des baisers et des caresses qui prennent, à bord de ce vaisseau, des proportions véritablement cosmiques. Le mot que vous m'avez fait porter par votre cocher était significatif : il était indispensable que vous montiez aujourd'hui même dans l'atmosphère avec moi. Je m'étais laissé dire que vous aviez du tempérament, mais je ne le savais pas aussi ardent que cela...

Julie essaya de le gifler, mais ce diable d'individu s'en moquait bien : il la tenait prisonnière et il s'était même rendu maître du boutonnage pervers de cette robe d'été qui n'était qu'un rempart dérisoire contre ses entreprises.

— Je fais appel à vos sentiments d'honneur; je vous rappelle que votre ami Raoul de Saint-Cerre est derrière les murs de Sainte-Pélagie, que vous partagez les mêmes idées...

— Justement! Partageant les mêmes idées, pourquoi ne partagerions-nous pas la même femme? Et puis, en voilà assez! J'ai horreur de parler politique avec les femmes que je désire. Si vous avez du remords, trop tard. Je n'aime pas les coquettes et vos appels à mon honneur n'ont pas de sens. Tout Paris sait que vous avez quitté Raoul et que celui-ci ne s'est pas privé de profiter de la liberté que vous lui avez rendue. De votre côté, vous avez dû faire le bonheur de nombreux amants moins brillants certainement que Nestor d'Aran. Nous sommes républicains et modernes. Bon Dieu, madame, la vie est courte, ne l'abrégez pas encore par des discours.

D'un geste fort adroit il avait réussi à mettre à jour les épaules à vrai dire ravissantes de Julie, qui ne portait en cette fin d'été torride que de légers sous-vêtements. La robe glissa; incroyable, mais vrai, Julie se trouva en jupon dans ce ballon captif où, elle l'avait compris, le pire pouvait arriver d'une minute à l'autre. Elle n'avait aucun recours contre d'Aran que la vision de Julie en jupons semblait affoler à l'extrême. Il s'agrippa au tissu arachnéen qui céda, bien entendu.

En d'autres circonstances, Julie aurait savouré l'aspect comique de cette situation peu banale : elle se trouvait, à demi dénudée, contre un monsieur qui ne pensait qu'à l'amour alors qu'elle ne pensait qu'à la liberté de son mari.

« Il y a beaucoup à dire sur la fameuse amitié masculine, pensa-t-elle. Comment ne pas mépriser cet homme qui serait remarquable s'il n'était pas obsédé par ce désir insensé de conquérir le corps des femmes, de toutes les femmes, fussent-elles les épouses de ses meilleurs amis! »

Il était penché sur elle, ayant libéré un sein qu'il embrassait avec fougue, faisant éprouver à Julie, furieuse, un frisson dont elle se serait bien passée...

Il fallait à n'importe quel prix mettre un terme à tout ceci. D'Aran, qui connaissait mieux que personne les possibilités de son vaisseau, fit basculer la jeune femme; elle tomba sur les coussins moelleux. L'homme s'abattit sur elle, l'embrassa sur la bouche, alors que sa main s'aventurait dans des régions qui, pour ne pas être sidérales, étaient tout de même interdites, du moins par la pudeur réelle de Julie qui aimait Raoul et ne voulait le tromper, même contrainte et forcée. Elle eut une inspiration : le chalumeau, alimentant en gaz le ballon, se trouvait à moins d'un mètre. Elle avait vu comment procédait d'Aran, se servant du robinet pour augmenter ou diminuer, par l'intensité de la flamme, la chaleur du gaz contenu dans le ballon. Recommandant son âme à Dieu, à l'instant même où l'entreprenant Nestor s'attaquait aux pièces de lingerie intime qui avaient résisté jusqu'alors à ses assauts, elle atteignit le robinet du chalumeau auquel elle imprima une vigoureuse rotation à gauche, diminuant ainsi, et de beaucoup, l'intensité de la flamme. Imperceptiblement d'abord, puis de manière accélérée, le ballon amorça sa descente vers la terre ferme...

Nestor, tout à son extase, n'avait rien remarqué des agissements de sa victime. Mais, au moment même où il croyait avoir vaincu l'ultime résistance de Julie, il prit conscience de ce qui se passait. Aéronaute avant tout, il se releva d'un bond, se tenant au bastingage, car le ballon tanguait dangereusement, un peu comme un bateau ivre.

— Tonnerre! s'écria-t-il, le diable m'emporte si nous ne sommes pas en train de...

Il comprit sur-le-champ ce qui s'était passé, manœuvra le robinet du chalumeau, et le ballon prit aussitôt de l'altitude pour se stabiliser peu après. Tout ceci avait duré fort peu de temps.

Julie trouva une cocasserie grandiose à ce qui était en train de se passer dans la nacelle du *Sentimental* :

elle était pour ainsi dire nue et Nestor, de son côté, s'était progressivement dépouillé de ses vêtements. On eût dit Adam et Eve survolant l'Ile-de-France! Le photographe-aéronaute était un homme magnifique, Julie eut la franchise de le reconnaître. Bâti tout en force et en finesse, il était aussi brun que Raoul était blond. Pour le moment, peu habitué à ce que les femmes lui résistassent à ce point-là, il était furieux.

— Ah! c'est comme ça, madame? hurlait-il. Vous préférez vous écraser sur le sol plutôt que d'aimer l'un des hommes les plus séduisants de France? Eh bien, madame, vous serez aimée de gré ou de force. Car là où la douceur échoue, l'autorité triomphe.

— Et vous vous qualifiez de républicain, monsieur, alors que vous avez tout du dictateur? s'écria Julie. Du dictateur et même du tyran.

Nestor n'aimait sans doute pas qu'on lui répliquât, car, pris d'une rage folle, il ramassa prestement les pièces de lingerie répandues sur le sol... et les jeta par-dessus bord avec la robe qui virevolta dans l'air avant de descendre tout doucement, comme un gigantesque papillon, vers les champs de blé...

— Vous êtes infâme, dit-elle d'une voix étrangement calme. Nous aurions pu être amis, mais vous bafouez l'amitié, comme vous bafouez l'amour. Ce qui est affreux, c'est qu'un homme dans sa cellule de prison compte sur vous, sur votre soi-disant dévouement à sa cause.

Il se tenait devant elle; il respirait profondément, plus ému peut-être qu'il ne voulait paraître. Il posa ses deux mains sur les hanches de la jeune femme comme s'il s'apprêtait à l'attirer vers lui. Julie avait conscience que pour cet homme, en cet instant, rien d'autre ne comptait que son désir. Elle se libéra rageusement.

— Je vous conseille de n'esquisser aucun geste. Je vous jure solennellement que si vous me touchez

100

seulement du bout de vos doigts tout Paris connaîtra dès ce soir votre conduite inqualifiable; je vous jure solennellement que s'il arrivait quoi que ce soit dans la nacelle de ce ballon, les gens que vous estimez vous tourneront le dos et vous mépriseront comme je vous méprise. Car c'est faire preuve de beaucoup de lâcheté que de se conduire comme vous vous conduisez, alors que mon mari est dans l'impossibilité de vous faire subir le châtiment que vous méritez. Qu'il vous considère comme son ami est une erreur dont il se guérira, croyez-le bien.

Impressionné malgré lui, Nestor resta immobile devant elle.

— Ecoutez...

Elle l'empêcha de poursuivre.

— C'est à vous de m'écouter, monsieur. Et très attentivement. Je vais me servir d'une arme qui me répugne, mais qui est bien à la mesure du sordide individu que vous êtes. Et cette arme, c'est le chantage. Tout ce que j'avais l'intention de demander à l'ami de Raoul de Saint-Cerre, je vais l'exiger. Vous êtes, monsieur, la vanité en personne et, comme tous les vaniteux, vous devez craindre le ridicule. Or, quoi de plus ridicule que de jouer les amoureux transis en plein ciel avec la femme d'un prisonnier de Sainte-Pélagie dont vous vous dites l'ami? Il n'y a pas un salon parisien qui n'en fera des gorges chaudes.

Il voulut répliquer, mais avec cette autorité irrésistible qu'elle détenait dans les grandes occasions, elle ne lui en laissa point le loisir.

— Si vous avez quelque chose à dire, vous le direz plus tard. Pour le moment, voici ce que j'attends de vous si vous voulez que je garde le silence au sujet de ce qui vient de se passer à bord du *Sentimental* : dès que mon mari se sera évadé de Sainte-Pélagie, vous le conduirez, avec moi, jusqu'à Bruxelles par la voie des airs!

— Quoi?

Il y avait dans les yeux de l'aéronaute une telle expression de stupeur ahurie que Julie aurait volontiers éclaté de rire. Mais les circonstances ne s'y prêtaient guère.

— Vous ne parlez pas sérieusement, madame?

— Si j'ai tant tenu à faire l'ascension d'aujourd'hui, c'était pour savoir si oui ou non vous étiez en mesure de diriger réellement votre aérostat. L'expérience a été concluante, quoiqu'elle m'ait coûté une toilette à laquelle je tenais... Par conséquent, j'exige de vous une attention soutenue, car je vais vous exposer dans les grandes lignes l'évasion de Raoul telle que je l'ai conçue et telle que je la réaliserai...

Il l'écouta en silence, abasourdi. Au fur et à mesure qu'elle développait son plan, elle put lire sur son visage quelque chose qui ressemblait beaucoup à de l'admiration.

— Bon sang! s'écria-t-il à la fin, je me trompe rarement sur les femmes, mais je me suis trompé de bout en bout sur votre désirable personne, car vous êtes, et ceci est extrêmement rare, une vraie femme douée d'un vrai cerveau.

Il arracha hâtivement une partie de la draperie qui transformait la nacelle en chambre d'amour ou en chambre noire, pour que Julie s'en couvrît. C'était sa façon de lui rendre hommage.

— Dites à Raoul qu'il peut compter sur moi, ajouta-t-il. Et je vous supplie de bien vouloir admettre que j'aurais été d'accord de toute façon pour vous conduire tous les deux jusqu'en Belgique. Parce que, entre vous et moi, votre plan est digne à tous points de vue de Nestor d'Aran.

Le ballon se rapprochant du sol, il avisa un bouquet d'arbres. Il lança les ancres hors de la nacelle et l'une d'elles s'accrocha fortement dans les branchages d'un cerisier. Nestor enjamba le bord de l'habitacle et assujettit l'ancre comme aurait fait un marin amarrant son bateau. Pour finir, il déroula une échelle de soie qui devait permettre aux passagers de gagner la terre ferme sans trop d'encombre.

Pendant ce temps, Julie s'était enveloppée de son mieux dans la tenture qui devenait une sorte de toge.

— Vous êtes au cœur d'Auteuil, à moins de trois cents mètres de votre maison, dit Nestor d'Aran, redevenant très urbain. Je me suis permis de situer celle-ci d'après vos indications. Ceci est la preuve éclatante de l'extrême maniabilité du *Sentimental*...

Revenant de sa surprise, Julie constata qu'il lui suffirait de traverser le champ pour trouver une petite porte ménagée dans le mur de sa propriété, toute proche du pavillon de chasse qui lui rappelait tant de souvenirs... Elle y trouverait même des vêtements décents. Sans un mot, elle s'apprêta à enjamber l'échelle de soie, ce qui s'avéra difficile, drapée comme elle l'était dans sa toge improvisée.

Elle se retourna une dernière fois vers l'aéronaute :

— Quand devez-vous présenter *Le Sentimental* aux personnalités officielles, au Champ-de-Mars?

— Après-demain...

— M. de Saint-Cerre s'évadera de Sainte-Pélagie après-demain. Attendez mes instructions.

Dix minutes plus tard, ayant trouvé dans le petit pavillon une vieille jupe d'amazone et un corsage « Garibaldi » défraîchi, Mme Raoul de Saint-Cerre monta le perron de sa maison d'Auteuil, accueillie, les yeux ronds, par une Antoinette qui se demandait comment, partie du Champ-de-Mars en pimpante Parisienne, Julie avait trouvé le moyen de revenir à Auteuil vêtue en écuyère.

Heureusement la découverte du *Sentimental*, survolant à basse altitude le parc de la villa, ameutant tout le personnel extasié, créa une diversion qui permit à Julie d'échapper aux explications laborieuses. Sans un regard pour l'aérostat et son téméraire pilote, elle gagna sa chambre afin de s'accorder une heure de repos. Elle était à bout de forces, physiquement et nerveusement. Il lui faudrait, dans la journée encore, joindre Blanche d'Antigny, afin que celle-ci prît toutes ses dispositions pour que le surlendemain, entre 11 heures et midi, le propriétaire de l'hôtel de la rue Lacépède fût occupé au point de ne pas mettre les pieds dans son jardin.

Au milieu de l'après-midi, elle manda Félicien et lui remit un message destiné à Blanche, lui demandant de venir, si cela lui était possible, le soir même à Auteuil, à l'heure de son choix. Se méfiant à juste titre de tout ce qui était écrit, Julie lui laissa entendre cependant que le « voyage projeté » devait avoir lieu le surlendemain... ou jamais!

Une fois encore, Julie se présenta le matin suivant devant Sainte-Pélagie, à l'instant précis où le portail de la prison s'ouvrit au flot habituel des visiteurs. La veille, après avoir reçu la visite de Blanche, qui s'était prolongée, elle avait eu beaucoup de mal à s'endormir au terme d'une journée qui avait été mieux que bien remplie. Mais Julie éprouvait une appréhension bien compréhensible à la pensée de retrouver Raoul qui ne manquerait pas de lui parler de son « ami Nestor ». Elle s'était juré que jamais, quoi qu'il pût arriver dans son existence, elle ne révélerait à Raoul ce qu'elle avait vécu à bord du *Sentimental* en compagnie du photographe.

— Nestor est avec nous? s'exclama Raoul qui venait d'apprendre la nouvelle de la bouche de sa femme qui lui fit signe de baisser la voix.

Raoul haussa les épaules.

— Il ne vient à personne ici l'idée d'écouter aux portes, murmura-t-il.

— A partir de 11 heures demain matin, la sortie du souterrain, dans les jardins du comte Armand de Dieu-le-Font, sera dégagée. Blanche m'en a donné l'assurance formelle et je crois, mon chéri, qu'on peut, qu'on doit lui faire confiance. De toute manière tout sera dit avant midi, puisque c'est à midi que les prisonniers de Sainte-Pélagie regagnent leurs cellules.

Sa voix était à peine perceptible, même si Raoul estimait que c'était là une précaution superflue. Ils se turent, car ils prenaient conscience l'un et l'autre que le plan échafaudé par Julie comportait un nombre de risques accumulés, mais que par son audace même il avait des chances très sérieuses de réussite.

Ce qui bouleversa Julie, était la manière dont les événements étaient en train de ressouder une union qui battait de l'aile au point que Julie avait envisagé depuis un certain temps déjà de reconsidérer son existence; une existence où les hommes ne seraient plus que des figurants, des amants que l'on prend et qu'on délaisse. Le malheur qui frappait Raoul l'avait frappée, elle aussi, de plein fouet et lui avait fait réaliser combien était fort et encore solide le lien qui l'attachait à son mari. Les épreuves les avaient fait mûrir l'un et l'autre.

« Saurons-nous, dans l'avenir, préserver notre amour? Serons-nous assez forts pour nous dépasser nous-mêmes, pour avoir la sagesse de toujours nous retrouver, quoi qu'il puisse arriver? »

Elle se rendit compte que le moment était mal choisi pour se poser de telles questions, que leur avenir s'inscrivait dans les jours qui allaient suivre, que tout pouvait être gagné ou perdu, selon le hasard ou la fortune...

Elle quitta son mari très vite, avec gravité et tendresse : il y avait encore beaucoup à faire avant l'heure décisive. Ils s'embrassèrent longuement, tendrement.

« C'est cela, pensa Julie, c'est bien cela : nous avons connu la passion, mais plus rarement cette tendresse enfin retrouvée! »

Après avoir quitté la prison, elle avait pris place dans le fond de la berline. Félicien, qui avait aidé sa maîtresse à s'installer, allait fermer la portière. Elle se pencha.

— Nous n'allons pas rentrer immédiatement, murmura-t-elle. Je voudrais que tu contournes la prison, l'ancien couvent de Sainte-Pélagie, et que tu remontes sans te presser la rue Lacépède.

Elle hésita, puis elle ajouta :

— Crois-tu qu'il y ait des policiers en bourgeois par ici?

Le cocher esquissa un sourire qui, déjà, en disait long.

— Y a que ça dans ce quartier, répliqua-t-il.

— Dans ce cas, Félicien, débrouille-toi pour qu'on ne nous remarque pas trop. C'est... c'est très important. Je désire que tu retiennes parfaitement la disposition des lieux, que tu te familiarises tant avec la rue du Pont-aux-Biches où nous nous trouvons présentement, qu'avec la rue Saint-Médard qui conduit à la rue Lacépède. Tu tâcheras de t'arrêter non loin du numéro 7 de la rue Lacépède. C'est là que tu me conduiras demain matin peu avant 11 heures. Tout ceci est de la plus haute importance... Est-ce que tu m'as compris?

Le visage rusé du bonhomme s'illuminait comme une lampe de tempête.

— Je crois avoir compris, madame, ou du moins je crois me douter que demain on s'amusera!

— Je ne sais pas si ce sera une partie de plaisir, mon cher Félicien, mais je dois te prévenir que cette promenade-là, si nous ne la réussissons pas, risque de nous coûter cher! En route...

Peu après, la berline se trouva engagée dans la rue Lacépède. Le cocher passa lentement devant le numéro 7 de la rue. L'hôtel particulier du comte Armand de Dieu-le-Font était du XVIIe avec une façade fort élégante, sobrement décorée de guirlandes et de frises, avec une corbeille du plus gracieux effet au-dessus de la porte d'entrée.

Félicien s'arrêta un peu plus loin et fit semblant de vérifier l'essieu d'une des roues avant du véhicule. Heureusement, il régnait une certaine animation dans le quartier; de ce fait, personne ne semblait prêter la moindre attention à l'équipage. Julie, par le petit carreau arrière, pouvait fort bien observer l'hôtel. Elle aurait voulu apercevoir le fameux jardin, mais le portail qui ouvrait sur ce dernier restait obstinément fermé. Julie se dit que Blanche devait sans doute avoir pensé à cette porte par laquelle Raoul retrouverait la liberté et la berline qui attendrait à proximité. Elle se pencha à la portière :

— Alors, Félicien? Qu'est-ce qu'elle a, cette roue?

— Elle nous amènera bien jusqu'à Autcuil, madame...

Il regrimpa sur son siège.

LES PLUS LOURDS QUE L'AIR

Levée dès l'aube, Julie découvrit un ciel immaculé, comme les jours précédents, et qui se couvrit de quelques nuages en début de matinée; il y avait un petit vent, déjà aigrelet, aux premières heures, mais qui devint souffle d'air plus tard. L'automne et ses prémices s'éveillaient au fil des jours, mais c'était tout de même un mois de septembre exceptionnel par sa sécheresse et son ensoleillement.

Julie se demandait quel temps il pouvait bien faire en Belgique, mais Bruxelles n'était pas le bout de l'Europe et Nestor d'Aran avait équipé son ballon de suffisamment d'instruments de précision pour que les futurs voyageurs de l'aérostat pussent envisager avec une certaine sérénité leur voyage. Pour l'instant, hélas, *Le Sentimental* était à nouveau retenu au sol par de solides cordages, au Champ-de-Mars, alors que Raoul de Saint-Cerre devait absorber le breuvage distribué à 7 heures du matin aux détenus de Sainte-Pélagie sous l'appellation fallacieuse de « soupe ». Soupe que les « princes » faisaient accompagner de brioches encore chaudes qu'ils payaient au triple de leur prix, car les gardiens ne faisaient rien pour rien.

Julie, en allant et venant dans sa chambre, écoutait la maison se réveiller et entendait le remue-ménage dans l'écurie où Félicien préparait la berline. Celle-ci, astiquée de fond en comble, les cuivres étincelants, les cuirs odorants, les chevaux harnachés comme pour une parade, alla prendre position devant le perron peu après 10 heures. Quelques instants plus tard, Julie quitta la maison, suivie d'Antoinette qui avait plié dans un paquet une tenue appartenant à Raoul et que Julie avait choisie dans les armoires de son époux après mûre réflexion : un habit frac bleu de France qui avait l'avantage de faire paraître celui qui le portait comme vêtu pour une cérémonie officielle, tout en y ajoutant une note de fantaisie de bon ton qui convenait à la visite d'un ballon captif au Champ-de-Mars, qui n'avait rien de comparable avec une inauguration de monument... Avec cet habit, un pantalon gris tourterelle, un gilet de la même étoffe achèveraient de dessiner la silhouette d'un homme à la mode, invité à toutes les manifestations parisiennes où il fallait être vu... Ce paquet, Félicien le camoufla sous son siège.

Julie portait une toilette des plus froufroutantes, assortie à la tenue de son époux, afin d'offrir l'image d'un couple élégant et frivole.

Pour l'instant, l'attelage roulait à vive allure vers Paris où, rue du Pont-aux-Biches, derrière les murs de l'ancien couvent de Sainte-Pélagie, Raoul préparait la « promenade » qui, ce matin-là, devait renouer avec une tradition qui se perdait : celle des évasions spectaculaires. Mais pour une fois ce n'était pas tant

Raoul qui préoccupait l'esprit de Julie, mais Blanche d'Antigny, dormant sans doute, ou faisant semblant de dormir, dans les bras de celui qui avait rénové avec tant de soins le souterrain reliant le jardin de sa demeure au tombeau d'une obscure actrice du Théâtre-Français enterrée dans la cour de Sainte-Pélagie. Julie avait conscience à quel point le plan mis au point avec Blanche comportait de risques, de dangers imprévisibles, même si, au départ, le scénario devait se dérouler de manière satisfaisante. L'assurance affichée par Blanche qui avait exercé un grand pouvoir sur beaucoup d'hommes avait de quoi réconforter. Mais lorsque la berline déboucha de la rue Saint-Médard et pénétra dans la rue Lacépède, Julie ressentit une étrange impression : subitement, le plan échafaudé lui paraissait extravagant, une sorte d'élucubration qui ne pouvait en aucun cas bien tourner.

« Mon idée, étayée par l'extraordinaire assurance de Blanche d'Antigny, est complètement folle. Un romancier de talent tel que M. Jules Verne me féliciterait peut-être pour mon imagination, mais tout ceci comporte une telle accumulation de risques que j'expose Raoul, sans l'avoir voulu, à devenir un bagnard à vie. »

Cette seule pensée la glaça d'effroi : c'était bien la peine d'avoir retrouvé l'homme de sa vie pour le précipiter aussitôt dans le malheur...

« Le souterrain passe encore, pensa-t-elle. D'autres l'ont emprunté avant lui. Mais vouloir quitter la France en ballon captif, n'était-ce pas de la folie douce? N'aurait-il pas bien mieux valu un moyen d'évasion moins spectaculaire et comportant moins de risques? Pourtant, j'ai été témoin moi-même de la prodigieuse habileté de Nestor d'Aran à diriger son aérostat... »

Elle préféra oublier le reste sans pourtant y parvenir tout à fait. Elle hasarda un coup d'œil par la portière; il était peu avant 11 heures et l'animation de la rue n'avait rien de particulier. Mais Julie crut que chaque passant était un policier en bourgeois surveillant le portail du numéro 7, l'hôtel Dieu-le-Font. Le portail paraissait fermé, mais Blanche avait certifié à Julie qu'il n'était jamais fermé à clef ou au cadenas. Simplement verrouillé de l'intérieur. A entendre la jeune femme, l'entreprise était aisée du fait que son vieux soupirant soupirait depuis si longtemps et se montrait prêt à toutes les concessions pourvu qu'elle lui cédât. Devenue une femme rangée, mariée au banquier Patrice Kergoat, qu'elle disait fort jaloux, mais en voyage, Blanche avait exigé que le comte renvoie son personnel pour la durée de leur idylle, à savoir entre minuit et midi! L'idée était simple et ingénieuse : se faisant fort d'occuper son amant durant la matinée, elle savait qu'il n'y aurait ni portier, ni jardinier, ni domestique d'aucune sorte susceptible de voir Raoul de Saint-Cerre surgir du souterrain et s'élancer vers le portail et la rue où l'attendrait Julie au fond de sa berline.

Celle-ci se rongeait les sangs. Et si le portail était cadenassé? Que déjà le comte ait accepté de renvoyer ses gens, même s'il avait dû leur offrir une gratification pour qu'ils s'absentent durant vingt-quatre heures, c'était admirable, mais plausible. Un homme amoureux est capable de bien des sacrifices. Mais comment résister à l'envie de s'enfermer alors chez soi afin de mieux savourer son bonheur?

« Parfait! pensa Julie. Le verrou du portail doit être poussé et Raoul n'aura qu'un geste à faire pour venir me rejoindre... Mais cela ne se passera pas sans bruit; un bruit susceptible d'attirer le comte à sa fenêtre... Non, sans doute, puisqu'il aura bien d'autres soucis que celui qui consiste à prêter l'oreille au bruit d'un portail qui s'ouvre... »

— Quelle heure est-il, Félicien?

— 11 heures et 10 minutes, madame.

« Encore une chance que nous ayons trouvé à nous ranger si près du numéro 7 de la rue Lacépède, songea Julie. Nous aurions pu fort bien ne trouver aucune place... »

Les minutes devenaient des éternités. N'y tenant plus, Julie prit la décision de descendre de voiture. Elle savait que cela n'était guère prudent, qu'elle risquait de la sorte d'attirer inutilement l'attention des riverains, mais elle ne pouvait résister à l'envie de s'approcher du portail, d'essayer de surprendre quelque remue-ménage ou bruit insolite. C'était absurde.

— Madame devrait rester au fond de la berline, murmura Félicien. Madame verra que tout se passera très bien...

C'était la voix de la sagesse. Julie essaya de paraître une belle promeneuse, rien de plus, rien de moins. Elle s'approcha du numéro 7; elle se trouvait à une dizaine de mètres de son attelage et elle savait que le cocher, sur son siège, ne la quittait point du regard. Depuis un quart d'heure, les détenus du pavillon des princes devaient faire les cent pas dans la cour de leur prison, sous le regard indifférent ou absent des quelques gardiens chargés de les surveiller.

« Est-il seulement imaginable que Raoul puisse réellement s'introduire dans le tombeau de la Claparède sans qu'aussitôt l'alarme ne soit donnée? Comment les amis de Raoul s'y prendront-ils pour le soustraire à la vue des gardiens? Comment? Comment? »

Ces questions sans réponse torturaient Julie. Elle se trouvait devant l'entrée de l'hôtel Dieu-le-Font et son cœur battait très vite : le portail était légèrement, oh! très légèrement entrebâillé... Il suffirait de le pousser un tout petit peu... Julie fut incapable de résister. Mais auparavant, elle jeta un regard vers le mur de l'ancien couvent devenu prison d'Etat, plus haut dans la rue Lacépède, non loin de l'endroit où stationnait Félicien. Rien d'anormal n'y était à signaler; aucun bruit derrière le mur, aucune agitation suspecte ou insolite dans ce quartier bordant Sainte-Pélagie. Mais elle put voir Félicien, son fouet à la main, se dressant sur son siège et jetant vers elle un regard équivalent à une prière muette : « Revenez, mademoiselle Julie, revenez, je vous en supplie... »

Julie se glissa dans la cour de l'hôtel, se disant qu'elle trouverait bien une explication plausible, si besoin était; une jolie femme a bien le droit de se tromper d'adresse.

L'hôtel, bâtisse des plus gracieuses, s'édifiait entre cour et jardin. Julie se trouvait présentement dans la cour et elle mourait d'envie de jeter un coup d'œil sur le jardin. Elle put constater que l'amoureux de Blanche avait tenu parole, car la loge du portier paraissait abandonnée et aucun domestique ne se montra. Julie contourna la maison et découvrit le jardin, admirablement entretenu, mais sans trace de jardinier. Elle le situa fort bien par rapport à la cour de l'ancien couvent et essaya de découvrir la sortie du souterrain, ce qui se révélait comme une entreprise téméraire, car entre les bosquets couraient des chemins dallés et chacune de ces pierres plates pouvait être la bonne, celle qui donnait accès à l'ouvrage d'art dont le noble Armand était si fier... Du dallage, encore du dallage. Il n'y avait que des dalles dans ce jardin à la française! Julie estimait qu'il valait mieux retourner à la voiture plutôt que de poursuivre ses investigations. Mais, à peine avait-elle pris cette sage décision, que des aboiements furieux la firent sursauter : à une fenêtre ouverte du premier étage, debout sur ses grosses pattes de devant appuyées au rebord, une tête de chien, énorme et attendrissante, puisqu'il s'agissait d'un saint-bernard.

Julie se sentit prise de panique; la présence imprévue de l'animal allait poser un problème insurmontable, car Blanche ne réussirait pas à empêcher son amant d'aller jeter au moins un coup d'œil...

A cet instant précis, une voix familière, une voix sortie de sa vie et revenue depuis quelques semaines et peut-être pour toujours, la voix de son mari :

— Qu'est-ce que tu fais là, mon amour?

Il surgissait des entrailles de la terre, tel un ressuscité ou un nouveau-né adulte au milieu d'un massif de roses tardives, un peu anémiques. Les aboiements du saint-bernard reprirent de plus belle et Julie perçut une voix d'homme, furieuse, au premier étage :

— Vas-tu te taire, Urca?

Il n'y avait pas une seconde à perdre; le comte en chemise pouvait paraître à la fenêtre de sa chambre, échappant aux bras pourtant experts de Blanche. En fin de compte, Julie se félicita de son initiative. Elle saisit la main de Raoul et l'entraîna au pas de course, échappant en un instant à la façade du jardin; ils gagnèrent la cour, alors que les aboiements du Saint-Bernard s'amenuisaient. Le portail était resté entrouvert; la rue paraissait ni plus ni moins animée qu'auparavant. L'évasion de Raoul semblait, pour l'instant, une réussite, chien mis à part.

— Il ne faut surtout pas se mettre à courir, murmura Raoul.

Leur couple était un peu insolite, puisque Julie était en grande toilette estivale, alors que son mari arborait un pantalon maculé de terre et de poussière et que sa chemise, détrempée et déchirée, lui collait au corps. Il avait pris soin de se débarrasser de sa casaque de détenu.

— Marche devant! ajouta-t-il.

Julie obéit. Elle se dirigea vers sa voiture, en essayant de paraître naturelle. Elle ne se retourna pas, mais elle entendit le pas de Raoul. Celui-ci attendit qu'elle eût pris place dans la berline pour s'assurer qu'il pouvait y monter à son tour sans attirer l'attention.

Julie avait déjà tiré les rideaux et défait le paquet contenant l'habit bleu de France. Alors que le véhicule s'ébranlait, ils n'échangèrent aucune parole. Malgré l'exiguïté de l'habitacle, Raoul se dévêtit et se changea rapidement. Julie avait écarté un peu le rideau de la portière. Elle poussa donc à juste titre un soupir de soulagement lorsque la berline déboucha place de la Contrescarpe d'où plusieurs rues carrossables, dont la rue des Carmes, menaient presque en ligne droite à la place Maubert et au boulevard Saint-Germain. Il était alors un peu plus de 11 heures et demie. Pour rejoindre le Champ-de-Mars, il ne fallait point trop traîner. Mais c'était jour de marché à la Contrescarpe et les éventaires en plein air s'étalaient au hasard, tant sur la chaussée que sur les trottoirs, bouchant la rue Mouffetard où montait et descendait un flot incessant de femmes en chignon faisant leur marché et de flâneurs de toutes sortes, empêchant les véhicules téméraires d'avancer ou de reculer. Tout cela se déversait sur la petite place que la berline aurait dû franchir en moins d'une minute. Félicien se démenait, criait, tempêtait, alors que Raoul achevait en hâte de se transformer en dandy bleu de France, ayant eu du mal à enfiler le pantalon étroit.

Si les circonstances n'avaient pas été aussi dramatiques, Julie aurait pouffé de rire; mais elle n'en avait nulle envie. Elle tira les rideaux, estimant que cette berline qui dérobait au regard du passant les passagers qu'elle transportait risquait par trop d'attirer l'attention. Au même moment, éclata un coup de mousqueton qui eut pour effet inattendu de dégager la chaussée d'une partie de ceux qui l'encombraient. Venant du Pont-au-Biches, un détachement de gendarmes à cheval semait une sorte de panique.

Un officier cria des ordres, les cavaliers se dispersèrent, prenant position rue de la Montagne-Sainte-Geneviève, rue des Carmes, dans l'intention évidente de boucler tout le quartier environnant la prison de Sainte-Pélagie.

Raoul et Julie se regardèrent. Raoul passa la tête par la portière :

— Prenez quand même par la rue des Carmes, Félicien!

— Bien, monsieur.

Le couple était assis très droit, côte à côte, offrant le spectacle de ces heureux mortels qui ont la chance d'être jeunes, d'être beaux et, manifestement, d'être riches. Une marchande de quatre-saisons s'écria même :

— Laissez passer la cousine à Badinguet!

La rue des Carmes était bloquée par un gendarme à cheval qui se tenait au milieu de la chaussée. Imperturbable, Raoul se pencha à la portière :

— Je dois me rendre à une cérémonie officielle au Champ-de-Mars. Veuillez indiquer à mon cocher la route qu'il doit suivre.

Le gendarme salua. Il examina brièvement l'intérieur de la calèche d'où Julie avait fait disparaître les vêtements en loques du détenu Raoul de Saint-Cerre.

— D'où venez-vous, monsieur?

— De l'hôpital de la Pitié. Je suis chirurgien.

Le gendarme s'écarta.

— Passez...

Raoul se cala au dossier en cuir de Russie rouge. Les événements avaient suivi leur cours à l'accéléré et Raoul n'avait pas trouvé le temps de raconter, même brièvement, le détail de son évasion. D'autant plus qu'ils avaient conscience, l'un et l'autre, que rien n'était encore gagné et que le plus difficile restait à faire.

Raoul avait pris la main de sa femme et la porta à ses lèvres. Il embrassa d'abord le revers, puis le creux, ce qui la fit frissonner.

— J'ai retrouvé ma femme, murmura-t-il. J'ai fait beaucoup de choses tous ces mois-ci, en bien, en mal, peu importe. Je sais que mon journal est lu par une bonne partie de la France et que je peux avoir confiance en l'avenir, quelles que soient les difficultés à vaincre... Mais rien de tout cela n'a autant d'importance que cette vérité merveilleuse, bouleversante : ma femme est revenue, elle m'aime comme au premier jour, ou presque, ou mieux ou autrement... A côté de cette évidence, mon amour, je me rends compte soudainement que les affaires publiques et le bonheur des peuples qui me tiennent tant à cœur ne sont plus les seules préoccupations de mon esprit. Je ne cesse de penser à toi. Tu es devenue mon affaire publique numéro un et avant de faire le bonheur des peuples, j'aspire à faire le tien...

Julie écouta ce discours un peu exalté et c'était un sentiment infiniment doux que de savoir qu'il leur était possible d'éprouver au même moment les mêmes émotions.

Elle se serra contre lui. La berline dévala la rue des Carmes et rejoignit la place Maubert où Félicien devait tourner sur sa gauche pour rejoindre les quais de Seine.

— Mes amis ont été mieux que bien, dit Raoul. Ils avaient organisé une fausse dispute dans la partie de la cour opposée à celle où se trouve le tombeau de la Claparède. Ils se sont battus avec tellement d'acharnement que les deux sentinelles chargées de la promenade se sont précipitées pour les séparer. Au même moment, cinq autres journalistes se trouvaient groupés près de l'entrée du souterrain, la masquant de leurs corps. A deux, nous avons soulevé la pierre tombale; j'avais des allumettes, une bougie; j'ai sauté dans le trou noir, alors que derrière moi on remettait en place la plaque de marbre gravé. J'ai eu l'impression qu'on venait de m'enterrer vivant!

Il n'était pas loin de midi et Félicien essayait sans succès de trouver une voie un peu plus dégagée sur le boulevard Saint-Germain où musardaient des ca-

116

valiers qui n'avaient pas l'air pressés, prenant le temps de saluer celles de leurs connaissances qui marchaient sur le trottoir.

— Quoi qu'il arrive, comme je connais mon ami Nestor, il nous attendra, dit Raoul, très sûr de lui.

Julie se rendit compte que dans peu de temps elle allait se trouver face à face avec ce personnage qu'elle haïssait et dans une situation des plus pénibles, puisqu'il allait faire figure de héros, d'ami fraternel et désintéressé.

« Un jour, dans beaucoup d'années, je parlerai avec Raoul de son ami Nestor », pensa Julie, sans y croire vraiment.

Aux approches des quais de Seine, le véhicule avait pris de la vitesse, suivant le flot d'autres équipages, landaus armoriés, cabriolets attelés de demi-sang qui se rendaient tous dans la même direction, vers le Trocadéro, le bois de Boulogne, l'évasion... Paris tout neuf, Paris Haussmann, Paris panache.

— Et dire qu'il y a tout cela pendant que des hommes épris de liberté croupissent dans les prisons, dit Raoul entre ses dents.

« Quand reverrons-nous Paris? se demanda Julie. Est-ce que nous ne sommes pas en train de dire adieu à notre passé, à notre jeunesse? Est-il pensable que l'Empire puisse se montrer généreux avec un homme comme Raoul? Deviendrons-nous des émigrés, comme tant d'autres? Des proscrits? »

Elle se dit aussi que tout était supportable et vivable auprès d'un homme qu'on aimait et qui vous aimait.

— Je suis très heureuse, mon amour, dit-elle à mi-voix.

Avenue de Suffren, ils furent arrêtés par un imbroglio de fiacres et de voitures particulières qui déversaient leur contingent de curieux et de personnalités officielles venues assister à la présentation par le fameux Nestor d'Aran de son dernier aérostat. Une cohue des plus mondaines. L'accès au Champ-de-Mars était fermé par des barrières contrôlées par des factionnaires en armes aux uniformes chamarrés. Ceux-ci exigèrent des laissez-passer. Raoul, qui avait laissé pousser sa barbe en prison et que des lunettes à verres fumés rendaient à peu près méconnaissable, regarda sa femme, consterné.

— Tu as un laissez-passer?

Julie était si stupéfaite qu'elle ne trouva pas ses mots. Comment se faisait-il que Nestor ne lui en ait rien dit? Etait-il possible qu'il ait fait exprès, espérant de la sorte éviter ce qui, à ses yeux, devait être une folie aux conséquences incalculables? L'heure avançait. Dominant l'immense perspective du Champ-de-Mars, le ballon captif se balançait très doucement sous le soleil. Il y avait des milliers de curieux massés au-delà des barrières. C'était la fête du « plus lourd que l'air »!

— M. d'Aran, en me fixant rendez-vous au Champ-de-Mars, n'a pas mentionné un seul instant la nécessité d'avoir un coupe-file!

— Je ne comprends pas, fit Raoul.

Autour d'eux se pressait la foule des badauds, alors que des messieurs en frac et gibus, accompagnés de dames harnachées, présentèrent le précieux carton qui leur permettait de franchir l'enceinte gardée par les militaires. Le problème paraissait insoluble. Le plan était voué à l'échec. L'heure avançait. Julie alla vers les factionnaires que commandait un maréchal des logis.

— Maréchal des logis, dit-elle, je suis la fille de Son Excellence M. le ministre de l'Intérieur. Puis-je vous demander de bien vouloir nous laisser franchir cette barrière?

Le maréchal des logis esquissa un geste d'impuissance.

— Je ne peux rien faire, mademoiselle. Rien du tout. Nous avons des ordres stricts : lorsque Sa Ma-

118

jesté l'Empereur honore de sa présence une manifestation publique, pas question de laisser pénétrer dans l'enceinte officielle des personnes dépourvues d'un coupe-file. C'est un truc à me faire dégrader...

Sa Majesté l'Empereur... Julie échangea un regard éperdu avec son époux; il n'avait jamais été spécifié que Napoléon III assisterait à l'envol du *Sentimental*! Mais lorsqu'on savait l'intérêt que portait l'Empereur à tout ce qui touchait aux progrès de l'aérostatique, on imaginait volontiers qu'il avait dû prendre la décision de se rendre au Champ-de-Mars à la dernière minute, ce qui expliquait le zèle de ceux qui étaient chargés de veiller sur sa sécurité. Décidément, les événements prenaient une tournure plus que fâcheuse.

— Maréchal des logis, je connais parfaitement cette dame et ce monsieur qui appartiennent, en effet, à la famille de Son Excellence M. Dupeyrret! Voici mon laissez-passer dûment tamponné... Auriez-vous l'obligeance de nous ouvrir la voie ou faudra-t-il que je m'adresse à votre officier?

Debout dans un cabriolet noir entièrement tendu de cuir havane, attelé de deux pur-sang de toute beauté, un jeune homme ébouriffé, au regard sombre, s'était adressé de la sorte à la sentinelle avec une autorité et une assurance telles que le sous-officier commença à perdre de sa superbe. Patrice Kergoat, car c'était lui, sauta en bas de sa voiture, remit les rênes à un cocher noir de peau, arborant une livrée havane, qui se tenait aux côtés du banquier.

— Je suis assez grand pour prendre mes responsabilités moi-même, dit le sous-officier d'un ton rogue en entrouvrant la barrière.

— Allez-y, messieurs dames.

Kergoat, offrant l'image parfaite du dandy boute-en-train, s'était placé d'office entre Julie et Raoul, les ayant pris familièrement sous le bras. Il les entraînait d'un pas rapide vers une tribune dressée hâtivement non loin de l'aérostat retenu au sol par des hommes de troupe, comme lors de la mémorable ascension que Julie avait faite, quarante-huit heures plus tôt avec Nestor-Don Juan.

Le public, considérable, était maintenu à grande distance. Il y avait partout des barrières, des militaires en armes et des hommes vêtus en bourgeois qui portaient cependant inscrits sur la figure leur qualité de sbires de l'Empereur... Julie ne put s'empêcher de ressentir une impression des plus désagréables; il lui semblait qu'ils étaient en train de se jeter dans la gueule du loup, que l'évasion de Raoul de Saint-Cerre était déjà connue de tous et que d'une seconde à l'autre on allait se saisir de Raoul pour le ramener sous bonne escorte dans sa cellule à Sainte-Pélagie.

Mais, bien entendu, cela ne tenait pas debout. Une fois entrés dans le cercle magique des « personnalités officielles », Julie et l'homme barbu qui l'accompagnait passaient tout à fait inaperçus, tant ils ressemblaient, par leurs vêtements et leur mine, aux privilégiés admis au pied de la tribune impériale...

Patrice profita de la distance qui les séparait de l'enclos des personnalités pour leur parler, très vite, articulant les phrases hachées qu'il prononçait et dont le sens n'avait qu'un rapport lointain avec l'air mondain qu'il affichait :

— Bravo! C'est une réussite. Il faut aller jusqu'au bout... Pour vous, mon cher Raoul, je suis devenu un mari complaisant, puisque j'ai vivement encouragé mon épouse à attraper dans ses filets cet orléaniste sur le retour qui la courtise depuis des lustres... Je me doutais bien que vous n'aviez pas de laissez-passer, Julie. Notre empereur bien-aimé s'est décidé à la dernière minute, comme souvent. Je crois qu'il va y avoir, comme disent les Anglais, du sport! Si vous m'y autorisez, je viendrai vous rendre visite à Bruxelles où mes affaires m'appellent souvent...

Tout en parlant de la sorte, il distribuait à droite et à gauche des sourires aux gens qu'il connaissait, parvenus de la finance, requins des affaires, qui gravitaient avec délice autour de la cour impériale.

— Pour un beau public, c'est un beau public, murmura Patrice. Des âmes mal odorantes dans des corps parfumés.

Julie avait la certitude que Raoul, qui avait toujours éprouvé des sentiments mitigés à l'égard de Patrice, rongeait son frein. Mais non.

— Je vous remercie pour ce que vous avez fait, dit-il à mi-voix. J'espère que vous ne m'en voudrez pas d'avoir eu cette réaction plutôt déplaisante lorsque vous êtes venu m'annoncer que vous étiez l'associé de Collard, donc, en partie, le bailleur de fonds du *Lucide*. Vous savez comme moi, que nos défauts, que nous le voulions ou non, nous montent aux lèvres... Je suis un homme jaloux et je sais depuis toujours que vous aimez ma femme.

Raoul voyait que le regard de l'assistance s'arrêtait sur Julie. Elle n'avait fait que peu d'apparitions à la Cour, mais elle n'y était point passée inaperçue. Elle était autant troublée par ces regards braqués sur elle que par ce que Raoul venait de dire.

A présent, la tribune n'était plus qu'à quelques mètres et elle put y voir, au milieu d'un groupe, la silhouette juvénile de son père. Cette découverte ne fit qu'accroître son désarroi. L'Empereur, quelques-uns de ses ministres et parmi eux David-Axel Dupeyrret... Elle fut incapable d'imaginer seulement comment allaient se dérouler les minutes qui allaient suivre.

— Monsieur Kergoat, murmura Raoul, je vous confie Julie... Parmi ces gens qui nous regardent, certains savent fort bien que je devrais me trouver au fond d'un cachot! J'ai beau porter la barbe et des lunettes sombres, je peux être reconnu à ma silhouette... N'oublions pas que j'ai fait avec Julie un séjour à Fontainebleau où nous avons été les hôtes de l'Empereur!

Comédien adroit, le journaliste avait pris soin pourtant de voûter son dos et d'affecter une démarche qui le vieillissait. Il frôla le bras de sa femme.

— Nous nous retrouverons auprès de Nestor si j'arrive sans encombre jusqu'au ballon captif, ajouta-t-il à son intention.

Puis il s'éloigna sans hâte, baissant la tête sous son gibus gris.

— Qui l'eût cru? murmura Patrice. M. de Saint-Cerre me confie sa femme, à moi, Patrice Kergoat.

— Il est depuis tout à l'heure le Dr Santerre, chirurgien des hôpitaux, rectifia Julie.

Elle avait pris soin, dans la voiture, de remettre à son mari le faux passeport établi par Nestor d'Aran. Celui-ci, debout dans sa nacelle, discutait avec animation avec quelques personnages chamarrés de l'entourage de l'Empereur, invisible pour le moment. La voix du célèbre photographe vibrait d'indignation :

— C'est un traquenard, messieurs! Je ne veux pas le voir. Enfin quoi... Tout le monde connaît mes opinions.

Les officiels se regardaient, consternés.

— La locomotion aérienne est un problème d'ordre national, monsieur d'Aran, dit l'un d'eux. Or, vous êtes en France l'homme le mieux au fait des « plus lourds que l'air ». Faites taire pour une fois vos options politiques et ne voyez en Sa Majesté que l'autorité la plus haute de votre pays, susceptible de vous soutenir dans vos recherches futures.

— Je n'ai besoin du soutien de personne, s'écria d'Aran d'une voix tonitruante.

Il découvrit Julie et son visage, au comble de l'exaspération, se radoucit.

— Cet homme a un courage devant lequel on ne peut que s'incliner, dit Patrice. Votre mari a bien de la chance d'avoir des amis de cette trempe-là...

Julie regarda Patrice. Elle posa sa main sur le bras de cet ami dont la fidélité ne s'était jamais démentie.

— Vous aussi, Patrice, vous êtes un homme très courageux et j'ai infiniment plus d'estime pour vous que pour ce... cet apôtre de l'aérostation. Dans les circonstances présentes voux avez été tout simplement extraordinaire...

Patrice s'arrêta, se tourna vers elle. Il paraissait ému.

— Tout ceci vous prouve au moins que je n'aime pas Blanche, que je ne l'ai jamais aimée et qu'il n'existe pour moi qu'une seule femme au monde, vous. Pour vous voir heureuse, je ferais bien des sacrifices et je vais même jusqu'à contribuer à vous faire retrouver un bonheur qui me fait souffrir mille morts. Je suis certainement un peu fou. Mais je suis heureux que, la chance aidant, j'aie pu vous faire bénéficier de mon laissez-passer. Sans cela, vous seriez en train de parlementer avec les sentinelles. Regardez... Le public commence à s'impatienter : ils attendent l'Empereur qui se fait désirer, mais ils attendent surtout la démonstration que Nestor d'Aran leur avait promise à grand renfort de réclame dans les journaux.

En effet, le public, contenu par le service d'ordre, commençait à scander en chœur :

— Lâchez le ballon! Lâchez le ballon!

Il était midi et demi. Il faisait une chaleur encore estivale. Les dames dans la tribune jouaient de l'éventail. Puis il y eut une sorte de murmure qui parcourut la foule, toutes les têtes se tournèrent vers l'Ecole militaire dont les bâtiments majestueux se dressaient tout au bout de l'esplanade. On y voyait paraître une daumont escortée d'aides de camp, précédée d'un détachement de cuirassiers à la poitrine étincelante. Les badauds applaudissaient gentiment, mais l'enthousiasme de naguère s'était quelque peu émoussé. Les personnages officiels qui se tenaient aux côtés de Nestor d'Aran dans la nacelle du *Sentimental* s'égaillèrent comme un vol de moineaux et allèrent rejoindre la tribune où les assistants s'étaient levés à l'approche de l'Empereur.

Raoul de Saint-Cerre profita de cet instant de confusion générale pour s'approcher du ballon captif. Julie put entendre Nestor qui l'invitait, sans le moindre embarras, à venir le rejoindre dans la nacelle.

— Venez, docteur... Je n'attendais que vous et votre charmante épouse!

Le photographe-aéronaute semblait avoir changé d'avis, après avoir menacé de quitter son ballon afin de ne point se trouver en présence de l'Empereur. Personne ne prêta l'ombre d'attention à cet homme élégant et barbu qui était en train de prendre place dans la nacelle du *Sentimental*. Tout ce qui était « officiel », militaire et civil, n'était préoccupé que par la personne de Napoléon III que l'impératrice n'accompagnait pas. En revanche, faisant face à son empereur dans la daumont découverte, le général de La Motte-Rouge, spécialiste de l'aérostatique, était penché vers Napoléon et lui parlait avec volubilité.

Julie était désemparée. L'évasion de Raoul prenait un tour tout à fait inattendu. Il était évident que l'Europe tout entière éclaterait de rire le jour où elle apprendrait qu'à Paris un prisonnier politique s'était évadé par la voie des airs sous les yeux même de l'empereur Napoléon. Patrice Kergoat, aux côtés de la jeune femme, semblait, lui aussi, apprécier le cocasse de la situation.

— Il est des moments dans la vie, Julie, dont la saveur est telle qu'on doit s'en souvenir encore le jour de sa mort. Ce que nous sommes en train de vivre est plus fou encore que l'opérette la plus folle de MM. Meilhac, Halévy et Offenbach!

Il avait pris le bras de la jeune femme.

— Vous devriez aller rejoindre Raoul maintenant,

alors que tous les regards sont fixés sur l'Empereur...

Julie mesura du regard la distance qui la séparait de la nacelle et des soldats accrochés aux cordes qui retenaient au sol *Le Sentimental*. Les policiers en civil qui se tenaient près du ballon avaient, eux aussi, suivi le mouvement de ceux qui avaient reflué vers la tribune. C'est ce qui avait permis à Raoul de rejoindre Nestor sans être inquiété ou seulement questionné. Il était évident que l'Empereur avait un peu perturbé sa cour en annonçant à la dernière minute son désir d'assister au vol « dirigé » du ballon de M. d'Aran.

— Julie...

David-Axel Dupcyrret, au pied de la tribune, venait de découvrir la présence de sa fille et déjà il venait à elle, les bras ouverts.

— Julie... Si j'avais su que tu t'intéressais aux plus lourds que l'air, je t'aurais demandé de m'accompagner ce matin! Julie...

Il serrait sa fille contre lui, comme s'il ne l'avait pas vue depuis des temps infinis. En fait, depuis la dernière visite qu'elle lui avait rendue au ministère, Julie n'avait guère eu le temps d'y retourner. Elle avait reçu de lui plusieurs messages et même une forte somme d'argent, sous forme de lettre de change, à la suite sans doute des plaintes d'Antoinette concernant les réparations indispensables à Auteuil... Il voulut l'entraîner, après avoir salué Kergoat qu'il avait rencontré à son cercle. L'Empereur était descendu de voiture et serrait rapidement les mains des personnalités présentes, alors que les dames plongeaient dans une profonde révérence de cour, ce qui les faisait ressembler à de gigantesques corolles de fleurs.

Et voici que Napoléon venait vers le père et la fille, suivi de La Motte-Rouge et de quelques aides de camp. Il posa sa main, affectueusement, sur l'épaule de son ministre de l'Intérieur par intérim, sans perdre du regard Julie qui n'était pas revenue, et pour cause, au château de Saint-Cloud où quelques semaines plus tôt, dans son cabinet de travail, il l'avait coincée en tête-à-tête. L'empereur des Français lui avait déclaré une flamme incompatible pourtant avec les rhumatismes dont on le disait affligé. Il paraissait fatigué et soucieux, mais il avait redressé le buste et rentré le ventre afin de paraître à son avantage, et cette concession à la coquetterie, face à une femme jeune et belle avait, chez l'un des monarques les plus puissants du globe, quelque chose d'attendrissant, voire d'inquiétant. Elle oublia complètement d'esquisser la révérence protocolaire, sachant que des centaines d'yeux étaient fixés sur elle.

— Je savais, madame, que vous vous intéressiez à notre politique face à la Prusse et aux Prussiens, dit Napoléon, mais j'ignorais que votre éclectisme allait jusqu'à vous pencher sur la locomotion aérienne qui était un domaine jusqu'alors exclusivement réservé aux hommes...

— J'estime, Sire, comme une infirmité politique qu'il puisse encore exister tant de domaines « exclusivement réservés aux hommes »! affirma Julie d'une voix claire.

L'Empereur tira sur l'extrémité rigide de sa moustache démesurément longue, parfumée à la pommade de Hongrie.

— Je crois, mon cher ministre, dit-il à l'adresse de David-Axel, qu'il vous sera difficile de renier Mme votre fille... Non seulement son esprit de répartie rappelle le vôtre, mais l'expression « infirmité politique » vous est, je crois, familière...

La Motte-Rouge lui parla à mi-voix et l'Empereur, qui regardait toujours Julie, s'inclina légèrement devant elle :

— Puis-je vous demander de m'accompagner jusqu'à cet aérostat que l'on dit révolutionnaire?

Julie n'en crut pas ses oreilles. Elle posa sa petite main sur le bras de Napoléon III et s'avança vers la nacelle du ballon, alors qu'autour d'eux le service de sécurité avait fait le vide.

— Madame, lui dit l'Empereur, je suis instruit de vos malheurs. Il suffirait de peu de chose pour que votre mari retrouve sa liberté. Nous pourrions en parler, dans un lieu discret...

Julie fit semblant de n'avoir pas entendu.

Dans la nacelle, absolument fascinés par ce qu'ils voyaient, se tenaient côte à côte le photographe républicain et son ami Raoul de Saint-Cerre auquel personne ne prêta une attention particulière, le prenant certainement pour un compagnon de l'aéronaute. Personne ne s'intéressa donc à cet homme, personne sauf David-Axel Dupeyrret.

Alors que Nestor d'Aran eut la présence d'esprit de quitter sa nacelle pour aller au-devant du souverain, Julie sentit près d'elle son père qui lui glissa à l'oreille :

— Est-ce une hallucination ou bien cet homme... dans la nacelle du ballon... serait-il le sosie de... A moins que?...

— Taisez-vous pour l'amour du ciel, chuchota Julie et espérons que tout se passera bien...

— Espérons... murmura David-Axel.

Julie tourna légèrement la tête et vit sur le visage de son père une expression de stupéfaction intense où se mêlait un amusement digne du carbonaro qu'il avait été. Pendant ce temps, l'Empereur échangea quelques phrases avec Nestor d'Aran que venait de lui présenter La Motte-Rouge, l'instigateur de cette visite impromptue au Champ-de-Mars.

— On m'a dit, monsieur, que vous êtes capable de diriger votre ballon grâce à un système dont vous êtes l'inventeur?

— C'est exact, répliqua le photographe, mais je n'aurais sans doute jamais su concrétiser mes re-

127

cherches sans l'aide de mon ami, le romancier Jules Verne.

— Jules Verne? Tiens... Un excellent écrivain et une imagination débordante...

— En aéronautique, comme en d'autres matières, on n'arrive à rien d'important sans le secours de l'imagination, dit Nestor d'Aran.

Et avec cette assurance inimitable qui était la sienne il ajouta à l'adresse de Julie :

— Vous me feriez, madame, un grand honneur, à moi personnellement et à l'aérostation dans son ensemble, en acceptant de bien vouloir prendre l'air avec moi et mon collaborateur...

— Bien volontiers, monsieur d'Aran, dit Julie qui ne put qu'admirer son esprit d'à-propos.

— Et moi alors? s'écria l'empereur Napoléon. Je ne serai donc pas du voyage?

Cette suggestion eut le don de désarçonner même le photographe qui ne s'y attendait pas. Heureusement le général de La Motte-Rouge, littéralement décomposé, intervint à son tour :

— Sire, dit-il d'une voix suppliante, Sire, il est absolument exclu que vous participiez à... à l'expérience tentée aujourd'hui par M. d'Aran. Songez qu'il a installé un véritable calorifère dans la nacelle de son aéronef et qu'il se sert, en guise de gouvernail, d'un chalumeau! Vous serez, Sire, à la merci du moindre incident à vrai dire imprévisible. Il est impossible pour la France... pour le monde... que Votre Majesté expose ainsi sa précieuse personne.

L'Empereur, agacé, tira sur sa moustache.

— Vous dramatisez, général, vous dramatisez.

— Je me permettrai de ne pas être de cet avis, dit Nestor d'Aran. L'aérostation comporte des risques certains et telle que je la pratique on peut même la reconnaître comme téméraire...

— Dans ce cas, madame, dit Napoléon tourné vers Julie, je vous demanderai de bien vouloir décliner l'invitation de M. d'Aran qui a le droit de risquer sa propre vie, mais non pas la vôtre...

Julie esquissa ce qui pouvait être pris pour une révérence.

— Je préfère mourir jeune et avoir vécu dangereusement que mourir vieille après une existence banale... Autorisez-moi à accepter l'invitation qui m'est faite.

— Qu'en pense M. votre père? interrogea l'Empereur.

— Je pense que Julie a raison, Sire, dit David-Axel.

La phrase qu'il venait de prononcer avait dû lui coûter. Julie savait qu'il était rongé par l'inquiétude et qu'il était en train de souffrir mille morts en imaginant sa fille embarquée pour une destination lointaine dans la nacelle du *Sentimental*, encombrée par une machinerie qui avait tout de la machine infernale!

Elle embrassa son père et il la tint serrée contre lui.

— Bonne chance, chérie! fit-il à mi-voix, bonne chance à tous les deux!

L'Empereur, son ministre, le général, les aides de camp un peu à l'écart, tout le monde applaudit poliment lorsque Julie, aidée par Raoul imperturbable derrière ses lunettes sombres, monta la petite échelle conduisant dans la nacelle du *Sentimental*, avec l'aisance d'une aéronaute aguerrie, malgré l'encombrement relatif de sa toilette. Nestor d'Aran ferma la marche. Le public, derrière les barrières, applaudit à tout rompre. La fête allait enfin commencer...

— Mon cher Raoul, dit Nestor entre ses dents, de toutes les évasions connues, la tienne aura été la plus spirituelle... Si les vents nous sont tant soit peu favorables, nous serons à Bruxelles en moins de cinq heures! Et, dès demain, tu seras l'homme le plus célèbre de France...

Il était en train d'allumer son chalumeau, procédant à une opération, familière pour Julie, mais qui suscita dans l'assistance des commentaires animés.

La Motte-Rouge expliquait à l'Empereur le principe de la technique mise au point par le photographe; Napoléon hocha la tête, mais ne quitta pas du regard Julie qui se tenait près de son époux.

Subitement, l'Empereur, comme s'il venait de faire une découverte incongrue, se tourna vers David-Axel Dupeyrret, lui désignant de façon très visible l'homme en frac bleu de France. Le ministre, mimant à son tour la plus vive stupéfaction, dévisagea lui aussi Raoul de Saint-Cerre.

Le ballon commença à se soulever. La foule manifestait bruyamment son approbation. Les soldats durent filer quelque peu les cordes qui retenaient *Le Sentimental*. La nacelle s'éleva alors d'une vingtaine de mètres, dominant l'assistance, sa Majesté Impériale et la foule au loin.

La force ascensionnelle du ballon s'accroissait considérablement et Nestor d'Aran cria à l'adresse des militaires accrochés aux cordages :

— Lâchez tout, mes enfants!

Ceci au moment même où un officier se précipitait vers les hommes, suivi de policiers en civil, qui se démenaient comme des forcenés dans le but, semblait-il, de retenir *Le Sentimental*. Mais les soldats, arc-boutés jusqu'à cette minute aux cordes qui retenaient l'aérostat, épuisés par leur effort, n'étaient que trop heureux de lâcher prise sur l'ordre que leur avait donné Nestor.

— Ne lâchez rien! hurlait l'officier.

Trop tard!

Le Sentimental s'éleva dans l'air transparent de cette belle journée de septembre, alors que Raoul de Saint-Cerre enleva ses lunettes et hurla à pleins poumons :

— Vive la liberté! Vive la République!

Il était difficile de savoir si cette profession de foi avait été perçue par la foule amassée au Champ-de-Mars. Mais des milliers de têtes étaient levées vers le ciel, des milliers de mouchoirs s'agitaient pendant que des civils et des militaires couraient dans tous les sens. Il était hors de doute que l'Empereur lui-même, qui s'intéressait beaucoup à la jeune Mme Raoul de Saint-Cerre, avait reconnu le journaliste frondeur, son époux, qu'il croyait en train de moisir au fond de sa cellule de Sainte-Pélagie, ce qui n'était peut-être pas pour lui déplaire...

Le ballon monta à la verticale et atteignit rapidement mille pieds. La chaleur du soleil aidant, la tension du gaz qui remplissait le ballon augmenta et l'aérostat monta jusqu'à deux mille pieds. Désireux d'offrir au public le spectacle qu'il était en droit d'attendre, l'aéronaute modéra la flamme du chalumeau, ce qui fit descendre le ballon. La foule poussa un « Ah!... » admiratif. A cinq cents pieds, on pouvait distinguer l'Empereur, devant la tribune, entouré de ses familiers, absolument immobile, comme si l'agitation qui régnait au Champ-de-Mars ne le concernait pas.

Nestor d'Aran immobilisa son ballon. Ayant à son bord l'évadé de Sainte-Pélagie, c'était une sorte de défi d'une insolence grandiose à l'Empereur et à son entourage. L'aéronaute profita d'un courant un peu plus marqué pour dériver en direction de l'est, puis il reprit de l'altitude en poussant la flamme de son chalumeau, trouva à huit cents pieds un autre courant atmosphérique qui, cette fois, le fit revenir au-dessus du Champ-de-Mars. Il était en train de prouver amplement, s'il le fallait, qu'il était maître du *Sentimental*. En bas, l'enthousiasme de la foule était à son paroxysme. Les gens bousculèrent le service d'ordre, piétinèrent les barrières, coururent dans tous les sens, tant les évolutions du ballon leur paraissaient presque miraculeuses.

— Je pense que Sa Majesté est convaincue de la maniabilité de mon vaiseau, dit Nestor d'Aran. A présent, profitons des courants favorables pour filer vers le nord. Avec un peu de chance, nous atteindrons la frontière à l'heure du porto!

Lorsque Raoul l'entoura de ses bras, la prit contre lui et lui dit doucement : « Merci », Julie réalisa vraiment qu'elle était en train de voler en compagnie de l'homme qu'elle aimait vers le nord, vers la frontière, vers la liberté. Le fait de se trouver dans cette nacelle et pour de longues heures, en compagnie de l'abominable Nestor d'Aran lui paraissait moins pénible qu'elle n'avait redouté, car l'aéronaute était entièrement absorbé par l'observation des variations barométriques. Il prenait des notes et ne se préoccupait en rien de ses passagers. Julie le soupçonna de le faire un peu exprès et, malgré tout, elle dut reconnaître que dans une situation difficile son comportement était au-dessus de tout éloge. Julie se demanda si Nestor n'était pas une sorte de malade, un homme déséquilibré par le goût exagéré qu'il avait pour les femmes. Pour le moment il ne perdait pas de vue un seul instant le thermomètre et le baromètre suspendus à l'intérieur de la tente entrouverte où il était possible de prendre du repos sur les coussins qui s'y trouvaient disposés, ce qui rappelait à Julie un souvenir qu'elle aurait volontiers chassé de sa mémoire. Mais le spectacle en plein ciel était à ce point admirable qu'il semblait à Julie que les déraisonnements de la passion devenaient insignifiants dans cette immensité où Paris devenait un jeu de construction et ses habitants des insectes minuscules.

Le courant poussait *Le Sentimental* à une vitesse qu'il était difficile d'évaluer, mais bientôt, à leurs pieds c'était un paysage infini, vallonné ou plat, avec des villages et des hameaux, des forêts, des cours d'eau et des étangs, des routes capricieuses...

Nestor d'Aran se tourna vers ses passagers. Il paraissait soucieux, allongea le bras en direction du nord : il y avait là comme une muraille sombre, de gros nuages immobiles qui bouchaient l'horizon.

— Je n'aime pas beaucoup ça, dit l'aéronaute.

Le vent devenait de plus en plus fort et poussait irrésistiblement le ballon en direction de cette mer de nuages. Julie se demandait, non sans effroi, ce qui allait se passer si jamais l'aérostat se faisait happer par cette masse fantastique. Jusqu'alors, elle avait ressenti une exaltation, une fierté sans limite d'avoir su mener à bien un plan qui paraissait irréalisable. A présent, elle prenait conscience de ce qu'était véritablement en cette fin d'été 1866 un voyage en ballon captif, frêle esquif livré aux éléments. Elle constata que Nestor d'Aran conservait tout son calme, mais qu'il était concentré sur sa responsabilité, que rien d'autre ne comptait pour lui.

— Inutile d'avoir peur, Julie, murmura Raoul. Notre ami connaît admirablement son affaire...

Ils avaient quitté Paris par une chaleur d'août. Mais le courant dans lequel ils naviguaient à travers l'espace était presque froid. D'Aran, qui avait tout prévu, désigna des peaux de bique grossièrement taillées qui encombraient un coin de la tente. Raoul enveloppa Julie dans cette fourrure qui dégageait une forte odeur, mais qui avait l'avantage d'offrir un rempart souverain contre les intempéries et les variations de température.

Le Sentimental ne ralentit en rien son allure de croisière, bien au contraire. Nestor d'Aran vint les rejoindre alors qu'ils avançaient depuis deux heures ou davantage.

— D'après mes calculs, nous avons largement dépassé Compiègne et nous devrions nous trouver très vite au-dessus de Saint-Quentin. Malheureusement, plus on va vers le nord, plus le temps se gâte et au-dessous de nous, comme vous pouvez le constater, il n'y a rien que des nuages.

Julie se pencha sur le bastingage : depuis quelques minutes, en effet, tout était noyé dans la grisaille.

Une pluie très légère, une sorte de bruine, leur fouettait le visage. Les deux hommes avaient enfilé aussi leur peau de bique; tous trois ressemblaient ainsi à des êtres venus d'ailleurs, mi-bêtes, mi-hommes.

— Dans de telles conditions, dit Nestor, la navigation aérienne devient extrêmement délicate. Si nous descendons, il nous faudra traverser les nuages qui courent à basse altitude. Or, nous risquons d'être précipités à terre, d'abîmer la nacelle et de ne plus pouvoir repartir, ce qui signifie pour toi, Raoul... Inutile d'insister, je pense?

— Inutile, fit Raoul. A présent, toutes les polices de France et de Navarre, grâce au télégraphe, doivent nous rechercher...

— Très juste. D'un autre côté, le vent nous entraîne dans la bonne direction, mais nous allons entrer dans cette masse de nuages qui recèle, je le crains, des courants opposés qui peuvent nous malmener, sans parler des orages, fréquents en cette saison, dont les éclairs sont parfaitement capables de nous incendier.

— C'est gai! s'exclama Julie.

— C'est l'aérostatique, dit gravement Nestor. Ne vous plaignez pas, ma chère : l'idée de cette randonnée n'est pas de moi.

Pour la première fois, Nestor d'Aran s'était directement adressé à la jeune femme, ce qu'il avait évité jusqu'alors.

— Que proposes-tu? lui demanda Raoul.

— De tenter notre chance. J'ai de l'eau en quantité suffisante pour le chalumeau...

Il désigna l'une des cinq caisses qui encombraient la nacelle.

— Vingt-cinq litres, précisa-t-il. Et je dispose de deux cents livres de lest dont je me servirai au cas où nous aurions besoin d'augmenter encore notre vitesse ascensionnelle.

Ces explications, d'Aran les fournissait à ses passagers afin de les rassurer, mais Julie, qui n'était pas une scientifique, ne pouvait s'empêcher de frémir en imaginant *Le Sentimental* pris dans une tempête ou, pis, dans un orage, son enveloppe déchirée par une explosion apocalyptique, la nacelle tombant comme une pierre du haut du ciel et s'écrasant sur des rochers ou même au milieu d'une mer en furie. Elle dut faire un effort pour se rappeler qu'ils naviguaient au-dessus de Saint-Quentin et que jamais aucun océan n'avait bordé cette cité qui n'était, elle le savait, qu'à trois heures de chemin de fer de Bruxelles...

D'Aran était retourné près de son chalumeau dont il diminua la flamme. Le ballon descendit en douceur jusqu'à se rapprocher, dix minutes plus tard, des nuages qui couraient pour ainsi dire sous la nacelle à une vitesse qui parut vertigineuse à Julie. En quelques instants le ballon se trouva comme enveloppé d'ouate et de fumée. Il n'y avait plus aucune visibilité.

— Dès que j'aurai trouvé un courant favorable, je vous ferai du café! leur cria l'aéronaute.

— Je peux en faire tout de suite...

Julie regretta aussitôt cette parole imprudente; elle ne savait pas du tout comment elle s'y prendrait. Nestor désigna la flamme de son chalumeau :

— Pour réchauffer du café, c'est idéal, vous ne croyez pas, chère madame?

Julie trouva des tasses en fine porcelaine anglaise, disposées dans une caisse capitonnée tout exprès pour contenir vaisselle et bouteilles diverses : du bourbon, du porto et même du champagne. De ravissantes boîtes tenaient au sec les biscuits les plus fins de la terre.

— On ne se croirait jamais dans un aérostat, mais bien plutôt dans ta garçonnière! dit Raoul en riant à l'adresse de Nestor, portant à ses lèvres une tasse remplie de café fumant.

Cette réflexion de son mari rappela à Julie un souvenir humiliant.

« Je déteste ce Nestor d'Aran et je ne le reverrai de ma vie. »

Le breuvage était contenu dans une bouteille métallique entourée de tissu qu'il avait suffi, en effet, de réchauffer pour que le café fût aussi bon que chez Tortoni.

Alors que Nestor d'Aran ne quittait pas un seul instant ses instruments de bord et son chalumeau, Raoul et Julie s'étaient installés sur les coussins, à l'abri du vent.

— Tu as peur, mon amour? demanda le jeune homme.

Elle fit un effort pour lui sourire.

— Je voudrais déjà me trouver à Bruxelles avec toi, murmura-t-elle.

— Nous y serons sans doute avant même qu'il ne fasse nuit!

— Je suis obligé de dériver un peu vers l'est, constata Nestor. Sinon nous serions contraints de nous immobiliser, ce qui n'a rien de très amusant dans notre situation, sachant que nous nous trouvons encore au-dessus du territoire français... Tu es bien d'accord avec moi, Raoul : quelles que soient les conditions atmosphériques, tu désires te retrouver sur la terre ferme avant la nuit?

— Bien entendu, Nestor. Et de préférence, sur une terre hospitalière.

Nestor d'Aran ne répliqua point. Il tendit sa tasse vide à Julie sans la regarder, l'œil fixé sur ses instruments de bord.

Julie se sentait infiniment lasse. Elle se laissa glisser au fond de la nacelle, posa la tête sur l'un des coussins et sombra dans une sorte de demi-sommeil, gardant vaguement conscience, mais engourdie et comme insensibilisée par quelque drogue. Lorsqu'elle rouvrit les yeux, le ciel avait changé de couleur et le soleil était déjà bas à l'horizon. Raoul était assis près d'elle, le dos appuyé à la paroi en osier de la nacelle. Ils avaient navigué tout l'après-midi.

— Où sommes-nous? demanda Julie, mal réveillée.

— Au-dessus de la Belgique, si mes calculs sont exacts! annonça triomphalement Nestor d'Aran. Nous allons amorcer une descente prudente.

Peu après ils sortirent des nuages. Le vent avait encore augmenté. Julie le ressentit comme un bienfait. Elle avait retrouvé ses forces et sa lucidité. Aidée par Raoul, elle se leva et se pencha au-dessus du bastingage. Ce qu'elle vit lui parut à la fois féérique et effrayant : au-dessous du ballon qui se déplaçait à très vive allure, défilait un paysage de montagnes couvertes de neige prenant des teintes roses et violettes sous les rayons du soleil. Des glaciers scintillaient avec leurs arêtes coupantes dressées de façon menaçante vers les aéronautes.

C'est alors seulement que Julie prit conscience du froid très vif qui régnait à cette altitude. Elle se tourna vers Nestor d'Aran qui observait, comme ses compagnons, le spectacle fantastique qui se déroulait au-dessous d'eux.

— Ce n'est pas la Belgique, c'est la Suisse! dit-il seulement, l'air sombre et passablement ennuyé.

« Mon Dieu, pensa Julie, l'aveu doit lui coûter, car la Suisse n'a jamais été voisine de la Belgique. »

— Je sais ce que vous pouvez penser tous les deux, poursuivit le photographe, mais je me permettrai de vous faire remarquer que le voyage que nous sommes en train d'effectuer est remarquable, non seulement de par son extraordinaire rapidité, mais encore de par la sécurité qu'offre en fait mon ballon... Je n'ai pas encore résolu tous les problèmes concernant l'aérostation, mais, croyez-moi, je les résoudrai. Ce qui est évident, c'est que nous avons dérivé vers l'est.

— C'est très bien, la Suisse, pour un réfugié politique, déclara Raoul gaiement. Quand as-tu l'intention de te poser?

— Quand il n'y aura plus de neige, ni de glace, ni de crêtes, ni de pics à nos pieds, répliqua son ami. Tu nous vois jeter l'ancre au sommet d'une de ces montagnes? Nous avons la chance d'être dans les bons courants. Suivons-les... Ils nous amèneront très vite vers une région un peu moins accidentée.

Après être monté à plus de trois mille mètres afin de ne pas être pris au piège d'une très haute montagne qui dominait un massif impressionnant, Nestor put diminuer la flamme du chalumeau. *Le Sentimental* perdit progressivement de l'altitude, le froid devint moins vif. Il était 8 heures du soir, ils avaient parcouru une distance considérable depuis le départ du Champ-de-Mars. *Le Sentimental* s'était joué des obstacles naturels et il aurait été de mauvais goût de chicaner Nestor d'Aran sur le système à vrai dire diablement ingénieux qu'il avait mis au point pour se rendre maître des courants atmosphériques.

En temps ordinaire, lorsqu'on ne s'évadait point de prison, lorsqu'on ne risquait point d'avoir à ses trousses la police de Badinguet, il était certes plus raisonnable de prendre à la gare du Nord le chemin de fer Paris-Bruxelles... Mais, cette pensée, Julie la garda pour elle. Elle admira le Rhin qu'ils survolèrent dans une douce lumière de fin du jour. L'autre rive offrait enfin un paysage moins escarpé, avec de vraies vallées, des collines, ce qui leur parut paradisiaque après les montagnes rébarbatives dont toute vie semblait bannie.

— L'Autriche, dit brièvement Nestor, contrit, évitant de rencontrer le regard quelque peu narquois de Julie. L'Autriche!

La nuit tombait très vite et l'aéronaute avait hâte de se poser en toute sécurité. Aussi ne s'embarrassat-il pas de vaines considérations géographiques. L'important était de jeter l'ancre en un lieu où *Le*

Sentimental ne courait aucun risque. Le calme du paysage, l'absence même d'agglomération proche parut favorable aux voyageurs qui avaient à bord de quoi se nourrir et de quoi se coucher.

Nestor d'Aran projeta hors de la nacelle les ancres qui rasèrent bientôt les hautes herbes d'un vaste champ, bordé à son extrémité par la masse sombre d'une forêt. Il n'y avait pas d'obstacle en vue, mais Julie se demandait comment l'aéronaute allait s'y prendre pour immobiliser le ballon qui filait encore à une vitesse considérable, quoique freiné par les herbes que la nacelle effleurait. Subitement, les passagers du *Sentimental* éprouvèrent une secousse qui les jeta les uns contre les autres et dérangea l'ordonnance de tout ce qui n'était pas solidement arrimé à l'intérieur de la nacelle.

— L'ancre a mordu, s'écria Nestor, tel un capitaine au long cours.

En effet, l'ancre avait dû s'accrocher à une fissure de rocher dissimulée par les herbes.

— Jette l'échelle, Raoul!

Quelques secondes plus tard les aéronautes foulèrent le sol autrichien. Julie était un peu abasourdie de se retrouver ainsi sur la terre ferme. Tous trois se sentaient mal assurés sur leurs jambes, un peu comme des marins au retour d'une croisière. Raoul entoura de ses bras à la fois sa femme et celui qu'il appelait son « ami le plus sûr »... Julie en éprouva un vif déplaisir, mais il était impossible de mettre un frein à la joie de Raoul.

— La liberté! s'écria celui-ci, la liberté retrouvée grâce à vous deux!

C'était assez cocasse de voir ces trois silhouettes engoncées dans des peaux de bique se félicitant et se congratulant au milieu de cette prairie qu'envahissait une brume légère alors que la nuit tombante rendait imprécis les contours du paysage qui les cernait. Et Raoul n'aurait certainement pas pu s'empêcher de faire un discours si un coup de feu n'avait éclaté, coup de feu tiré à quelques pas et qui rompait de façon brutale la paix de ce lieu qu'on aurait pu croire désert.

Surgissant de toutes parts, de derrière les taillis qui bordaient le champ, des hommes casqués et armés de fusils rendaient impossible toute fuite vers le ballon qui se balançait doucement sous une lune pâle qui venait de faire son apparition...

Julie et Raoul se regardèrent, consternés : ces culottes blanches maculées de poussière ou de boue, ces bottes vernies montant jusqu'à mi-cuisse, ces dolmans aux couleurs vives...

— Des militaires autrichiens, murmura Julie.

— Ma parole, ils ont l'air d'ignorer que leur guerre avec la Prusse est finie, dit Raoul de Saint-Cerre qui avait été deux mois plus tôt correspondant du *Siècle* sur le théâtre de cette guerre rapide et meurtrière qui s'était achevée par le désastre (pour les Autrichiens) de Sadowa.

Julie, à leur seule vue, était bouleversée. N'avait-elle pas vécu à Sadowa les semaines les plus terribles de toute son existence? Ce qu'elle ne comprenait pas, c'était ce déploiement guerrier sur le sol autrichien. A moins que *Le Sentimental* ne se fût posé, sans le savoir, à proximité d'un camp militaire. Auquel cas les responsables de ce dernier avaient pu croire à une violation de territoire par la voie des airs. Mais ce que Julie remarqua immédiatement et ce qui lui parut plutôt bizarre, c'était que parmi les soldats armés se trouvaient des hommes habillés en bourgeois, brandissant, eux aussi, qui un mousqueton, qui un pistolet...

— *Achtung!*

Ce cri guttural avait été poussé par l'un des militaires au moment où Nestor d'Aran, qui avait subrepticement porté la main à sa ceinture, en avait retiré avec une dextérité de tireur émérite un petit browning. Ce geste imprudent et même maladroit (du moins était-ce là ce que pensait Julie) lui valut d'être ceinturé par deux hommes et violemment jeté à terre.

— Allons, messieurs, hurlait Raoul, tout ceci n'a pas de sens : nous sommes français et venons en ligne droite de Paris! D'ailleurs, ne portons-nous pas notre qualité en exergue sur l'enveloppe de notre ballon captif? *Le Sentimental*, messieurs, ne peut venir que de Paris!

Ils étaient à présent cernés par les Autrichiens en armes. Julie se demandait s'il y en avait parmi eux qui avaient seulement compris un mot des explications fournies par Raoul. L'un d'eux certainement, car il fendit le cercle des soldats bottés et casqués. Une haie respectueuse s'ouvrit sur son passage, au grand étonnement de Julie qui estimait qu'il ne payait guère de mine. C'était un jeune homme d'aspect plutôt frêle et qui paraissait presque encore un adolescent. Son accoutrement était des plus bizarres : il portait bien une culotte de drap blanc et de grandes bottes vernies, mais à la place du dolman réglementaire, il arborait une redingote de clerc de notaire, une chemise à col Danton et, négligemment nouée, l'une de ces grandes cravates noires qu'affectionnaient les artistes peintres et qui jaillissait du plastron de sa chemise comme un drapeau de corsaire. Un gros pistolet dépassait de sa ceinture.

Il tomba en arrêt devant Julie, la dévisagea longuement et, malgré la lumière incertaine, elle crut voir qu'il rougissait jusqu'à la racine de ses cheveux. Puis il se tourna vers Nestor d'Aran qui écumait de rage entre les deux gaillards qui le tenaient d'une poigne ferme. Il donna un ordre bref, en allemand, et les soldats lâchèrent le photographe.

— Je vous demanderai de bien vouloir me remettre votre arme, monsieur, dit le jeune homme dans un français irréprochable teinté d'un léger accent tudesque.

Et à Raoul, par-dessus son épaule, il jeta :

— Je vous demanderai la même chose, monsieur.

— Je ne suis pas armé, dit Raoul.

Le jeune homme fit volte-face :

— Et vous, mademoiselle?

Julie hésita une fraction de seconde.

— Pourquoi voulez-vous que je sois armée? Croyez-vous sérieusement que nous soyons venus de France pour envahir l'Autriche?

Elle prit un malin plaisir à le fixer du regard, ce qui semblait gêner au plus haut point ce curieux personnage à la fois autoritaire comme un général et timide comme une jeune fille à son premier bal.

— Vous n'êtes pas en Autriche! dit-il en détournant les yeux.

Nestor regarda Raoul qui regarda Julie, qui n'y comprit plus rien.

— Ecoutez, jeune homme... commença le photographe.

Le « jeune homme » le foudroya du regard.

— Vous n'êtes pas en Autriche, mais au Liechtenstein! s'écria-t-il.

— Et le Liechtenstein n'est pas en Autriche? questionna Julie qui n'avait jamais été première en géographie lorsqu'elle était pensionnaire chez les demoiselles Beaujon.

— Non, mon amour, dit doucement Raoul. La principauté du Liechtenstein est alliée à l'Autriche, puisqu'elle vient de combattre les Prussiens à ses côtés. C'est bien cela, monsieur? (Et il murmura à l'oreille de son épouse :) Il y a en tout trois mille habitants, chérie. C'est ce qui se fait de plus petit en Europe dans le genre... Les cartes de notre ami Nestor demanderaient à être plus détaillées...

Le photographe, furieux de se voir rabroué par l'étrange militaire qu'il dépassait d'au moins une

142

demi-tête, alla droit vers lui, se moquant éperdument des fusils braqués sur sa personne.

— Ne jouons pas sur les mots, voulez-vous? Nous sommes au Liechtenstein, soit. Vous êtes des militaires, ou quelque chose d'approchant, et nous, des civils. Vous êtes en nombre et nous ne sommes que deux, avec une jeune femme. Je m'appelle Nestor d'Aran, et si ce nom ne vous dit rien, peut-être que celui de mon ami Raoul de Saint-Cerre vous est vaguement familier... C'est un journaliste français de premier plan et quant à moi, je suis...

Il s'interrompit, car à l'énoncé du nom de Raoul, le visage du jeune homme s'était illuminé. Il se précipita vers le journaliste, le saisit par les épaules et s'écria d'une voix émue :

— Raoul de Saint-Cerre, l'éditorialiste du *Lucide!* L'homme le plus courageux de France! Permettez, monsieur, que je vous donne l'accolade...

Aussitôt dit, aussitôt fait. Puis il se tourna vers ses compagnons et leur lança quelques phrases en allemand où Julie releva à plusieurs reprises le mot « république ».

— Je ne savais pas qu'on lisait *Le Lucide* au Liechtenstein! s'exclama Raoul.

— Il faut aller en Suisse pour le trouver, et même là, ce n'est pas facile, expliqua l'admirateur. Mais comme je suis le fils du libraire de Vaduz, j'ai des facilités pour me procurer tous les journaux... Permettez que je me présente : Melchior Wetzel.

Il s'inclina devant Julie.

— Ma femme, dit Raoul.

M. Wetzel saisit la main de Julie et la baisa, là, en plein champ, sous la lune, comme s'il se fût trouvé dans un salon à Vienne. Il la regarda, un sourire enfantin illuminait son visage d'adolescent exalté.

— En ma personne le Liechtenstein est heureux de vous accueillir, madame.

Puis il serra la main de Nestor d'Aran.

— Je sais qui vous êtes, monsieur. Pardonnez la rudesse de cet accueil, mais vous tombez en pleine révolution.

— En pleine révolution? s'écria Raoul, abasourdi. Vous parlez sérieusement?

Julie se demandait si M. Melchior Wetzel avait bien tous ses esprits. En dehors de l'unique coup de fusil tiré par un soldat qui avait dû avoir la main trop leste, le paysage était d'un calme souverain. On voyait au loin quelques lumières briller : un village sans doute. Mais aucune lueur d'incendie à l'horizon, rien qui pouvait faire croire que ce pays perdu pouvait être agité par les soubresauts d'une guerre civile.

— Qu'entendez-vous par révolution? demanda Nestor d'Aran.

— Si vous le voulez bien, nous parlerons de cela autour d'un bon feu de bois, à notre quartier général qui est à un quart d'heure de marche... C'est de là que nous avons suivi à la jumelle votre descente en ballon et nous n'étions pas rassurés, croyez-le bien!

— Il est hors de question que je quitte *Le Sentimental*. C'est ce que je possède de plus précieux au monde, dit Nestor.

— Je laisserai sur place un sous-officier et quatre hommes en armes qui garderont votre ballon mieux que vous ne le feriez, monsieur d'Aran. J'espère que vous avez confiance?

Il y eut un silence.

— D'accord, dit enfin Nestor, à demi rassuré.

— Alors, madame, messieurs, suivez-moi.

Il prit résolument à travers champs, alors que la troupe, composée au maximum d'une cinquantaine d'hommes, se dispersa par groupes de trois ou de quatre dans la même direction. Sur les cinq soldats qui restaient près du *Sentimental*, deux ne portaient pas d'uniformes et avaient l'aspect et le comportement d'étudiants en rupture d'université.

— Je réponds de mes camarades comme de moi-même, dit simplement Melchior Wetzel en les désignant.

Julie comprit l'inquiétude de Nestor d'Aran qui avait dans la nacelle non seulement ses précieux instruments de bord, mais aussi un matériel photographique complet.

La lumière entrevue se révéla comme provenant d'un corps de ferme surveillé par quelques sentinelles. L'étrange révolutionnaire les précédait en silence. Julie cheminait près de son mari. Nestor fermait la marche. La nuit était encore assez claire, l'automne ne se faisant sentir que par une certaine humidité et des nappes de brume qui enveloppaient de mystère la forêt qu'ils longèrent sans jamais y pénétrer.

— Je me demande bien en vertu de quoi ce brave jeune homme s'est mis en tête de vouloir faire la révolution dans ce pays minuscule qui ne connaît aucune des misères et des injustices qui frappent les grandes nations, murmura Raoul à l'adresse de sa femme.

— Le plus surprenant, dit Julie à mi-voix, c'est que les autres semblent lui obéir.

— Un petit général révolutionnaire, grommela Nestor. Un Bonaparte en herbe! A la place des Autrichiens, je l'aurais à l'œil...

— Les Autrichiens, chuchota Raoul, ont d'autres chats à fouetter. Battus par les Prussiens et par les Italiens alliés de la Prusse, ils se moquent bien du Liechtenstein qui ne doit pas dépasser en superficie l'étendue de Vienne et de ses faubourgs!

Les sentinelles saluèrent celui qui ressemblait à un petit étudiant et qui leur répondit gravement, quoiqu'il fût tête nue. Des hommes bivouaquaient dans la cour; les feux étaient à demi étouffés sous la cendre. Julie eut l'impression de se trouver en présence d'éléments disparates d'une armée en déroute. Elle aperçut même un canon!

— Ils étaient tous avec moi à Königgrätz, dit Melchior en désignant les soldats.

Julie se rappela que Prussiens et Autrichiens désignaient la bataille de Sadowa sous le nom de Königgrätz, village proche de Sadowa autour duquel tant d'hommes étaient morts dans la boue deux mois plus tôt, au cœur de la Bohême.

— J'étais avec Benedek à Königgrätz, dit Raoul à voix haute.

Le jeune Wetzel se retourna :

— Je sais, monsieur, dit-il gravement. J'ai lu, des semaines plus tard, votre relation de la bataille dans *Le Siècle*... (Et il ajouta à l'intention de Julie :) J'admire votre courage, madame, mais j'estime que votre place n'était pas au milieu de ce carnage... A la place de votre mari, je vous aurais interdit de m'y accompagner!

« Décidément, songea Julie, ce jeune homme est au courant de tout. »

— L'homme capable d'interdire quoi que ce soit à Julie n'est pas encore né, déclara Raoul de Saint-Cerre.

Nestor d'Aran resta muet.

Melchior Wetzel les fit entrer par une porte basse dans le bâtiment principal couvert de chaume. La pièce très vaste dans laquelle ils pénétrèrent rappela à Julie certaines salles de ferme qu'elle avait visitées en Normandie où son tuteur l'avait emmenée une fois ou deux, lors des séjours qu'il faisait à Trouville sur l'invitation de son vieil ami, le défunt duc de Morny.

Julie pensa qu'elle n'avait pas vingt ans et qu'il y avait déjà un certain nombre de morts qui jonchaient le chemin de sa vie : son tuteur, et aussi Hugo von Wolfenstein qui resurgit devant elle à travers le personnage, pourtant foncièrement différent, de Melchior Wetzel. Peut-être cela venait-il de cette similitude d'accent qui rappelait irrésistiblement l'accent de celui que Raoul avait tué en duel... Et le regard limpide et bleu, n'évoquait-il pas de façon troublante celui du lieutenant prussien? Ils devaient avoir, à peu de chose près, le même âge; une vingtaine d'années tout au plus. Julie, Raoul, Nestor et leur hôte se trouvaient dans une salle qui était à la fois cuisine et lieu de séjour, avec en son milieu, un poêle en faïence, gigantesque, magnifiquement décoré, sur lequel mijotait un récipient en fonte qui devait contenir une soupe dont l'odeur flatta les narines des voyageurs.

Ce poêle et les armoires peintes de couleurs vives, avec des motifs de fleurs et d'oiseaux, donnaient à la salle un air pimpant et fantastique que n'avaient pas les salles de ferme en Normandie.

Tout le monde prit place autour d'une table grossièrement taillée, entourée de bancs. De l'ombre surgissait une jeune femme qui couvait du regard Melchior Wetzel et esquissa un semblant de génuflexion en direction des arrivants. Des bougeoirs en argent massif éclairaient les convives, laissant dans l'obscurité une partie de la salle où Julie distingua pourtant ce qui devait être un lit très haut surmonté d'un baldaquin. Des compagnons d'armes du jeune révolutionnaire, trois seulement avaient suivi celui qui, de toute évidence, et malgré sa jeunesse, était leur chef. Julie put constater que tous trois arboraient des uniformes parfaitement réglementaires; ils n'avaient, eux aussi, qu'une vingtaine d'années. Ils étaient muets, ne parlant sans doute pas le français. Celui des trois qui portait des épaulettes d'officier quitta la table après avoir échangé quelques phrases à voix basse avec son chef. Il claqua des talons, s'inclina devant Julie et sortit.

Julie sentait que Nestor et Raoul n'étaient pas trop rassurés, malgré la chaleur de l'accueil que leur réservait M. Wetzel. Pendant que la jeune paysanne aux cheveux filasse posait devant chacun une assiette de cette soupe parfumée qui mijotait sur le feu, Melchior, assis au bout de la table, dévisageait ses

147

invités avec un enthousiasme qu'il ne cherchait nullement à dissimuler.

— Quelque chose de chaud vous fera le plus grand bien, vous verrez, déclara-t-il.

Il tenait en l'air sa cuillère, oubliant de la plonger dans le liquide bouillant auquel Julie venait de goûter et qu'elle trouva délicieux.

— Madame, dit Melchior Wetzel, messieurs, je sens bien que je vous dois quelques explications. Mais je considère votre arrivée comme une sorte de miracle, oui, je dis bien : de miracle, d'autant plus que vous êtes littéralement tombés du ciel, ce qui n'est pas indigne de l'imagination de M. Richard Wagner, et que, de surcroît, vous incarnez à mes yeux ce magnifique idéal de liberté et de fraternité que j'ai pu découvrir à travers les écrits de celui que je considère comme le plus grand poète de tous les temps : M. Victor Hugo!

Julie, Raoul et Nestor d'Aran avaient posé leur cuillère pour écouter cette allocution.

— Je suppose, dit Julie de sa voix la plus douce, que vous vous doutez quelle nécessité impérieuse nous a fait choisir le ballon captif de M. d'Aran pour quitter Paris et la France?

L'œil ingénu de Melchior Wetzel se posa, extasié, sur Julie. Cette fois le doute n'était plus permis : il rougissait chaque fois que la jeune femme le regardait.

— Une raison impérieuse? s'exclama-t-il. Laquelle?

— Vous ignoriez que *Le Lucide* a été interdit et son rédacteur en chef, c'est-à-dire moi, jeté en prison! s'étonna Raoul.

Le Saint-Just du Liechtenstein roula des yeux effarés.

— On a osé? Votre Empereur a osé?

— Il a osé, dit Raoul avec le plus grand sérieux. Et c'est ce qui vous explique notre présence à bord de l'aérostat de mon ami Nestor d'Aran lequel, avec un courage et un désintéressement des plus nobles, nous a permis, à ma femme et à moi-même, de quitter Paris pour ainsi dire au nez et à la barbe de Napoléon III! D'ailleurs, je ne serais pas étonné que notre fugue sensationnelle ne fasse les manchettes de tous les journaux d'Europe dès que ceux-ci auront été mis au courant de mon évasion de Sainte-Pélagie.

— Magnifique! s'exclama Wetzel, c'est bien la providence qui vous a incités à chercher asile au Liechtenstein.

— Mettons les choses bien au point...

C'était Nestor qui intervenait à son tour.

— J'ai voulu emmener mes amis à Bruxelles où, si les courants atmosphériques avaient été tant soit peu favorables, nous devrions nous trouver en ce moment même et, qui sait? en train de manger notre potage en compagnie de l'illustre poète que vous venez de nommer et qui m'honore de son amitié!

— M. d'Aran ne dit pas cela pour diminuer votre mérite ni celui de votre potage, ajouta Julie à l'intention de leur hôte.

— En vérité, dit Raoul, j'aimerais au plus tôt, avec l'aide d'amis sûrs, faire reparaître *Le Lucide* en Belgique.

Melchior, de plus en plus exalté, se leva, comme s'il se fût trouvé à la Constituante, les mains posées à plat sur la table.

— Pourquoi en Belgique? Pourquoi pas au Liechtenstein? Dès que j'aurai pris le pouvoir, proclamé la République, je mettrai à votre disposition non seulement notre imprimerie nationale qui se trouve à Vaduz, mais aussi les capitaux qui vous seront indispensables et que la banque d'Etat se fera un plaisir de vous avancer...

L'enthousiasme du jeune homme était communicatif.

— Ce serait extraordinaire, Raoul, mon chéri!

— Ce serait absurde, Julie! répliqua Raoul. A ma

connaissance, le sol sur lequel nous nous trouvons est, jusqu'à preuve du contraire, sous obédience autrichienne. Notre hôte s'exprime parfaitement dans notre langue, mais les amis qui l'entourent ne parlent et ne comprennent que l'allemand. A l'est s'étend l'Empire autrichien, au nord la confédération des Etats allemands, à l'ouest la Suisse, la partie germanique de la Suisse, celle où l'on s'exprime en allemand. Et tu veux faire paraître ici un journal en langue française? Et nos lecteurs, où seront-ils? En France et en Belgique principalement. Comment *Le Lucide* leur parviendra-t-il?

— Mais par la voie des airs, monsieur, affirma le futur président de la République du Liechtenstein. M. Nestor d'Aran que voici créera une flottille de ballons qui, chaque semaine, déverseront sur Paris et l'Europe *Le Lucide* imprimé à Vaduz!

— Je pense, dit Nestor posément, je pense, jeune homme, que c'est de l'utopie pure et simple.

Melchior Wetzel se rassit et les regarda à tour de rôle. Lorsque ses yeux se fixèrent sur Julie, il rougit.

— Je crains de n'avoir pas été compris, murmura-t-il. C'est vous, madame, avec cette admirable lucidité des femmes, qui avez immédiatement entrevu les possibilités qui s'offrent à M. de Saint-Cerre pour peu qu'il accepte de se joindre à notre mouvement...

Julie était certaine que Raoul éprouvait une vive sympathie pour le très étonnant personnage qu'était Melchior Wetzel. Mais à travers les épreuves vécues en commun avec Julie, le journaliste avait acquis une maturité qui lui avait fait défaut jusqu'alors. Il voyait à présent les événements et les gens sous leur vraie couleur. Ce qui n'était pas le cas de Wetzel.

— ... Vous me prenez pour un irréaliste et un exalté, n'est-ce pas? dit celui-ci. Il semblait déçu.

— Vos amis portent l'uniforme autrichien, monsieur, reprit Raoul. Vous-même, au moins jusqu'à la ceinture...

Wetzel l'interrompit.

— Je suis sous-lieutenant de l'escadron des Uhlans dits de Sicile, qui ont combattu en Italie avant d'avoir été expédiés au début de juillet sur le front de Bohême-Moravie. Les hommes que vous avez vus sont tous originaires du Liechtenstein; aucun d'eux n'a plus de vingt-cinq ans. Nos officiers sont morts à Königgrätz. J'ai ramené tout mon escadron avec nos chevaux, nos armes et nos canons que vous avez pu voir dans la cour de cette ferme. L'Autriche sort vaincue de cette guerre qui n'a duré que quelques semaines; nous ne nous attendions certes pas à être accueillis en vainqueurs à Vaduz, mais ayant versé notre sang, nous estimions avoir voix au chapitre quant au destin de notre petite patrie. Or, sans nous consulter et sans attendre notre retour, le prince Johann II et son gouvernement, tous bourgeois nantis de Vaduz, décident d'abord de supprimer l'armée, c'est-à-dire nous, et ensuite de constituer un Etat indépendant.

— Voilà une très sage décision! s'écria Nestor d'Aran.

Melchior le foudroya du regard.

— Un jugement aussi hâtif m'étonne de la part d'un républicain convaincu tel que vous, monsieur d'Aran. Nous voici citoyens d'une principauté, donc sujets d'un prince... Johann II prend la place de l'empereur François-Joseph... La seule différence : au lieu d'avoir deux souverains, un prince et un empereur, comme avant, nous n'en avons plus qu'un seul. Il y a quinze jours, à Prague, l'Autriche a signé la paix avec la Prusse. Et à côté d'un événement de cette importance, la proclamation d'indépendance d'un Etat minuscule de trois mille habitants est passée totalement inaperçue. La preuve, c'est que même vous, monsieur de Saint-Cerre, vous n'en saviez rien!

— Mon mari était en prison, rappela Julie.

— Le jour où je proclamerai la République au

Liechtenstein, je vous prie de croire, mes amis, qu'on en parlera dans le monde entier. Et même dans les prisons.

— Admettons, concéda Nestor qui savait mieux que personne que la réclame faite intelligemment pouvait aussi bien rendre célèbre un photographe qu'une révolution... Admettons. Si j'ai bien compris vous représentez, vous et vos camarades, ce qui reste de l'armée de ce pays?

— Très juste. Lorsqu'on nous a demandé de rendre nos uniformes et nos armes et de nous soumettre sans rechigner au principe monarchique, nous avons été d'accord pour n'en rien faire.

— Et on ne vous a pas pourchassés?

— Qui voulez-vous qui nous pourchasse, monsieur de Saint-Cerre?

— Mais la police, les gendarmes...

— Ils sont bien moins nombreux que nous et bien moins armés... De surcroît, il se trouve parmi eux des libéraux qui ont embrassé notre cause.

Julie se rendait compte que son mari était perplexe. Elle avait du mal à le comprendre. N'aurait-il pas dû s'enthousiasmer pour la cause de ce jeune homme? Melchior Wetzel n'était-il pas en train de réaliser ce de quoi rêvaient tant de jeunes gens en France et ailleurs?

— Moi, dit-elle à haute voix, moi qui ne suis rien, j'avoue, monsieur, que je trouve votre action tout à fait admirable. Même si elle paraît un peu folle. Ou peut-être justement à cause de cette folie.

Wetzel saisit la main de Julie et l'embrassa avec fougue, au grand déplaisir de Raoul. Et même Nestor d'Aran eut un mouvement d'agacement que rien ne justifiait.

— Que vous le vouliez ou non, monsieur, dit Raoul avec fermeté, il suffit que le prince Johann II fasse appel aux troupes autrichiennes lesquelles, vu l'étendue de votre territoire, doivent se trouver pour ainsi dire à portée de voix, pour que votre révolte, si honorable fût-elle, soit écrasée dans l'œuf. Je suppose que vous êtes tout prêt à mourir pour votre cause et je vous en félicite, mais vous risquez par la même occasion beaucoup de morts inutiles, celle de tous vos amis. Vous allumerez une guerre civile perdue d'avance.

Melchior Wetzel garda la tête baissée sur son assiette. Il porta la cuillère à sa bouche, la reposa.

— Je suis très déçu, monsieur, dit-il enfin. Vous parlez non pas comme un héritier de la Révolution française, mais comme un bourgeois timoré.

Il se leva et sortit de la salle commune sans un regard pour qui que ce fût. La porte se referma sur lui. Il y eut un moment de silence, puis :

— Je pense, dit Julie, que cette discussion était superflue. Et, pour être franche, Raoul, je ne te reconnais plus. J'avais l'impression que c'était un autre que toi qui parlait de la sorte. L'enthousiasme de ce garçon, c'était, il me semble, le tien il n'y a pas si longtemps, rappelle-toi...

Raoul, avant de répondre, regarda autour de lui. Il n'y avait que la jeune femme aux cheveux de lin qui s'affairait autour de son poêle.

— Cela m'étonnerait beaucoup qu'elle comprenne le français, dit Nestor d'Aran qui la détailla avec un plaisir évident. D'ailleurs, j'ai l'intention de m'en assurer à la première occasion...

Raoul avait soulevé l'un des chandeliers.

— Ceci, murmura-t-il, est digne de la table de l'impératrice Eugénie! Or, nous sommes dans une modeste ferme...

Puis il examina son couvert, en argent aussi. Il montra à Julie au bas du manche de sa cuillère un monogramme entortillé.

— Et ceci?

— Une argenterie superbe, concéda Julie, qu'on ne s'attend pas à trouver chez des paysans... Mais cela appartient peut-être à Melchior. C'est peut-être... (Elle avait peur de dire une sottise, mais tant pis!) C'est peut-être du butin de guerre.

Raoul et Nestor la regardèrent en souriant de toutes leurs dents :

— Tu as dit le mot, mon amour, exulta Raoul. Et si tu veux mon avis : ce qui fait la force de notre jeune ami Wetzel, ce n'est pas tant la sincérité de ses opinions politiques que l'occasion qu'il offre à des militaires, que nous appellerions des demi-soldes, de poursuivre une existence qui leur convient...

— Je ne vois pas très bien où tu veux en venir, murmura Julie.

La fermière saisit par les anses le chaudron qui mijotait sur le feu. Sans doute allait-elle distribuer de la soupe aux sentinelles postées à l'extérieur, car elle sortit de la pièce basse, en laissant la porte ouverte derrière elle. Aussitôt Nestor d'Aran se dirigea vers la porte qu'il referma doucement.

— La cour est pleine de soldats, dit-il en revenant, mais notre Robespierre en herbe est invisible.

Raoul s'était levé à son tour. Il se dirigea vers les armoires peintes qui avaient sauté aux yeux de Julie dès son arrivée. Il y en avait trois de taille respectable. Elles n'étaient pas fermées à clef. Raoul ouvrit la première. Nestor et Julie l'avaient rejoint. Ils restèrent muets, frappés de stupeur : sur les étagères, il y avait la plus étonnante des collections de montres en or, de candélabres en argent, d'anneaux, de bagues, de chaînes, de broches, breloques, croix, médaillons et objets de tous ordres, en argent ou en or. Au seul poids du métal, tout ceci devait représenter une fortune.

— De quoi financer la république du Liechtenstein! dit sentencieusement Nestor d'Aran.

— C'est mieux que du butin de guerre, ajouta Raoul. C'est, de toute évidence, le fruit de rapines soigneusement organisées et exécutées.

Julie secoua la tête, abasourdie.

— Alors, ce charmant jeune homme ne serait rien de plus qu'un... qu'un voleur de grand chemin? s'exclama-t-elle. Une sorte de... chef de bande comme Mandrin?

— Voire, dit Raoul. Voleur et chef de bande par nécessité peut-être, mais idéaliste par vocation certainement. A mon avis...

— A votre avis, monsieur de Saint-Cerre?

Melchior se tenait sur le pas de la porte et braquait sur ses invités un gros pistolet d'ordonnance.

— A mon avis, poursuivit Raoul, dans certains cas et pour certains hommes, la fin justifie les moyens!

Il regagna la table comme si le jeune homme ne le menaçait point de son arme. Julie et Nestor d'Aran firent de même. L'ex-sous-lieutenant les rejoignit. Ils se tenaient debout tous les quatre aux places qu'ils occupaient précédemment. Julie avait le sentiment que Melchior Wetzel évitait soigneusement de rencontrer son regard.

— Vous avouerez, dit-il d'une voix sourde, qu'un ballon captif bourré d'instruments de précision et d'un matériel photographique au grand complet est un butin rare et précieux.

Nestor était devenu très pâle. Mais il se contenait.

— Ce ballon n'a aucune valeur pour qui ne sait pas s'en servir. Or, je vous mets au défi de trouver chez vous et même ailleurs un aéronaute susceptible de piloter *Le Sentimental!*

Julie avait l'impression que l'animosité latente entre le jeune Melchior, d'apparence si frêle et manifestement timide, et le tonitruant Nestor d'Aran, était sur le point d'éclater.

— Je n'ai pas l'intention de chercher, monsieur d'Aran. J'estime que la providence me fournit en votre personne un atout inespéré à la révolution au Liechtenstein.

Sans en avoir l'air il tenait son pistolet pointé sur le ventre de Nestor et ajouta :

— Je vous propose un marché : votre précieux ballon et tout ce qu'il contient, votre liberté et celle de vos amis contre un petit service que vous nous rendrez, j'en suis certain, de grand cœur.

— Et quel serait ce petit service? questionna d'Aran.

— M. de Saint-Cerre évoquait tout à l'heure le spectre de la guerre civile. Elle est impensable dans cette principauté. Mais je désire agir très vite, de sorte que nos ennemis se trouvent dans l'impossibilité de faire appel à une éventuelle aide extérieure. Mettre l'Autriche et l'Europe devant le fait accompli. Pour cela, j'ai décidé de monter une opération qui me rendra maître du Liechtenstein en moins de temps qu'il ne faut pour le dire.

— Je me demande bien en quoi mon mari, M. d'Aran et moi-même pourrions vous aider dans cette... cette opération, s'exclama Julie.

Il leva sur elle son œil d'azur.

— Madame, dit-il, contrairement à M. votre époux, j'ai positivement horreur de mêler les femmes aux choses de la guerre, à moins qu'il ne s'agisse de préparer la soupe.

Tout en parlant, il eut un mouvement de tête en direction de la porte par laquelle la jolie fermière était sortie un peu plus tôt.

— Je vous offrirai bien volontiers l'hospitalité dans cette humble chaumière, le temps de prendre avec M. Nestor d'Aran certaines dispositions.

— Puis-je savoir de quelles dispositions vous voulez parler? questionna Nestor.

— Voilà, dit posément le futur généralissime. Je désire bombarder le palais princier par la voie des airs.

— Par...?

D'Aran, ébahi, regardait le jeune homme qui venait d'énoncer cette phrase stupéfiante.

— Voyons, monsieur, lui rétorqua Raoul, vous ne pensez pas sérieusement ce que vous dites?

— Il est fou. Ce type est à enfermer, hurla Nestor.

Wetzel le gratifia d'un regard où se lisait une pitié amusée.

— Il me semble avoir lu dans les journaux parisiens que votre fameux ballon pouvait recevoir à son bord et transporter une dizaine de passagers! Alors, à plus forte raison, une ou plusieurs bombes.

Sa main n'avait pas lâché le pistolet; il tenait à sa merci les trois voyageurs. Julie observa Nestor d'Aran auquel se posait un dilemme. Elle savait que son ballon était ce qu'il avait de plus précieux au monde et qu'il était capable de tous les sacrifices pour le conserver. Elle put lire sur le visage du photographe le débat intérieur qu'il était en train de livrer.

— Il se pourrait, dit-il enfin, que votre prince à vous soit le pire des tyrans, auquel cas, croyez bien que ma sympathie vous est acquise. Ma sympathie, monsieur, mais pas mon ballon!

Le visage buté de Melchior Wetzel ne présageait rien de bon. Sa main se crispait sur la crosse du pistolet.

— Mais, poursuivit Nestor, il se pourrait aussi que ledit prince soit la crème des hommes. De toute manière, en attaquant le palais princier du haut des cieux, et à la bombe, vous risquez non seulement d'abîmer le bâtiment, mais aussi de tuer un certain nombre d'innocents, des femmes, des enfants... Certes, vous sèmerez la terreur et il n'est pas exclu que vos hommes puissent, à la faveur de cette attaque surprise, se rendre maîtres de la principauté du Liechtenstein. Sachez bien, monsieur, que Nestor d'Aran ne peut s'associer à une telle entreprise, que je refuse catégoriquement de mettre à votre service mes compétences aérostatiques, que je vous abandonne plutôt *Le Sentimental* et tout ce qu'il contient plutôt que de le conserver au prix du sang versé et que si vous voulez m'assassiner, faites-le! L'histoire vous jugera.

Ce magnifique discours aurait mérité des applaudissements. Il fit que Raoul de Saint-Cerre s'était redressé, visiblement fier de son ami.

— Sachez que je partage tout à fait les vues de M. d'Aran!

Wetzel leva la crosse de son pistolet et frappa un coup violent sur la table. La vaisselle qui s'y trouvait s'entrechoqua dans un bruit crispant. Julie acquit la certitude que ce jeune homme assez peu ordinaire pouvait, lorsqu'on le poussait à bout, devenir terrible. Elle se dit que certains héros de la Révolution française avaient dû être ainsi, à la fois capables d'amour fou et de haine féroce. Tel était, aux yeux de Julie, Melchior Wetzel.

— Messieurs, s'écria-t-il, le temps travaille toujours contre nous dès que nous nous mettons à faire des discours. Je serai bref.

Il eut un geste inattendu de sa part et qui prit tout le monde au dépourvu : il saisit brutalement le bras de Julie de sa main libre, l'autre tenant fermement l'arme dont il avait repoussé le cran de sûreté dans un cliquetis sinistre.

— Restez calmes, messieurs.

Il était plus fort que ne le laissait supposer sa frêle apparence.

Julie opposa une résistance inutile alors qu'il la tirait vers lui jusqu'à ce qu'elle se trouvât à ses côtés.

— Je suis désolé, monsieur de Saint-Cerre, mais votre attitude me déçoit davantage encore que celle de votre ami. D'après vos écrits, je m'étais fait une tout autre idée de votre personne. Voilà ce que je décide : je vous fais escorter, vous et M. Nestor d'Aran, jusqu'en Suisse, mais je garde Mme de Saint-Cerre ici, avec moi, comme otage.

Raoul allait se jeter sur le jeune homme. Julie

poussa un cri. Le coup de feu partit. Dans cette pièce basse de plafond, il eut une terrible résonance.

— Cette fois j'ai tiré en l'air, mais il n'en sera pas de même si vous recommencez, hurla Melchior alors que la porte s'ouvrait violemment et que des hommes, l'air menaçant, pénétraient dans la salle de ferme, braquant leurs fusils sur Raoul et Nestor qui furent refoulés contre le mur.

Julie estima qu'il fallait jouer le tout pour le tout. Wetzel serrait toujours son bras; il lui faisait très mal, mais elle ne s'en rendit même pas compte.

— Tout ceci est indigne de vous et de vos nobles idées. Faites sortir vos hommes et parlons calmement. Pourquoi voulez-vous me garder ici, alors que vous êtes prêt à libérer mon mari?

Il lança un ordre en allemand et les soldats quittèrent la salle, sauf un qui resta près de la porte, son arme braquée sur les prisonniers.

— Pourquoi je veux vous garder ici? répéta le sous-lieutenant. Mais c'est très simple : parce que j'ai l'intention de demander une rançon.

Julie avait la conviction qu'il venait, à l'instant, d'inventer ce prétexte.

— Je comprends, murmura-t-elle, que votre révolution a vraiment besoin d'argent...

Raoul voulut intervenir à nouveau, mais la sentinelle lui barrait le passage.

— Ma patience a des limites, déclara le jeune révolutionnaire du Liechtenstein.

Il alla vers la porte, l'entrouvrit, appela quelqu'un. L'un des officiers qui avaient dîné à leur table parut. Il dégaina son pistolet, s'inclina devant Raoul et Nestor et les invita à les suivre.

— Où les emmenez-vous? cria Julie.

Wetzel essaya de la rassurer.

— Il ne leur arrivera rien, madame. Malgré la déception qu'ils m'ont fait éprouver, je respecte trop ce qu'ils représentent l'un et l'autre pour mettre

159

leurs jours en danger. Il ne dépendra que de M. de Saint-Cerre pour qu'il vous retrouve rapidement...

Il échangea quelques phrases à mi-voix avec son compagnon. Les deux prisonniers n'avaient pas bougé d'un pouce.

— Pour m'obliger à quitter ces lieux, il faudra que vous employiez la force! déclara Raoul, blanc de colère.

— Parfait! répliqua Wetzel qui vociféra un ordre.

Tout se passa alors très vite. Un grand nombre d'hommes armés s'engouffrèrent dans la salle basse. Alors que leur chef avait empoigné à bras-le-corps Julie qui hurlait de rage, on emmena son mari et Nestor d'Aran qui se débattaient comme de beaux diables, au point qu'on dut les ceinturer et les porter presque au-dehors.

La porte se referma et Julie se trouva seule avec le commandant en chef de la place qui la lâcha aussitôt, un peu comme s'il avait serré contre lui un brasier.

— Madame, dit-il, essoufflé, madame, et dire que ces hommes-là partagent mes idées!

— Trêve de balivernes! s'exclama Julie. Vous êtes un vulgaire bandit qui avez l'astuce de camoufler vos rapines derrière de belles idées humanitaires. Voulez-vous me dire ce que signifie tout ceci?

Il régna soudain après tout ce tumulte un silence surprenant dans la pièce. Une vague rumeur venant de dehors se calma peu à peu. Puis la porte s'ouvrit de nouveau sur la jolie fermière qui revint avec son chaudron vide qu'elle portait entre ses bras et qu'elle alla poser à côté du poêle cette fois. Puis elle resta immobile, ne cessant de dévisager le jeune Melchior avec dans les yeux une expression que Julie reconnut pour être de l'adoration et une soumission sans réserve. Le jeune homme du menton lui désigna la porte. Elle s'en alla, dépitée, non sans avoir jeté à Julie un regard dépourvu d'aménité.

— Asseyons-nous, madame.

Il reprit place à table et Julie l'imita.

— Je ne vous ai pas demandé de venir du haut du ciel pour me compliquer la vie. Mais... (Il leva les yeux sur elle et rougit violemment.)... mais j'avoue que votre arrivée intempestive au beau milieu de ma révolution a été le plus bel encouragement que le destin pouvait me prodiguer : si vos deux compagnons sont victimes de ce que j'appelle l'embourgeoisement des libéraux de France et d'ailleurs, vous avez gardé, vous, l'enthousiasme indispensable puisque vous avez eu la bonté de parler de ma folie salutaire et que vous reprochiez implicitement à votre mari de ne plus l'avoir, cette folie... Regardez-moi en face, madame, et osez me répéter que vous croyez vraiment que j'agis par intérêt et non point par idéalisme.

« Il est complètement fou, mais rudement sympathique », pensa Julie.

— Je regrette seulement, murmura-t-elle, que mon mari ne soit pas présent à cet entretien; il serait, comme moi, convaincu de votre sincérité.

Jusqu'à cet instant, Melchior tenait toujours son pistolet à la main. Il le lâcha, l'abandonnant sur la nappe, pour saisir la main de Julie afin de l'emprisonner entre les siennes.

— Faites-moi la grâce d'oublier un instant votre mari! s'écria Melchior. Je suis un homme seul et peut-être déjà un homme mort. Je n'ai connu de la vie que les études, puis l'armée et la guerre. J'ai souffert de vivre dans ce coin reculé avec des gens lourds et sans esprit. J'ai connu des amours bucoliques, mais l'esprit et l'âme sont restés sur leur faim. Pour la première fois et à l'heure même où se joue ma destinée politique je vois paraître devant moi l'incarnation vivante de la féminité dans tout son raffinement. N'est-ce pas un signe du destin, madame? Seriez-vous capable d'y rester indifférente?

Cette déclaration, car c'était bel et bien une déclaration, laissa Julie consternée. L'audace était venue au jeune homme au fur et à mesure qu'il se grisait de ses propres paroles. Il l'attira à lui, avec cette vigueur qu'il avait déjà manifestée précédemment.

Subitement Julie, serrée contre le bord de la table, eut conscience que, abandonnant toute prudence, le futur potentat du Liechtenstein n'était plus armé que de sa seule éloquence. Le pistolet dont il ne s'était jusqu'alors dessaisi à aucun moment reposait sur la nappe et il aurait suffi que Julie eût une main libre pour se trouver en mesure de l'attraper. C'était un calibre 44 à percussion centrale, arme redoutable que Julie connaissait bien pour s'en être servie lors de son périple américain. Elle se sentait de taille à retourner une situation en apparence délicate, car Wetzel, prêt à risquer sa vie pour sa révolution, ne devait pas faire grand cas de la vie des autres. Il en avait, d'ailleurs, administré la preuve un peu plus tôt.

Julie faisait semblant de se retenir à la table de sa main libre, mais en fait elle cherchait à atteindre le pistolet d'ordonnance. Et elle le trouva derrière elle, au bord de la table. Elle put le saisir à l'insu du galant révolutionnaire. Celui-ci, tout à sa passion, ne s'était rendu compte de rien. Soudainement, et peut-être pour cacher le rouge de la confusion qui colorait ses traits, il avait enfoui son visage brûlant dans le cou de Julie qu'il embrassait avec fougue, puis il se recula comme si sa propre audace le terrorisait.

— Demandez-moi n'importe quoi et je vous l'accorderai de grand cœur. Exprimez un désir et je l'exaucerai. Mais je vous supplie de me donner une heure de votre vie, ici, dans ce cadre indigne de vous, je le sais bien...

Il la mangeait des yeux, ses intentions étaient on ne peut plus claires. Il était charmant, vaguement

162

ingénu, car ses gestes maladroits révélaient une inexpérience touchante. Du bout des doigts, émerveillé, il frôlait la longue chevelure défaite de la jeune femme.

— Vous serrer nue dans mes bras, vous couvrir de baisers, vous caresser jusqu'à plus soif...

La longue liste des plaisirs à venir fit courir à Julie un petit frisson d'effroi le long de l'échine. D'autant plus que le bouillant révolutionnaire essayait de l'entraîner vers le fond sombre de la salle, là où se trouvait le grand lit à baldaquin.

« Il faut agir, et vite », pensa Julie qui dissimulait de son mieux le calibre 44 dans les plis de sa robe.

Elle n'avait, et pour cause, aucun plan préconçu. Elle disposait d'une arme, savait s'en servir, mais elle ignorait où se trouvaient Raoul et Nestor d'Aran. Il était plus que probable que les hommes de Melchior Wetzel occupaient les divers corps de bâtiment de la ferme, sans parler de ceux qui bivouaquaient dans la cour.

« Mon entreprise est peut-être désespérée, songea-t-elle, mais la situation dans laquelle je me trouve l'est davantage encore. Le jeune homme qui m'entraîne vers sa couche n'a plus rien à perdre, alors que moi... »

Retrouvant d'instinct les gestes appris au contact des hommes qu'elle avait connus dans l'Ouest américain, elle enfonça le canon du pistolet dans les côtes du sous-lieutenant qui s'immobilisa aussitôt.

— Vous m'y forcez, monsieur, dit Julie, très vite. Je connais cette arme et je sais m'en servir, alors que je ne connais pas grand-chose à la confection des soupes aux légumes. Comme vous, je suis pressée : j'ai hâte de retrouver mon mari que je n'ai pas fait évader de Sainte-Pélagie pour passer la nuit de nos retrouvailles avec un inconnu dans un lit inconnu. Je suis parfaitement capable d'appuyer sur la détente, sachant que vous êtes parfaitement capable de me prendre de force. Si vos hommes savaient que je vous tiens à ma merci, vous perdriez une bonne part de votre prestige et la révolution du Liechtenstein en subirait les conséquences...

— Vous me tueriez, madame?

— Sans l'ombre d'une hésitation.

C'était faux, mais Julie avait su donner l'accent de l'absolue sincérité à cette phrase.

— Le temps presse, vous l'avez dit vous-même, monsieur Wetzel. Vous allez exiger qu'on vous ramène les prisonniers sur-le-champ. Où sont-ils?

— Dans une grange sous bonne garde.

— Très bien. Nous irons ensemble jusqu'à la porte que vous entrouvrirez... Je vous préviens qu'ayant fait cet été un séjour en Prusse j'y ai appris suffisamment d'allemand pour comprendre le sens de l'ordre que vous allez donner. Si celui-ci est contraire à notre convention, je vous tire une balle dans le dos! Avancez jusqu'à la porte...

Julie était tout à fait calme.

« Je me retrouve, songea-t-elle, alors que le Robespierre du Liechtenstein, pris au piège de son tempérament amoureux, s'exécutait, sentant contre ses côtes le canon du 44 que Julie continuait d'appuyer avec une énergie farouche au flanc du jeune homme. Celui-ci entrouvrit la porte.

« C'est l'heure de vérité, pensa Julie. Il peut penser à juste titre que je n'oserai pas tirer, sachant que je risque à l'instant même de tomber sous les balles de ses amis! »

— *Die Gefangenen! Sofort!* (1) hurla Wetzel.

Il referma la porte. Elle le força à revenir jusqu'à la table et à reprendre la place qu'il occupait précédemment. Elle tâta les poches de sa redingote, se rappelant subitement qu'il y avait glissé le petit browning appartenant à Nestor. L'arme s'y trouvait toujours

(1) Les prisonniers! Immédiatement!

et Julie la récupéra. Elle s'installa en face de lui, à la place qu'elle occupait lors du repas. Puis elle arma le browning.

— Si vous tentez quoi que ce soit, nous mourrons ensemble! déclara-t-elle froidement. Je braquerai sur vous mes deux pistolets sous la nappe. A l'entrée de ceux qui escorteront mon mari et M. d'Aran, vous ne bougerez point, mais vous congédierez aussitôt vos hommes.

— Ils ne comprendront pas!

Elle voulut répondre, mais déjà la porte menant à la cour s'ouvrait à nouveau : Raoul et Nestor, poussés par une sentinelle, pénétrèrent dans la salle. Comme précédemment, un soldat armé prit position à la porte.

Il cria quelque chose à la sentinelle, un mot que Julie ne comprit pas.

« Mon Dieu! se dit-elle, est-ce qu'il va vraiment m'obliger à tirer? »

Mais, à son grand soulagement, le soldat ressortit. Aussitôt Julie posa ses armes sur la table, alors que Raoul courait vers elle, suivi de Nestor d'Aran.

— Tu n'as rien, mon amour?

— Mais non, chéri. Ce qu'il faut à présent, c'est...

— Regagner *Le Sentimental!* s'écria Nestor. Il serait impensable, mon cher Raoul, que ta femme, livrée à elle-même, s'étant comportée comme un homme, nous ne réussissions pas à nous tirer de ce guêpier par la voie des airs. (Et tourné vers Melchior, il ajouta :) Avec l'aide de ce jeune homme, bien sûr!

— Non. Il n'en est pas question.

C'était Julie qui, le plus tranquillement du monde, venait de prononcer ces mots. En quelques secondes, elle avait fait le tour du problème. Celui-ci, à ses yeux, était fort clair.

— Je sais le prix que vous attachez à votre ballon, monsieur d'Aran, mais je sais aussi combien précieuse à vos yeux est la liberté de votre ami Raoul de Saint-Cerre. Nous nous trouvons à quelques kilomètres de la frontière suisse...

— Moins que cela, murmura Melchior Wetzel.

Très pâle, il venait d'être le témoin impuissant d'événements qui s'étaient déroulés à une rapidité telle qu'il semblait n'avoir trouvé ni le moyen ni l'occasion d'intervenir d'une façon ou d'une autre. Mais d'après l'étrange façon dont il la contemplait, Julie se demandait jusqu'à quel point il n'avait pas été vaincu par l'amour.

— Je suis désolée, monsieur, dit-elle très vite à l'adresse de Melchior Wetzel, mais je dois exiger trois de vos chevaux. Je vous donne ma parole que je les laisserai au village suisse le plus proche, à condition, bien entendu, d'y trouver un moyen de communication qui nous autorisera à gagner une ville plus importante.

— Des chevaux? s'exclama Nestor, des chevaux? Et *Le Sentimental?* Que devient-il dans tout cela?

Raoul ne perdait pas de vue le sous-lieutenant en rupture d'armée qui devait lui rappeler cet autre officier juvénile, Hugo von Wolfenstein. Les époux se regardèrent l'espace d'une fraction de seconde et sans doute leurs pensées suivaient-elles un chemin analogue...

— Suivez-moi, dit simplement Melchior Wetzel.

— Vous... vous me demandez d'abandonner à... à ce blanc-bec mon ballon captif et tout ce qu'il contient?

— Monsieur d'Aran, dit Julie en martelant ses mots, vous êtes libre d'agir comme bon vous semble. Votre ballon, sur votre demande, est sous bonne garde : quatre hommes armés! Si vous vous sentez capable de le reprendre et de vous envoler avec, parfait!

— Julie! s'écria Raoul, comment peux-tu être aussi dure avec notre ami? Il s'est conduit de façon admirable, il a pris tous les risques en nous enlevant dans les airs au nez et à la barbe de l'Empereur et de ses policiers. Il tient au *Sentimental* et cela se comprend. Nous devons rester à ses côtés jusqu'au bout.

— Non! dit Julie en braquant le calibre 44 en direction de Melchior Wetzel sur les lèvres duquel se dessinait un pâle sourire. Le moment est mal choisi pour que je t'expose les raisons qui me font agir, mais je te supplie de croire que tout ce que je fais, je le fais par amour pour toi.

Nestor d'Aran, l'air fort embarrassé, se mordillait les lèvres.

« En ce moment, pensa Julie, il doit regretter ce qui s'est passé entre nous... »

— Ta femme a raison, dit-il à Raoul. La Suisse est à deux pas et ce bouillant révolutionnaire d'opéra-comique n'a aucune raison de nous refuser des chevaux, ne serait-ce que parce qu'il t'admire sincèrement et qu'il entrevoit la possibilité de réquisitionner *Le Sentimental* qui vaut une fortune.

Il donna l'accolade à Raoul et tendit la main à Julie qui la saisit après une légère hésitation.

— Vous comprendrez tous les deux qu'il m'est impossible de me séparer de mon cher ballon. Je... j'y tiens terriblement. Autant que tu tiens, toi, au *Lucide* que tu vas pouvoir faire reparaître hors de France.

Il avait l'air malheureux. Et il ajouta à l'adresse de Wetzel :

— Inutile de crier victoire, jeune homme : quoi que vous fassiez, je préfère mourir plutôt que de bombarder du haut du ciel votre prince Johann. A bon entendeur...

Melchior haussa les épaules, fataliste.

— J'avais bien compris, murmura-t-il. Mais je ne désespère pas de vous gagner à la cause de la république du Liechtenstein.

— Menez-nous jusqu'aux cheveux, ordonna Raoul.

Les deux amis se tenaient derrière Melchior Wetzel. Celui-ci haussa les épaules, un peu agacé.

— Si je le voulais, messieurs, aucun de vous ne quitterait vivant ces lieux.

Il tourna la tête vers Nestor d'Aran.

— Votre décision est irrévocable, monsieur? Vous restez avec nous?

— Je reste avec *Le Sentimental*.

Cinq minutes plus tard, ayant traversé la cour obscure où les hommes reposaient, enveloppés dans des couvertures, à la vague lueur des braises de leurs feux de camp, Melchior se présenta devant les sentinelles qui gardaient les écuries, l'air peu commode. Peu de temps après, Julie et Raoul chevauchaient côte à côte sur une petite route qui serpentait à travers champs. En se retournant, Julie pouvait apercevoir au-dessus d'un bosquet d'arbres *Le Sentimental* qui se balançait doucement au gré d'un petit vent d'est qui balayait les nuages venant du Rhin. D'après les indications de Melchior Wetzel, la simple barrière douanière qui séparait le Liechtenstein de la Suisse se trouvait à moins d'une demi-heure.

Raoul manœuvra de façon que son hongre vînt se frotter contre le flanc du bai mecklembourgeois que montait Julie.

— Chérie, lui dit-il, je crois bien qu'au terme de cette journée mémorable je suis l'un des hommes les plus heureux qui puissent se trouver actuellement sur la terre.

Cavalière experte, Julie se souleva dans ses étriers, abandonna les rênes et passa ses deux bras autour du cou de son mari.

— Remercions l'empereur des Français qui a eu la bonne idée de te faire enfermer à Sainte-Pélagie, car c'est grâce à lui que nous avons retrouvé notre amour.

« O » COMME ORNELLA

Certes, Julie et son époux reconnaissaient que l'aéro-station était sans aucun doute promue à un grand avenir. Ils furent néanmoins heureux de se retrouver sur les banquettes en peluche d'un express qui les conduisit jusqu'à Bâle et de là, respectueux de l'horaire, à Bruxelles où ils descendirent dans un hôtel de la Grand-Place, que l'on avait recommandé à Raoul.

En peu de jours, l'extraordinaire tension nerveuse, qui leur avait permis à tous les deux de faire face aux événements de ces dernières semaines, céda la place à une sorte d'allégresse juvénile, un bonheur de vivre et d'exister. Le couple désuni à nouveau réuni s'aima avec la fureur de ceux qui avaient appris à faire la part du bonheur qu'il fallait saisir à tout prix lorsqu'il était à portée de main. Il y avait encore des zones d'ombre et de doute dans cette vie commune qu'ils reprenaient en exil. Le passé pesait encore de tout son poids sur leurs existences. Et sans doute, ils en avaient conscience, leurs caractères se heurteraient encore dans l'avenir. Mais Raoul avait retrouvé une vertu essentielle : son sens de l'humour. Et Julie avait acquis une qualité qui lui avait fait défaut bien souvent : le sens de la diplomatie. Connaître l'homme avec lequel on vivait, l'accepter tel qu'il était. Ou le rejeter. Elle l'avait fait, et depuis elle avait mal vécu. Le terrible été de l'année 1866...

L'automne s'annonçait et Bruxelles se drapait de brouillard au matin, ce qui faisait que Julie, frissonnante, à demi réveillée, allait se blottir contre son mari et cela finissait généralement par un enchevêtrement de draps et de couvertures rejetés au fur et à mesure que le réveil de Raoul se métamorphosait en *furia francese*. Encore abasourdie et meurtrie par ces joutes matinales, Julie offrait à la Flamande replette

169

qui leur apportait le petit déjeuner une mine défaite que la gaillarde interprétait comme il le fallait, se retirant prise par un fou rire intempestif.

Ils se jetaient aussitôt sur les journaux, espérant y trouver, en gros titre, le récit de leur évasion rocambolesque, au nez et à la barbiche de Napoléon III. Mais aucun quotidien ne mentionnait ce fait d'armes. Raoul comprit au bout de quelques jours que l'Empereur avait réussi à étouffer une affaire qui aurait fait rire à ses dépens l'Europe entière.

— Parfait ! s'écria-t-il, marchant à grands pas dans la chambre, en arborant une chemise enfilée à la hâte pour ne point choquer la chambrière de l'hôtel qui en avait vu d'autres. Parfait ! Hormis Badinguet et ton cher papa, personne ne m'a reconnu lorsque *Le Sentimental* a pris son envol. Il y avait aux Invalides autant de police que de peuple, comme d'habitude lorsque l'Empereur se déplace. Puisqu'il en est ainsi, le premier numéro du *Lucide*, lorsqu'il reparaîtra, sera consacré aux circonstances de l'évasion de son rédacteur en chef !

Julie était persuadée que son ministre de père avait été l'instrument le plus actif de cet habile escamotage. Mais elle se garda bien d'en parler.

— Qu'attendons-nous pour le faire paraître, ce premier numéro ? questionna-t-elle, serrant contre sa poitrine le drap de lit qui lui servait de « négligé ».

— Les capitaux, mon amour. Faire un journal, ça coûte des sous. Dès cet après-midi, je prendrai contact avec d'éventuels commanditaires.

Julie allongea le bras, attrapa le sac à main qui contenait l'argent qu'elle avait pu emporter avec elle et qui devait leur permettre, sans faire d'écarts, de subsister quelque temps à l'étranger. Elle en tira un objet enveloppé dans un mouchoir en linon savamment brodé : un diadème en or massif où brillait une constellation de diamants taillés par un grand artiste.

— Il me semble, mon amour, que tu as déjà pris

un contact très étroit avec ta future commanditaire.

— Julie... D'où vient ce bijou?

— De ma mère. C'est celui-là même qu'elle portait sur son portrait peint par Auguste Voumard... Elle me l'a donné il y a un an, à Palerme, au terme de... d'une rencontre sans doute unique et que je n'oublierai jamais. Tout ce qui m'appartient t'appartient. Prends-le, je t'en prie.

— Jamais!

Il examinait le mouchoir dont la broderie dessinait un « O ».

— Ornella, murmura-t-il. Ornella Massamo Villabianca.

Il enveloppa le bijou avec beaucoup de soin et le rendit à sa femme.

— Je trouverai des commanditaires, chérie, et tu garderas ceci pour nos enfants en leur racontant ce que tu voudras sur l'étrange famille de leur mère.

— Tu veux bien que je te fasse des enfants, murmura Julie, mais tu refuses que je te fasse un journal.

— Exactement.

Il la prit dans ses bras et l'embrassa tendrement alors que le café refroidissait.

— Et dire que, pendant ce temps-là, mon ami Nestor qui a été de bout en bout admirable dans cette affaire, est en train de se morfondre au Liechtenstein, près de son cher ballon, captif comme lui!

Julie ne dit rien. Pas un mot. Pas plus qu'ils n'avaient parlé de l'évasion de Raoul, les journaux ne mentionnaient un coup d'Etat au Liechtenstein, ni un bombardement par la voie des airs du château princier.

— Je le crois de taille à se tirer de cette situation, supputa Raoul.

— Moi aussi, dit laconiquement la jeune femme.

Lorsqu'ils descendirent dans le hall de l'hôtel, le portier leur tendit un carton les invitant à visiter une galerie de tableaux à l'enseigne du *Petit Gavroche*.

— Voilà mon contact, glissa Raoul à l'oreille de

sa femme qui n'y comprit goutte. Des amis sûrs ont prévenu Mme Sévert de notre arrivée à Bruxelles. Elle est française et proscrite et elle reçoit beaucoup de monde dans sa boutique... Certains de nos camarades qui n'avaient pas de passeport en règle ont été cachés par elle. J'ai appris tout cela à Sainte-Pélagie...

La marchande de tableaux était installée Grand-Place, à proximité de l'hôtel. Lorsqu'ils pénétrèrent dans le magasin, Raoul n'eut même pas le temps d'ouvrir la bouche.

— Par ici, fit Mme Sévert, les précédant dans l'arrière-boutique essentiellement décorée d'un portrait grandeur nature de Victor Hugo.

— Il a logé dans la maison d'à côté il y a treize ans, expliqua-t-elle avec un regard extatique en direction du portrait. Depuis que le grand homme vit ici à Bruxelles, proscrit comme nous, je le vois assez régulièrement. Cela illumine ma vie, monsieur de Saint-Cerre. Je l'ai aidé à trouver des meubles anciens pour sa maison de la place des Barricades. Et chaque fois que je déniche un tableau intéressant, je le lui montre d'abord, car, comme vous le savez sans doute, il aime tout ce qui est bizarre, insolite et moyenâgeux ! Mais je bavarde, je bavarde, alors que vous devez le connaître aussi bien, sinon mieux que moi, notre grand poète national!

— Je ne l'ai malheureusement jamais rencontré, murmura Raoul.

Mme Sévert dévisagea Raoul et Julie, l'air apitoyé. « Visiblement, se dit Julie, elle vit dans le culte de Victor Hugo et je la comprends... »

Julie avait dévoré *Les Misérables*, volume par volume, dès leur parution, quatre ans plus tôt, en cachette, alors qu'elle était encore en pension. L'année dernière elle avait emporté dans ses pérégrinations *Les chansons des rues et des bois* que l'on venait de publier.

Mme Sévert s'offrit à trouver au jeune couple un

172

logement leur permettant de mener à Bruxelles une vie familiale.

— Nous espérons tout de même ne pas être exilés définitivement, remarqua Julie. Et pour quelques mois, nous serons aussi bien à l'hôtel.

Le regard que lui lança la marchande de tableaux la mit mal à l'aise. Il exprimait de la compassion et lui recommandait sans doute de ne point trop compter sur un retour rapide en France. Julie s'en expliqua un plus tard avec son époux.

— Tout dépend de l'issue de mon procès, murmura Raoul. Je récolterai une forte amende et, sans doute, une peine de prison symbolique, ce qui ne m'empêchera pas de publier *Le Lucide* à Paris. Ce n'est que la privation des droits civils et politiques qui pourrait me forcer à un exil prolongé auquel cas, mon amour, il faudrait bien nous résoudre à une installation définitive ici ou ailleurs.

Là encore, Julie préféra ne rien dire; mais, dans son for intérieur, elle était persuadée que David-Axel trouverait une issue. Ce qu'espérait Julie, sans oser y croire tout à fait, c'était une mesure de clémence de l'Empereur.

Le soir du même jour, on leur remit un message signé « Charles Hugo » le fils aîné du poète, qui appelait Raoul son « cher confrère » et le conviait, ainsi que son épouse, à dîner chez les Hugo. On y reçut Raoul de Saint-Cerre et Julie comme s'ils étaient des familiers de la maison et la jeune femme se rendit compte que les exploits journalistiques de son époux et ses prises de position rageuses avaient suscité autant de sympathie que de haine à leur égard.

Tête léonine avec un front impressionnant et une longue chevelure romantique flottant sur le col de sa chemise style « Lord Byron », tel se présenta Victor Hugo que Julie trouva fort impressionnant et qui la détailla des pieds à la tête d'un regard que la jeune femme trouva davantage égrillard que poétique.

— Mon cher, dit-il à Raoul, non content d'avoir des opinions plus qu'estimables, vous avez une femme plus que désirable.

Il tint absolument à leur faire les honneurs de sa maison, s'attardant dans une chambre à coucher qu'il disait tenir de l'empereur du Brésil. Le lit à colonnes, de style flamboyant couronné de la fleur de lys des Alcantara, plut beaucoup à Julie.

— Nous y avons couché ensemble, l'Empereur et moi, dans ce lit, glissa le poète à l'oreille de Julie, mais j'eusse mille fois préféré y dormir avec vous.

Julie fit semblant de n'avoir pas entendu et se réjouit que Raoul, près de la fenêtre, fût engagé dans une conversation fort sérieuse avec Mme Hugo.

— Si vous voulez accepter notre hospitalité, mon cher ami, dit Victor Hugo, s'adressant au journaliste, je vous donnerai cette chambre...

Julie trembla à l'idée que Raoul pourrait se rendre à cette flatteuse invitation. Elle savait que le poète, héros national, presque déjà monument historique alors qu'il était encore très vert, avait une solide réputation de Don Juan. Ses aventures, innombrables, alimentaient les conversations de tous les salons parisiens.

« Il a du génie, se dit Julie, mais il fait nettement plus vieux que mon père! »

Heureusement, Raoul déclina l'offre du grand homme et ils furent heureux, l'un et l'autre, de se retrouver dans leur chambre d'hôtel, banale certes, mais où ils pouvaient s'aimer à leur guise, sans obligations ni entraves.

Raoul prit ses fameux « contacts », rencontra des financiers, mais il n'arrivait pas à faire renaître de ses cendres *Le Lucide*. Jusqu'au jour où, une nouvelle fois, la carte gravée aux armes du *Petit Gavroche* le convia, ainsi que Julie, à venir admirer les dernières acquisitions de Mme Sévert.

En fait, celle-ci les guida aussitôt jusqu'à son arrière-boutique où se tenait, abîmé dans la contemplation du portrait de Victor Hugo, un jeune homme des plus élégants qui se retourna à leur entrée : Patrice Kergoat!

— On ne se méfie jamais assez des espions de l'Empereur dont Bruxelles fourmille. C'est ce qui vous explique pourquoi je me suis servi du *Petit Gavroche* pour vous rencontrer en toute quiétude, mon cher Raoul.

Le « cher Raoul » le dévisagea alors que Patrice baisait la main de Julie qui était restée pour lui « Julie Crèvecœur ». Raoul le savait bien; et c'est cela qui le faisait enrager.

Ma femme vous envoie mille pensées affectueuses; elle se réjouit de l'issue heureuse de votre évasion, mon cher Raoul.

— Elle a été la pierre de touche de l'entreprise, murmura Julie. Sans elle, mon mari serait sans doute toujours à Sainte-Pélagie à faire des projets d'évasion!

— Une fois encore, Blanche a payé de sa personne, rétorqua Patrice avec le plus grand sérieux. Vous m'objecterez que, de par son passé de demi-mondaine notoire, elle était coutumière du fait, mais depuis qu'elle était devenue Mme Kergoat, elle avait pris l'habitude de la vertu. Or, il n'y a pas plus intransigeante sur le plan moral qu'une cocotte repentie. C'est pour vous dire qu'il a dû lui en coûter de redevenir pour une heure ce qu'elle avait été durant tant d'années... et tout cela pour la cause républicaine.

Il apparut très vite que si Patrice avait entrepris le voyage de Bruxelles, c'était en plein accord avec son associé. Julie ne se fiait point au ton léger, trop léger, qu'adoptait Patrice. Et elle savait que Raoul, sur ses gardes, n'était pas dupe.

Julie se trouvait entre ces deux jeunes hommes qui l'aimaient et qui s'étaient trouvés l'un et l'autre à ses côtés dans les moments les plus difficiles de son existence. La vieille rivalité durait toujours, quoique, entre-temps, Julie fût devenue Mme de Saint-Cerre.

— Ne tournons pas autour du pot, dit Raoul. Qu'est-ce qui vous amène à Bruxelles?

— *Le Lucide*, bien entendu.

— Bien entendu, dit Raoul en écho.

Le regard de Julie allait de l'un à l'autre comme dans une partie de jeu de paume.

— Vous n'avez pas été très heureux en apprenant que j'étais l'associé de Collard, donc l'un de vos bailleurs de fonds...

— C'est exact, concéda le journaliste.

— Nous voudrions, Collard et moi, que *Le Lucide* reparaisse au plus vite, ici à Bruxelles ou ailleurs, cela ne dépend que de vous. Je pense que malgré vos... vos réticences à mon égard, vous pouvez difficilement refuser l'offre de Collard. Après tout, il a pris tous les risques en vous finançant à Paris. De mon côté, et afin de vous prouver l'intérêt que je porte à... à votre journal, j'ai fait l'impossible pour que votre évasion de Sainte-Pélagie réussisse. Elle a réussi. Il s'agit d'affaires, mon cher Raoul. Mais capitaux sont aussi ceux de ma femme qui ne comprendrait pas que vous refusiez l'apport de... du groupe que nous formons avec Collard. Que décidez-vous?

Raoul, qui avait évité de regarder Julie, se tourna vers elle à présent. Les arguments de Patrice avaient du poids. Tous deux en avaient conscience. Ils n'avaient pas besoin d'échanger la moindre parole pour connaître leurs pensées respectives. Si l'attitude de Kergoat manquait d'élégance, elle justifiait sa réussite dans le monde le la finance.

— Vous me forcez la main, dit enfin Raoul. Si j'ai bien compris, vous ne faites jamais rien pour rien et tout se paie dans la vie?

Julie était bien placée pour savoir que Patrice était capable de dévouement désintéressé et qu'il avait, au fond, une nature généreuse. Mais il l'aimait toujours, elle le savait, et elle le soupçonnait de s'être lié avec Collard dans le seul but de rentrer dans la vie de Julie Crèvecœur. Et comme il était devenu financier, et pas le moindre, il s'était servi de son argent (et de sa femme) pour ce retour spectaculaire.

— Je ne vous force pas la main, murmura-t-il. Libre à vous de décliner notre offre.

Dans un mouvement inattendu, Raoul lui tendit la main.

— Je l'accepte.

Lorsque les époux se retrouvèrent seuls dans leur chambre d'hôtel, Julie évita de faire la moindre allusion à ce qui venait de se passer. Elle était devenue d'une extrême prudence. Ce fut lui qui revint le premier à ce qui préoccupait leur esprit.

— Mon amour, dit-il, je ne sais si tu as remarqué, comme moi, à quel point, que je le veuille ou non, tout me ramène toujours à toi...

Elle leva vers lui un regard interrogateur.

— ... Mais oui, poursuivit Raoul. Réfléchis : j'ai lancé *Le Lucide* alors que nous vivions séparés. J'avais trouvé un banquier, Collard, ignorant que celui-ci était soutenu par Kergoat qui tient sa fortune de sa femme, qui la tient en réalité de toi, de Julie Crèvecœur, puisque ton tuteur, qui fut l'amant de l'actuelle Mme Kergoat, te dépouilla de tes biens au bénéfice de cette dernière. C'est donc toi, indirectement, qui finanças mon journal. Et si, tout à l'heure, j'avais noblement refusé les offres de Patrice, tu aurais porté au plus grand diamantaire de Bruxelles ton précieux diadème afin de me venir en aide.

Julie voulut répondre, mais il l'en empêcha, l'ayant prise dans ses bras, lui fermant la bouche par un baiser.

Kergoat retourna le soir même à Paris, laissant à un homme de paille belge le soin de régler avec Raoul les détails de la fabrication, du lancement et de la propagation à travers l'Europe du *Nouveau Lucide* dont le premier numéro « en exil » fut mis au point et imprimé en quelques semaines.

Raoul restait des journées entières enfermé dans les bureaux mis à sa disposition dans le centre de Bruxelles où il rédigeait à lui tout seul, ou presque, le contenu de son fascicule. Julie s'occupait comme elle pouvait. Elle lisait, s'évadait aussi souvent que possible de leur chambre, essayant de tuer le temps en attendant le retour de son mari, se rendant compte qu'elle avait besoin, elle aussi, de mener une vie active, se demandant comment une femme pouvait bien se réaliser dans le monde où elle vivait et qui donnait la part belle aux hommes, rien qu'aux hommes!

Mais les heures passées avec Raoul, leurs dîners d'amoureux, autant de fêtes intimes qui rachetaient l'ennui de certains jours. Il commençait à faire très frais dans la journée, les arbres se dénudaient au bois de la Cambre où ils allaient se promener parfois le dimanche, en calèche, avec les Hugo qui les avaient pris en affection.

Tout Bruxelles reconnaissait le poète et le saluait. Et l'on admirait la beauté de Julie. Puis, certain matin, Julie trouva une lettre postée à Auteuil et elle reconnut l'écriture maladroite et appliquée d'Antoinette qui n'avait appris à écrire que sur le tard, poussée par « Mlle Julie » dont elle était alors la femme de chambre dévouée...

Ma pauvre chère, combien vous nous manqué (sic) *et tout le monde ici on est heureux de vous savoir heureuse avec votre très cher, mais tout de même c'est pas juste. Mais tout va mal. Il y a le toit de la maison qui fuit très sérieusement et ça abîme votre chambre et aussi plus bas. Il faut faire les travaux sans attendre. C'est votre seul bien après tout. J'en ai causé avec Son Excellence qui est venue une fois. Cet homme, il vieillit quand vous êtes loin. Alors revenez vite. Nous avons tous bien besoin de vous...*

Cela se poursuivait sur plusieurs pages et Julie fut contente d'être seule ce matin-là, car elle se mit à pleurer et elle s'en voulut. Elle se rendit compte à quel point Paris lui manquait, comme elle aurait été heureuse de revivre avec Raoul dans la grande maison d'Auteuil qui recelait tant de souvenirs, tragiques ou attendrissants, mais qui l'avait vue grandir. Elle ne dit rien de cette lettre à son mari jusqu'au jour où celui-ci lui demanda si elle avait des nouvelles de Paris. Alors elle la lui montra.

Le lendemain, on déposa au nom de « Mme de Saint-Cerre » un message en provenance de l'ambassade de France où elle fut priée fort courtoisement de bien vouloir se présenter au jour et à l'heure qui lui conviendraient. Raoul plissa le front, perplexe, puis il prit la décision d'y accompagner sa femme.

— Mais ils vont te retenir là-bas, s'écria Julie. Tu t'es évadé de prison et l'ambassade de France, c'est un morceau de France en Belgique. On va t'arrêter sur-le-champ et te ramener à Paris sous bonne garde.

— Ne dis pas de sottises, mon amour.

Se présentant au cabinet de l'ambassadeur, ils furent reçus presque instantanément par un haut fonctionnaire, fringant, qui dévisagea avec une visible curiosité le journaliste en exil avant de s'attarder, charmé, sur la personne ô combien attrayante de son épouse.

— Son Excellence étant absente de Bruxelles, je suis chargé, en son nom, de vous transmettre un message personnel en provenance de Paris, émanant du cabinet de Son Excellence le ministre de l'Intérieur qui vous informe, madame, que vous êtes libre de vous rendre à Paris quand et comme il vous plaira, pour peu que vous en exprimiez le désir. Je suppose que votre passeport est en règle?

Les époux échangèrent un regard que le diplomate interpréta fort subtilement.

— Le vrai, bien entendu, précisa-t-il. Nous sommes censés ignorer qu'il en existe de faux.

Ils se regardèrent tous les trois et ils éclatèrent de rire en même temps. Julie tendit son passeport qu'il examina brièvement avant de le lui rendre. Puis il se leva, baisa la main de Julie et serra celle de Raoul à la grande surprise de celui-ci.

Ils quittèrent l'ambassade, poursuivis par les courbettes des huissiers.

— La courtoisie un peu ironique de ce fonctionnaire me fait douter de l'importance qu'on attache à Paris aux écrits des journalistes ennemis du régime, dit Raoul, pensivement, en traversant la chaussée.

— Cet homme est peut-être un... un sympathisant, hasarda Julie.

Raoul s'arrêta, frappé par ces paroles.

— Tu as sans doute raison, mon amour. Et lorsque tu seras à Paris, j'en profiterai pour l'inviter à dîner.

— Lorsque je serai?...

Il passa le bras de sa femme sous le sien.

— Je crois qu'on a besoin de toi là-bas... Le message très diplomatique de ton papa ne laisse planer aucun doute à ce sujet!

— Et à Bruxelles, on n'a pas besoin de moi?

Se moquant de la réprobation muette des passants, Raoul enlaça sa femme, la serra contre lui.

— J'ai besoin de toi, Julie, à chaque instant de ma vie. Quand je fais mon journal, je m'arrête parfois, je pense à toi et je suis pris d'une envie irrésistible de tout laisser en plan et de venir te retrouver; quand nous dînons chez des gens, je suis jaloux de tous les regards qui se posent sur toi; je suis heureux comme jamais je ne l'ai été. Et pourtant je te mettrai demain dans l'express de Paris.

— Pourquoi, chéri?

— Parce que tu te fais du mauvais sang pour ta maison qui prend l'eau et pour ton papa qui prend de la bouteille.

Elle se blottit contre lui.

— Tu m'envoies un mot pour me dire que je te manque trop et le jour même je reprendrai le chemin de fer pour Bruxelles. Mais, avec un peu de chance, tu pourras peut-être revenir à Paris plus tôt que tu ne penses.

Rentrés à l'hôtel, ils s'aimèrent avec une ardeur telle que Julie en éprouva un sentiment tout à fait bizarre, inexplicable, bouleversant. Quelques semaines plus tard, elle se souvint de cette nuit-là, de préférence à toutes les autres...

— La poutre maîtresse, madame! Pourrie... Et regardez ces soliveaux... D'époque, ouais... Pourris, madame, pourris comme le reste! Et les herses de croupe... Jusqu'aux jambes de force qui demanderaient à être renforcées, si vous voulez mon avis... Je n'ai pas vérifié tous les contre-boutants, mais ça ne m'étonnerait pas qu'ils nous réservent des surprises...

Le vieux charpentier faisait grincer sous ses semelles le plancher du grenier. Julie tremblait à la pensée que celui-ci pût ne point résister au poids respectable de l'artisan. Mais le plancher tenait bon.

— Et ce sont des travaux importants?

— Plutôt, petite madame. J'en avais parlé à M. Gaspard de son vivant : « Monsieur, lui avais-je dit, quand il s'agit du toit, il vaut mieux prévoir qu'attendre. » Et vous ne savez pas ce qu'il m'a répondu, votre tuteur?

— Non, murmura Julie.

— Il m'a répondu : « Mon cher Bordenave, je n'ai jamais rien prévu, pas plus le retour de l'Empereur que ma réussite dans les affaires; si je commence à prévoir que le toit va me tomber sur la tête, ça va m'arriver pour de vrai. Alors, laissons les choses comme elles sont... »

Julie venait seulement d'arriver et elle avait trouvé à Auteuil la maison sens dessus dessous. Antoinette, folle de joie, se sachant plus où donner de la tête, prise entre les larmes et le rire, lui avait expliqué que l'orage violent qui s'était abattu sur Paris deux jours plus tôt avait provoqué des dégâts tels, tant dans la chambre de Julie que dans les pièces d'apparat du rez-de-chaussée, qu'elle avait pris sur elle de convoquer le charpentier.

— Ça va vous coûter les yeux de la tête, mademoiselle! gémissait Antoinette dans tous ses états. Mais Son Excellence le ministre a été formel : il faut faire ce qu'il y a à faire sans s'occuper de la dépense.

La maison bourdonnait. Félicien avait attelé à tout hasard et les chevaux piaffaient dans la cour, comme s'ils étaient impatients d'emmener Julie dans la berline que le cocher entretenait avec un soin maniaque. Elle n'en revenait pas de voir que rien n'empêchait la vie de suivre son cours habituel, que le toit des maisons pouvait s'abîmer, certes, mais que les gens, imperturbablement, poursuivaient leur bout de route.

Ainsi, elle avait vécu avec Raoul l'aventure la plus extravagante, la plus folle, la plus exaltante aussi, depuis l'instant où le prisonnier de Sainte-Pélagie avait surgi du souterrain de la rue Lacépède! Ainsi, en marge de la vie calme et réglée des bourgeois de Paris, il y avait des existences bouleversées, des idées nouvelles qui essayaient de se frayer un chemin au-dedans des consciences, tout un monde remuant, en opposition avec le clinquant et l'insouciance affichée d'une société préoccupée avant tout de son plaisir... Cette société qui, le plus adroitement du monde, étouffait les voix qui s'élevaient contre l'arbitraire, l'injustice, les menaces venant de l'extérieur.

— Chérie... Chérie, je suis heureux de te revoir! Si heureux, mon petit...

Depuis le moment où il avait assisté aux côtés de l'Empereur à l'envol du *Sentimental*, au Champ-de-Mars, le ministre Dupeyrret avait dû passer, lui aussi, des moments difficiles.

182

Julie s'était fait conduire directement au ministère de l'Intérieur, laissant sur place, à Auteuil, la cohorte des charpentiers et des maçons qui avaient envahi la maison. D'après Bordenave, même en commençant les travaux sur-le-champ, il y en avait pour plusieurs semaines.

Pendant le trajet menant d'Auteuil au faubourg Saint-Honoré, elle s'était demandé s'il ne valait pas mieux rentrer sur-le-champ à Bruxelles, mais elle avait conscience que si elle n'était pas présente pendant les travaux, ceux-ci traîneraient indéfiniment en longueur. Elle savait que les artisans, qui avaient souvent une âme d'artiste, travaillaient bien mieux lorsque celui ou celle qui les employait ne les abandonnait point à leur sort.

— Ta maison sera inhabitable pendant un certain temps, lui déclara David-Axel. Aussi, je t'ai retenu un appartement à l'hôtel Saint-James, en haut de la rue Saint-Honoré... Tu pourras te reposer le matin sans avoir dès 8 heures le bruit des marteaux au-dessus de ta tête. Et puis l'avantage de cet hôtel fort calme, c'est qu'il me permettra de t'inviter à déjeuner et de te voir dès que j'ai un moment de liberté... A moins que cette perspective ne t'effraie au lieu de te réjouir!

Pour toute réponse, Julie embrassa son père sur la joue et trouva qu'effectivement il paraissait fatigué, les traits tirés avec des poches sous les yeux.

— Père, murmura-t-elle, je me rends compte que nous avons dû, Raoul et moi-même, vous mettre dans une situation plus que délicate vis-à-vis de l'Empereur...

Il leva la main comme pour lui faire comprendre que l'endroit n'était guère propice à ce genre de conversation.

« A croire, se dit Julie, que l'on écoute aux portes du ministre de l'Intérieur! »

Il fallait admettre, cependant, que David-Axel se méfiait, quoiqu'ils se trouvaient seuls dans son vaste cabinet gardé par une escouade d'huissiers. Il insista pour que Julie prît possession au plus vite de la petite suite réservé à son intention au Saint-James. Lorsqu'elle argua sa présence indispensable à Auteuil pour y veiller sur les travaux, il lui rétorqua que rien ne l'empêchait de se faire mener chaque jour là-bas.

Un peu plus tard, alors que le ciel d'automne s'assombrissait déjà, Félicien guida son attelage sous le porche conduisant dans la cour intérieure du très *fashionable* hôtel Saint-James et Albany, qui fut jadis la demeure des Noailles.

Julie ressentit une fatigue qu'elle attribuait à l'émotion qu'elle avait éprouvée d'abord devant sa maison livrée aux intempéries, ensuite face à son père. Elle chargea Félicien d'un message à l'intention d'Antoinette et elle rédigea pour cette dernière une liste d'objets et de vêtements que le cocher devait amener au Saint-James dans la soirée. Puis elle s'allongea dans sa chambre. Celle-ci donnait sur une cour intérieure où se dressait un autre bâtiment du plus pur Louis XV avec ses consoles genre rocaille, ses balcons galbés, ses mascarons, coquilles et ferronneries multiples...

En s'endormant, Julie se dit que l'hôtel où l'avait installée son dandy de père était, dans le genre, au cœur de Paris, à deux pas des Tuileries, assez proche du ministère où David-Axel exerçait ses hautes fonctions, une retraite idéale, un lieu calme, discret, élégant. Elle aurait voulu que son mari fût près d'elle... Elle était lasse et se demandait pourquoi.

La solution imposée de la sorte par le ministre se révéla très agréable. Julie aurait voulu garder Antoinette auprès d'elle, ne serait-ce que pour tromper sa solitude, mais son ex-femme de chambre, devenue amie, confidente et gouvernante de sa maison, estima qu'il était de son devoir de rester à Auteuil avec le personnel et les ouvriers chargés des travaux.

Presque chaque jour Félicien conduisait sa maîtresse sur le chantier qu'était devenue la villa, puis la ramenait rue Saint-Honoré. Julie reprenait goût à la vie parisienne, après l'avoir fuie pendant des mois et des semaines. « La vie parisienne »... C'était justement le titre du dernier opéra-bouffe de MM. Offenbach, Halévy et Meilhac que l'on préparait dans la fièvre au théâtre du Palais-Royal situé à quelques centaines de mètres de l'hôtel Saint-James. Le directeur de cette salle, Plunkett, venait presque quotidiennement se désaltérer au *bar-room* de l'hôtel. De ce fait, le personnel colportait allégrement les ragots de coulisse, les caprices de M. Offenbach qui prétendait que les comédiens appartenant à la troupe ordinaire du Palais-Royal ne savaient pas chanter, l'engagement de Mlle Zulma Bouffar pour le rôle principal, personne n'ignorant les faiblesses qu'avait le maestro pour cette ravissante chanteuse qu'il avait ramenée dans ses bagages d'une cure à Ems!

La vie parisienne... Julie qui avait vécu une année 1866 dramatique, mêlée aux premières loges à la tragédie de Sadowa, était à la fois fascinée et scandalisée par l'insouciance folle de ce Tout-Paris qui bourdonnait à ses oreilles et qui lui ouvrait ses salons, ses théâtres, ses châteaux, parce qu'elle était jeune, belle et fille naturelle d'un des hommes les plus proches du souverain! Mais comment pouvait-elle oublier d'avoir vu l'impératrice Charlotte du Mexique supplier Napoléon III de sauver Maximilien, puis le maudire devant la Cour pétrifiée, à Saint-Cloud, en cet été orageux de l'an 1866? Etait-ce parce que Julie était la compagne d'un homme farouchement opposé au régime qu'elle voyait celui-ci se fissurer de toutes parts malgré les apparences?

La vie parisienne... Julie avait retenu toutes les leçons. L'ère industrielle édifiait des fortunes immenses, mais transformait en esclaves des milliers d'individus. L'injustice et l'aveuglement dans un monde en mutation. Mais de tous les points de l'univers des privilégiés venaient à Paris pour la mener enfin, cette vie de folie, d'insouciance, de gaieté, de luxe, de débauche et d'ivresse, la vie parisienne!

Chaque jour, Julie avait envie d'aller reprendre le train de Bruxelles. Et chaque jour, il y avait autre chose : un avis à donner pour les peintures à Auteuil, une facture à régler et surtout l'attente, fiévreuse, du procès de Raoul de Saint-Cerre. Le ministre s'était entretenu à plusieurs reprises avec son collègue de la Justice, il avait sondé l'Empereur sur un éventuel acte de clémence. Mais Paris était inondé d'un fascicule de couleur orange : *Le Nouveau Lucide*, imprimé en Belgique, et que l'on se passait sous le manteau en pouffant de rire. Raoul connaissait bien ses Parisiens; il était difficile de les émouvoir avec de la gravité et de l'émotion. Mais la dérision les émoustillait comme du champagne et tous, même les courtisans et autres bénéficiaires du régime impérial, se racontaient l'histoire, jusqu'alors étouffée, de cette évasion en ballon captif avec la bénédiction involontaire de l'Empereur.

— Julie! s'écriait David-Axel, brandissant la publication qu'il venait d'apporter au Saint-James, Julie, mon enfant, que veux-tu que je demande à l'Empereur qui a « ça » sur son bureau depuis ce matin? Ton Raoul sera condamné au maximum et, si tu veux vivre avec lui, il te faudra prendre le chemin de l'exil et définitivement cette fois. Il aurait pu, au moins, attendre l'issue de son procès pour lancer ses pétards!

Julie était au bord des larmes. Elle n'avait rien absorbé de la journée, éprouvant depuis quelques jours comme un dégoût pour la nourriture. David-Axel se passa la main dans les cheveux.

— Pardonne-moi, murmura-t-il. Peut-être que rien n'est perdu encore. A la veille de la grande exposition universelle projetée pour l'année prochaine, l'Empereur tient énormément à donner à la France son vrai visage, celui d'un pays libéral, tolérant, épris de progrès et de justice sociale. Il est parfaitement capable de répondre aux attaques de ses ennemis par un geste généreux qui lui attribuerait le beau rôle vis-à-vis de l'opinion publique. C'est du moins dans ce sens que j'essaie de l'influencer... Mais il y a Eugénie qui aime le pouvoir, n'aimant pas l'amour!

Julie découvrait une certaine ressemblance entre les idées de Raoul et celles de son père. Pourquoi alors étaient-ils dans des camps opposés?

— Tu parais fatiguée, Julie... Tu sais que c'est, ce soir, la première du Palais-Royal? D'après ce qu'on m'a dit un vent de panique souffle dans les coulisses du théâtre. On prévoit un four noir!

— Oui, je sais, père.

— Notre loge est voisine de celle des Metternich... Je pense que tu seras heureuse de revoir ton amie, la princesse Pauline?

C'était bien pour faire plaisir à David-Axel que Julie parut à cette soirée, soigneusement fardée, apparemment radieuse dans sa robe en taffetas rouge sans crinoline, plaquée sur les hanches avec une traîne de deux mètres qui exigeait des prodiges de grâce lorsqu'il fallait la relever au sortir des voitures. Et un courant de chaleur la parcourut en découvrant Pauline, aux côtés de son mari, Richard de Metternich, portant beau, affrontant courageusement la curiosité d'un public déçu de voir qu'apparemment la guerre-éclair perdue contre la Prusse n'avait diminué en rien le rôle important que jouaient aux Tuileries l'ambassadeur d'Autriche et sa brillante épouse; rôle mondain, certes, mais politique aussi. Les deux jeunes femmes s'embrassèrent. Pauline avait presque dix ans de plus que Julie, mais il y avait entre elles un lien très fort qui s'était tissé certain jour en forêt de Fontainebleau, au début de l'été de cette année, où Julie avait bel et bien failli se casser le cou à cheval, alors qu'elle était enceinte de deux ou trois mois. Comment ne pas se souvenir de ces journées effroyables, tandis que Pauline, dans le couloir menant aux loges, de ses longs doigts couverts de bagues d'une valeur inestimable, se

roulait une cigarette, fidèle à une habitude qui stupé-
fiait encore ceux qui n'étaient pas habitués à ses excen-
tricités.

— Je savais que tu étais à Paris, Julie, et je ne t'en
veux pas trop de ton silence... Non, je ne t'en veux
pas, car je suis au courant de tout, ou presque tout,
et je suis heureuse, si heureuse de savoir que toi et
ton mari...

Elle laissa la phrase en suspens. Elle observa Julie
de ce regard pénétrant, aigu, intelligent en diable,
que l'on craignait tant à la cour. Rien ne lui échappait.

— ... Tu as une petite mine, mais tu es plus belle
que jamais!

Des hommes en frac, chamarrés, s'inclinaient en sa
direction et elle leur répondait d'un signe de tête. Un
peu plus loin l'ambassadeur conversait avec David-
Axel; l'on s'écartait respectueusement de ces deux
grands personnages. Pauline passa un bras ganté de
blanc jusqu'au coude de son amie.

— J'ai cru apercevoir tout à l'heure, près du contrôle,
quelqu'un qui...

Le prologue éclatait à cet instant précis, étourdis-
sant dès les premières notes, bousculant les retarda-
taires et ceux qui n'avaient point encore gagné leur
place et le firent à la hâte. Ceux qui avaient chuchoté
au parterre, au balcon et dans les couloirs, que Plunkett,
avec le dernier opéra-bouffe d'Offenbach, courait à la
catastrophe, se virent happés par le prodigieux entrain
de cette musique. Abasourdis, conquis, ils oublièrent
en quelques secondes le goût morbide qu'ils avaient
du désastre auquel ils trouvaient davantage de piquant
qu'un triomphe.

Même Julie, lasse, mal en point, tourmentée par
l'absence de son bien-aimé, se laissa emporter dans
le tourbillon fou :

Tout tourne, tout danse...

Elle en oublia les paroles énigmatiques de Pauline

188

au sujet de ce personnage qu'elle avait cru reconnaître. La salle ne cessa de crouler sous les bravos. La princesse de Metternich fit éclater, à force d'applaudir, ses gants blancs, ce qu'un chroniqueur du *Figaro*, Philippe Trouard, releva et nota pour la postérité. On bissa la tyrolienne, le final de l'acte trois, le duo du Brésilien et de la gantière.

— Paris avait besoin d'Offenbach pour se changer les idées, constata David-Axel à l'entracte.

Le mot courut le foyer et Julie se demanda comment Raoul aurait interprété ce triomphe sans pareil où Paris, celui du plaisir, se retrouvait, caricaturé, au fond, sans complaisance.

Julie se promit d'écrire cette nuit encore une longue lettre à son époux, afin de lui communiquer les sentiments que lui inspirait cette première. Mais le destin voulut que la nuit prît une tournure telle que jamais Julie n'écrirait cette lettre dans sa chambre si calme et si douillette de l'hôtel Saint-James...

Il y eut une bousculade dans l'étroite rue Monpensier à la sortie du théâtre, chacun cherchant son cocher et sa voiture. De ce fait, Julie ne retrouva plus son amie Pauline, alors qu'elle aurait voulu lui demander la clef du petit mystère que l'ambassadrice d'Autriche avait évoqué au début de la soirée.

— Vous aviez l'air d'échanger des secrets d'Etat avec Richard de Metternich, avant le début de la représentation, dit Julie assise près de son père, dans la voiture du ministère qui remontait non sans difficulté la rue Saint-Honoré encombrée de véhicules de toutes sortes d'où l'on s'interpellait joyeusement par les vitres baissées.

— Des secrets d'Etat, non, murmura David-Axel, tout juste quelques confidences... Tu sais que les Metternich, surtout Pauline, connaissent tout sur tout le monde. Rien ne leur échappe...

Il semblait à Julie qu'il était un peu préoccupé, malgré l'euphorie créée par cette représentation de

La Vie Parisienne. Les soupeurs avaient retenu leur table à la Maison Dorée ou chez Lucas ou encore chez Ledoyen, aux Champs-Elysées.

En vérité, alors que l'excitation de la soirée se dissipait, Julie se sentait brisée de fatigue. Mais elle avait la certitude que son père se faisait une fête de la présenter à ses amis. Elle se rendit compte subitement, alors qu'il s'occupait tant d'elle, qu'il évitait soigneusement de parler de sa propre vie aux côtés de cette M'me Dupeyrret infiniment distinguée que l'on disait d'origine anglaise et qui se nommait Paméla... Pourquoi ne sortait-il jamais avec elle? Et que savait-elle de Julie Crèvecœur entrée dans l'existence de son père depuis une année seulement et qui, à présent, dévorait les rares heures de détente et de loisir dont pouvait disposer un ministre de l'empereur Napoléon III? Que restait-il à Paméla? Avait-elle sa propre vie? Sans doute, à l'image de bien des couples apparemment unis.

— Alors, Julie?

Elle posa sa tête contre sa poitrine où s'étalait une rangée de décorations.

— Je suis très fière d'être invitée à souper par un homme aussi séduisant, dit-elle bravement.

La soirée ne se prolongea pas outre mesure, les journées du ministre débutant très tôt de par le caprice de Sa Majesté qui convoquait souvent le cabinet dès l'aube, souffrant lui-même d'insomnies...

La voiture officielle déposa Julie devant le perron du Saint-James vers 1 heure du matin. Quelques attelages stationnaient encore dans la cour intérieure. Dupeyrret escorta sa fille jusqu'en haut des marches où il prit congé en l'embrassant sur le front.

Lorsqu'elle pénétra dans le hall de l'hôtel, il régnait une certaine agitation au comptoir de la réception qui se trouvait à droite en entrant. Une voix dominait toutes les autres, éveillant en Julie un vague souvenir. C'était une voix de baryton point désagréable, indignée, tremblante d'émotion et marquée d'un fort accent italien.

— Et personne n'a rien vu? Rien entendu? C'est ouné chosé inconcévable!

Julie ne voyait pas l'homme indigné. Il était entouré de quelques employés de l'hôtel qui formaient rempart autour de lui, essayant de le calmer :

— C'est peut-être Mme la comtesse qui...

— Non, non et non! Cé n'est pas la comtessa!

Comment ne pas penser au « Brésilien », personnage désopilant doté d'un accent semblable et qui venait de secouer de rire toute l'assistance du Palais-Royal lorsqu'il chantait :

Je suis brésilien, j'ai de l'or
Et j'arrive de Rio de Janeiro...

Mais le personnage surexcité de la réception du Saint-James ne donnait nullement envie de rire, tant il paraissait bouleversé. Et Julie sentait qu'un drame se déroulait là, dans ce hall qui respirait le calme, la décence, la discrétion...

— Calmez-vous, monsieur le comte, je vous en supplie!

L'un des « managers » de l'hôtel, en queue de pie, intervenait à son tour.

— ... Est-ce que... monsieur le comte désire que la police soit prévenue?

Julic s'avança vers le comptoir pour y demander la clef de son appartement au portier de nuit. Il y eut un silence subit comme si les assistants s'imposaient une trêve à l'apparition de cette belle femme en longue robe de soirée. Et le cercle qui entourait l'homme à la voix de baryton s'entrouvrit. Alors Julie s'immobilisa comme frappée de stupeur. L'Italien était tout petit, ford laid, avec des yeux proéminents, une barbe broussailleuse qui lui mangeait la moitié de la figure et des lèvres très rouges. Il était en tenue de soirée bleu nuit avec des dentelles au poignet et au jabot. Il aurait pu être ridicule, mais il ne l'était point, car

191

ce petit homme contrefait avait malgré tout une certaine allure. C'était le comte Filippo della Roccafonde, époux légitime d'Ornella Massamo Villabianca, dont les amours secrètes, dix-neuf ans plus tôt, avec David-Axel Dupeyrret, avaient eu pour conséquence la naissance d'un enfant naturel : Julie Crèvecœur.

Le comte Filippo était frappé, lui aussi, un bref instant, par l'apparition subite de Julie qu'il avait entrevue l'année précédente à la villa Roccafonde, aux environs de Palerme. Mais il était si bouleversé qu'il ne la reconnut pas sur le moment.

— Non! Pas dé police! Ma femme ne me lé pardonnérait jamais.

Les employés se regardaient, interloqués. Visiblement le comte Filippo n'était pas dans son état normal. Ses yeux globuleux roulaient dans leurs orbites, il transpirait.

— Madona! murmurait-il, Madona!

Julie oublia sa fatigue, sa lassitude, le malaise qu'elle avait failli éprouver au milieu du souper. Elle avança vers le comte qu'elle dominait presque d'une demi-tête.

— Est-ce que je peux vous aider?

Tournée vers les membres du personnel, figés, ne sachant que dire, que faire, elle ajouta :

— Je suis la... je suis une amie de la comtesse Ornella!

Elle put lire sur le visage des assistants un immense soulagement. Ils voulurent tous parler en même temps. Avec une autorité surprenante, della Roccafonde les fit taire.

— *Basta*, messieurs!

Il se tourna vers Julie :

— Je vous connais, madame?

— Je me suis trouvée chez vous, dans votre villa de Palerme, certain après-midi de l'été soixante-cinq... Nous ne nous sommes vus que brièvement, votre femme nous avait présentés l'un à l'autre...

192

Il la regarda, se rendit compte alors de l'extraordinaire ressemblance qu'elle offrait avec la comtesse Ornella.

— Oh! murmura-t-il, vous êtes...

— Julie... Julie Crèvecœur!

Il ne dit rien. Il la regardait seulement. Puis :

— Oui. Je vous reconnais maintenant. Elle m'a parlé de vous... Elle finit toujours par me parler, la comtessa.

Il appelait sa femme « la comtessa », l'étrange nabot qui était l'époux de l'une des plus belles femmes d'Italie. Il ne se préoccupait plus guère des gens de l'hôtel; comme s'ils n'existaient pas. Il s'éloigna d'eux de quelques pas, ayant saisi le bras de Julie. Elle avait l'impression très nette qu'il s'accrochait un peu à elle, comme à une bouée de sauvetage.

— Peppino, notre... notre fils! Il a été enlevé cette nuit.

Julie s'immobilisa. Elle ne put esquisser le moindre geste, comme si le sang se retirait de ses artères. Elle dévisageait cet homme si repoussant d'aspect, elle se rappelait le petit garçon, magnifique, avec ses yeux vifs, pétillants et sa tignasse châtain! Peppino, son demi-frère!

— Enlevé? Vous en êtes certain? Mais pourquoi? Pourquoi l'aurait-on enlevé?

Le comte paraissait désespéré. Il en devenait presque attendrissant.

— Il y a des raisons, bredouillait-il, des raisons multiples. Politiques... Cela devait arriver un jour ou l'autre. C'est arrivé cette nuit à Paris... Je ne me le pardonnerai jamais! Cette soirée passée au théâtre du Palais-Royal pendant que...

Il pleurait. Julie esquissa un geste vers lui, timide.

— Sa mère? Où est-elle?

Elle essayait de comprendre, mais elle comprit qu'elle se trouvait au centre d'une intrigue « à l'italienne », inextricable, complexe, dont il fallait dénouer les ficelles. Elle se sentait concernée, intimement. Ornella... Peppino... Les seuls êtres au monde, avec David-Axel, qu'elle pouvait appeler « les siens ». Son sang. Et pourtant elle ne les avait vus qu'une seule fois dans sa vie, une seule fois... à Palerme, l'an passé. Sa mère... son demi-frère... « Basta! », comme dirait della Roccafonde. Ce n'était guère le moment de se laisser aller aux retours en arrière, de se poser des questions sur le comment et le pourquoi de la présence du comte, de la comtesse et du petit Peppino à Paris, au Saint-James... Ils ne devaient être là que depuis peu.

— Répondez-moi! exigea Julie. Où est votre femme?

Le directeur de l'hôtel revenait à la charge.

— Pouvons-nous savoir ce que vous avez décidé, monsieur le comte? Si vous êtes convaincu qu'il s'agit d'un enlèvement, il est de notre devoir d'en référer aux autorités.

Filippo transpirait. Il était manifeste que le mot « autorités » suffisait à le décontenancer. N'y comprenant strictement rien, Julie crut néanmoins de son devoir de détourner de la tête du comte la menace d'un éventuel appel à la police.

— Vous savez qui je suis, dit-elle au directeur. Il s'agit là d'une affaire de famille et vous devez comprendre que le comte ne désire pas, pour l'instant, qu'elle s'ébruite. Peut-il compter sur votre discrétion absolue?

L'homme s'inclina. Julie savait fort bien qu'elle le soulageait d'un grand poids en lui parlant de la sorte : un directeur d'hôtel ne craignait rien tant que le scandale dans son établissement.

— Je réponds de mon personnel comme de moi-même.

— Très bien.

Et elle ajouta à l'adresse de Filippo :

— Que comptez-vous faire?

— Prévenir la comtesse Ornella.

— Vous savez donc où elle se trouve?

Il hésita une seconde. Puis, d'une voix à peine audible :

— Oui.

Julie eut l'impression qu'il avait honte de cet aveu. Elle se demandait si tout cela était vraiment en train d'arriver. Mais l'odeur suave de bergamote et d'eau de lavande qui flottait autour de l'affreux petit homme était une réalité indiscutable, comme le désarroi de l'étrange personnage.

— Ecoutez, dit-elle très vite, je voudrais voir la chambre de... du petit garçon. Etes-vous certain qu'il a été enlevé? Les ravisseurs vous ont-ils fait parvenir un message ou... ou exigé une rançon?

— Non, voyons... C'est impossible. Pas encore. Mais je suis certain de ce que j'affirme.

— Avant de porter cette terrible nouvelle à votre femme, essayons d'y voir un peu plus clair. Elle saura la vérité assez tôt.

Le comte haussa les épaules.

— ... Si l'enfant a vraiment été enlevé, ce serait un crime de ne pas alerter la police au plus vite, ajouta Julie.

— Non! s'écria Filippo, pas sans la permission de la comtessa!

Julie aurait juré qu'il avait peur de sa femme, qu'il n'osait pas agir sans son consentement.

« S'il le faut, j'agirai à sa place! » songea Julie.

Elle le suivit jusqu'au premier étage où les Roccafonde occupaient un appartement. En ouvrant une porte, le comte expliqua :

— Nous emmenons l'enfant partout avec nous. Ornella ne veut pas se séparer de son fils... Voilà sa chambre qui communique avec celle de mademoiselle.

« Mademoiselle »... Julie revoyait la silhouette menue de la gouvernante française du petit Peppino. Elle pénétra dans la chambre sur les pas de Filippo et s'arrêta aussitôt, frappée par le désordre qui y régnait. Le lit était défait, les draps et les couvertures semblaient avoir été brutalement retirés; des vêtements d'enfant étaient répandus sur le sol et Julie avait l'impression qu'on avait renversé le contenu d'une valise qui gisait à terre avec des jouets en vrac...

— En rentrant du théâtre, expliquait le comte, je suis allé jeter un coup d'œil sur l'enfant pour voir s'il dormait... Et voilà ce que j'ai trouvé! Le lit vide et tout ce désordre.

Sa voix s'étranglait. Julie, gentiment, posa sa main sur le bras du petit homme. Son chagrin était d'autant plus bouleversant que Julie connaissait la vérité au sujet de la naissance de Peppino. Ornella avait eu une liaison tapageuse avec Giuseppe Garibaldi, cinq ans plus tôt, alors que l'homme le plus célèbre d'Italie était devenu dictateur de la Sicile d'où les Bourbons de Naples avaient été chassés. Le fils ressemblait de façon frappante à son vrai père dont il avait hérité le regard et la couleur des cheveux. Et, pour couronner le tout, Ornella ne s'était nullement gênée pour l'appeler « Peppino » diminutif de Giuseppe! Le comte della Roccafonde n'ignorait rien des écarts de conduite de sa femme qu'il acceptait, comme tout ce qui venait d'elle, avec une sorte de délectation morbide. Les rapports existant entre ce couple... A cette seule pensée, Julie était saisie d'horreur.

La porte séparant la chambre de Peppino de celle de « Mademoiselle » était grande ouverte. Julie s'immobilisa sur le seuil : le spectacle qu'elle offrait ne laissait aucun doute sur ce qui avait pu s'y passer. Des chaises renversées, un grand désordre, des vêtements traînant par terre et la literie en bataille! On aurait pu croire au passage d'un ouragan dans ce décor de haut luxe.

Julie secoua la tête comme si elle se refusait à l'évidence : tout dénotait cependant un départ précipité, forcé même.

— Comment admettre, murmura-t-elle, atterrée, que, malgré les apparences, quelqu'un, une personne étrangère, se soit introduite ici, se soit emparée de l'enfant et de sa gouvernante sans que les appels au secours de ceux-ci n'aient été entendus par quiconque? C'est absurde, voyons.

— C'est ce que j'ai essayé de leur faire comprendre, en bas...

Julie, luttant contre l'émotion qui l'étreignait, essayait de raisonner calmement. Elle avait l'impression que l'homme qui se tenait près d'elle ne lui serait d'aucune aide. Peut-être ce grand seigneur sicilien se sentait-il perdu dans une ville comme Paris, dans un pays étranger? Peut-être avait-il des raisons personnelles d'être si mal à l'aise, de tant craindre l'intervention des autorités officielles?

— Que cela vous plaise ou non, je vais prévenir quelqu'un qui sera en mesure de donner les ordres nécessaires pour que les recherches soient entreprises immédiatement.

Le Sicilien lui saisit les deux bras; il était d'une force insoupçonnée. Un étau de fer. Il approchait son visage déplaisant tout près de celui de Julie.

— Je vous l'interdis! Vous ne ferez rien avant que ma femme ne soit au courant de ce qui s'est passé ici ce soir. S'il le faut, je vous retiens ici par la force jusqu'au retour d'Ornella.

Il en était capable. Julie en avait la certitude.

— Vous êtes complètement fou, s'écria-t-elle. Vous prétendez aimer cet enfant et vous faites tout pour qu'il soit impossible de le retrouver. Vous imaginez vraiment que je vais rester là, les bras croisés, à attendre le retour de votre femme? Il se pourrait très bien qu'elle ne rentre qu'au petit matin!

Le comte Filippo relâcha son étreinte, détourna les yeux.

— C'est vrai, murmura-t-il.

Elle le força à le regarder.

— Don Filippo, dit-elle, retrouvant sans s'en rendre compte la façon de s'exprimer des Siciliens, don Filippo, j'ai cru comprendre que vous saviez où se trouve Ornella. Conduisez-moi immédiatement auprès d'elle.

Le regard du comte restait indéchiffrable. Comme la bizarre existence qu'il menait avec son épouse, chacun vivant de son côté. Il allait au théâtre alors qu'elle... Julie se demandait si Ornella n'avait pas un amant qui la suivait ou qu'elle suivait, ce qui expliquait l'hésitation de don Filippo tout à l'heure, lorsqu'elle lui avait demandé s'il savait où elle se trouvait. Ornella était capable de confier à son mari l'adresse des lieux où elle rencontrait son amant! Cela lui ressemblait tout à fait.

— Avez-vous une voiture? demanda le comte.

Julie fit un signe de tête négatif. Elle renvoyait Félicien chaque soir à Auteuil où il retrouvait la cuisinière, sa femme, et les chevaux à leur écurie.

— Aucune importance, fit-elle. Nous trouverons bien un fiacre.

Lorsqu'ils descendirent, une voiture de remise déposait un couple qui avait abusé certainement des plaisirs de Paris; l'homme et la femme, ivres, se soutenaient mutuellement en gravissant les marches du perron; l'homme, quoique en frac, arborait l'un de ces chapeaux à large bord propres aux éleveurs de bétail du Texas. Julie eut tout juste le temps de retenir le fiacre qui s'apprêtait à ressortir de la cour. L'or du Sicilien vainquit les réticences du cocher qui avait envie d'aller se coucher.

— Rue Hautefeuille! lança Filippo.

Le cocher souleva son haut-de-forme à cocarde et en carton bouilli. Il paraissait perplexe.

— Qu'est-ce que monseigneur va fiche à pareille heure dans ce quartier où vous risquez de vous faire étriper avec vot' belle dame et sa robe à traîne?

Julie avait sursauté, elle aussi, en entendant l'adresse

donnée par le comte. C'était en plein Quartier latin, au cœur du vieux Paris frondeur, étudiant.

L'attelage s'engagea dans la rue Saint-Honoré, déserte à présent, en direction du Palais-Royal. Filippo se tenait immobile dans son coin, la tête tournée vers l'extérieur. Julie sentait qu'il avait hâte d'arriver au but. A un moment donné, il baissa la vitre, passa la tête à l'extérieur et cria au cocher :

— Plus vite!... plus vite!

Docile, le bonhomme fouetta ses chevaux. Il s'arrêta boulevard Saint-Germain, à quelques mètres de l'intersection du boulevard Saint-Michel.

— Désolé, mais là où votre seigneurie va, c'est trop étroit pour mon carrosse.

— Attendez-nous!

En même temps, don Filippo lui lança une pièce d'or.

La rue était fort sombre et assez inquiétante, mais d'une maison se répercutait sur le pavé la lueur d'un éclairage à gaz qui illuminait les fenêtres du rez-de-chaussée. De cette maison s'échappait une vague rumeur, un brouhaha et les applaudissements d'une foule. Sur le trottoir, immobiles, presque menaçantes, stationnaient quelques silhouettes indéfinissables. Rôdeurs? Etudiants? Ouvriers? Policiers? Difficile à dire...

Julie était d'abord décontenancée, mais elle comprit très vite qu'elle s'était sans doute trompée du tout au tout quand elle croyait que sa mère, qui s'était si peu préoccupée d'elle et qui ne cachait nullement une vie passionnelle agitée, courait le Paris nocturne du plaisir. Le petit comte leva la tête vers les fenêtres et murmura en guise d'explication :

— Voilà sans doute l'université populaire de la rue Hautefeuille. Vous connaissez, je suppose?

Julie n'en avait jamais entendu parler. Elle se rendit compte qu'elle devait former ici, avec don Filippo, un couple insolite et surprenant : lui avec son jabot de dentelle et elle avec sa robe à traîne. Il eut un geste qu'elle trouva inattendu venant de lui : il enleva la cape du soir qu'il avait jetée sur son frac et il en couvrit les épaules de la jeune femme comme s'il voulait précisément la protéger de la curiosité des gens.

Un garçon aux allures de lutteur, une casquette d'étudiant au sommet du crâne, se dressa devant Filippo, lui barrant le passage.

— Qu'est-ce qu'il y a pour votre service, camarade?

Le minuscule Sicilien l'écarta avec impatience comme si le robuste gaillard ne faisait pas le poids.

— Allons, dit-il, pas d'histoire! Je suis le mari de la comtessa! Il faut que je la voie immédiatement!

Tout ceci parút incroyable à Julie. Placardée contre le mur lézardé de la vieille maison, une affiche rédigée à la main se balançait au vent aigrelet d'automne :

CE SOIR...
Grande réunion du groupe DROIT DES FEMMES
Présidée par Madame JULES SIMON
Prendront la parole :
Mmes ANDRE LEO et MARIA DERAISMES
Avec la participation exceptionnelle de
celle qui lutta aux côtés de GARIBALDI
pour la libération de la Sicile :
LA COMTESSE ROUGE

Le texte de cette affiche éclaira Julie définitivement sur les raisons de la présence d'Ornella à Paris, dans ce quartier et à pareille heure. Comment n'y avait-elle pas pensé tout de suite, à cette activité politique de sa mère, dont on lui avait parlé en termes voilés au cours de son voyage en Italie? Elle se souvenait à présent que lorsqu'on prononçait à Palerme le nom de la comtesse della Roccafonde, les gens bien nés se voilaient la face ou détournaient les yeux, ou encore faisaient, très vite, le signe de croix : une Massamo Villabianca féministe, affichant les idées révolutionnaires d'un Garibaldi!

Elle s'en voulut d'avoir pu croire qu'Ornella courait à Paris les rendez-vous galants.

« C'est ma mère et pourtant je ne l'aime pas, pensa-t-elle, et je serai incapable d'oublier, tant que je vivrai, les heures vécues en face d'elle, à Palerme, sa froideur, le désir évident qu'elle avait d'effacer de sa vie et de sa mémoire jusqu'au souvenir de David-Axel qui avait été son premier grand amour... »

Mais dans la minute présente, rien d'autre ne comptait que le sort de l'enfant, Peppino, auquel Ornella vouait un amour si violent, alors qu'elle n'avait manifesté que de l'indifférence pour son autre enfant : Julie.

Une oratrice sur l'estrade, là-bas. Une voix juvénile claire :

— Oui, je l'avoue, l'illustre historien Michelet est de ces hommes qui représentent un véritable danger public du fait même de ses prises de position contre le droit des femmes!

Julie venait de pénétrer dans une salle enfumée qui avait tout d'une salle de classe avec son tableau noir, sa carte de France et ses murs jaunâtres; jusqu'aux bancs sur lesquels s'écrasait une foule compacte, homogène où, Julie le remarqua immédiatement, il n'était pas tellement aisé de différencier les hommes des femmes, les uns comme les autres portant des vêtements uniformes, des blouses ou des chemises, quelques jeunes filles allant jusqu'à arborer des casquettes!

Sur l'estrade où devait se tenir habituellement le professeur derrière sa table en bois grossier, avaient pris place, côte à côte, un certain nombre de femmes dont quelques-unes, les plus âgées, avaient un aspect franchement bourgeois, alors que d'autres, bien plus jeunes, faisaient irrésistiblement penser aux dessins représentant George Sand en costume d'homme, fumant le cigare.

Au milieu de ce « comité » qui présidait la réunion. Julie reconnut immédiatement Ornella et elle ne put s'empêcher d'éprouver un choc émotionnel intense contre lequel elle aurait voulu se défendre, sans y parvenir, car cette femme, d'à peine quarante ans, merveilleusement belle, souveraine d'aisance, et à laquelle elle ressemblait tant, c'était tout de même sa mère!

Alors que la conférencière, une jeune fille d'apparence très « comme il faut », venait de provoquer les applaudissements prolongés de l'auditoire, Filippo, qui se tenait près de Julie, lui glissa à l'oreille :

— Voilà notre vie, ma chère : nous allons de pays en pays, de ville en ville, et partout ma femme assiste à des réunions de ce genre. Les gens lui font fête et lorsqu'elle prend la parole, c'est le délire!

Il paraissait sincèrement désolé. Julie l'imagina courant les théâtres et les lieux de plaisir, dans son bel habit bleu de nuit, pendant que son épouse prêchait aux femmes l'égalité des sexes... Si la situation n'avait pas été des plus angoissantes, Julie lui aurait trouvé une certaine saveur comique.

La jeune fille « comme il faut » parlait avec une tranquille assurance. Visiblement, elle était intelligente et cultivée. Et, fait remarquable, elle parvenait fort bien à se faire entendre d'un auditoire qui ne ressemblait en rien à celui que réunissait la princesse Mathilde Bonaparte pour les « causeries au coin du feu » que Julie avait connues quelques années plus tôt...

— A quoi M. Michelet veut-il nous réduire nous autres femmes? clamait l'oratrice, à notre jardin et à notre maison où, éternelles mineures, éternelles malades, nous nous laisserions protéger et soigner par notre maître de droit divin, l'homme! L'illustre Michelet fait de la femme une idole, et une pauvre idole, car il faut que son mari, un assez piètre sire, la crée à son image.

Julie se rendit compte que les hommes (en minorité à cette réunion) paraissaient un peu ennuyés par la véhémence de la jeune fille. Mais les femmes criaient « bravo » et quelques-unes se dressèrent même, applaudissant à tout rompre debout.

— Elles sont complètement folles, murmura le comte Filippo.

Il essayait d'accrocher le regard de la comtesse sur l'estrade, y parvint. Ornella découvrit sa présence au fond de la salle en même temps que celle de Julie. Alors elle se leva, lentement, dit quelque chose à la dame âgée qui se tenait à sa droite qui acquiesça de la tête. Elle quitta l'estrade, descendit dans la salle où presque tout le monde était debout à présent, la réunion tirant sur sa fin.

Julie, un instant saisie par l'atmosphère qui régnait à l'université populaire de la rue Hautefeuille, découvrant un monde dont elle avait ignoré jusqu'alors l'existence, revint aux événements de la soirée qui l'avaient bouleversée.

Ensuite, tout se passa très vite dans la bousculade d'une fin de réunion politique, avec les gens qui s'interpellaient, s'embrassaient, se serraient la main, personne ne prêtant attention à Julie et au comte si manifestement venus d'ailleurs, de l'autre côté de la Seine... Et brusquement, Ornella, qui s'était frayé son chemin à travers la foule, se trouva devant sa fille qu'elle n'avait jamais revue depuis qu'elle avait pris congé d'elle, un an plus tôt, dans ce coupé noir arrêté devant l'hôtel Tirnacria à Palerme et où Julie lui avait lancé un « Adieu, madame! » qu'elle croyait définitif.

La « comtesse rouge » arborait un long manteau noir. La mère et la fille étaient exactement de la même taille. Les gens autour d'eux étaient-ils frappés par la prodigieuse ressemblance qu'accentuait encore la cape de l'une et le manteau de l'autre? Ils s'écartaient.

Ornella ne regarda point le comte, seulement sa

fille, comme si elle aussi était subjuguée par cet autre elle-même qui surgissait une nouvelle fois dans son existence si riche, si pleine, si désespérée aussi. Elle parla à son mari, mais elle ne le regarda toujours pas.

— Je peux vous demander ce que tout cela signifie, Filippo?

Son français était d'une pureté irréprochable, teinté d'un accent léger. Elle ne fit aucun geste vers Julie. Il y avait juste ce regard qui reflétait l'intelligence, mais aussi la froideur.

— Peppino... bredouilla le comte. Peppino...

Il avait suffi de ce seul prénom pour que, aussitôt, elle fît volte-face, se détournant de Julie, agrippant le comte della Roccafonde, si ridiculement petit aux côtés de cette grande femme.

— Peppino? Malade? Dites quelque chose...

Elle avait élevé la voix. Maintenant le groupe qu'ils formaient commençait à être le centre d'intérêt d'une partie de la salle. Julie se dit qu'il fallait regagner au plus vite le fiacre qui attendait au coin du boulevard. Aussi prit-elle les devants, lançant par-dessus l'épaule :

— Venez, madame... Il n'y a pas un moment à perdre!

Elle avait appelé sa mère « madame ». Comme la dernière fois, à Palerme... Ornella serra les mains tendues vers elle. Le personnage de la « comtesse rouge » devait avoir un côté légendaire, car on la regardait un peu comme si elle n'était pas tout à fait réelle. Ce qu'il y avait d'un peu théâtral dans le personnage d'Ornella devait servir d'autant mieux les idées qu'elle défendait que les gens, quels qu'ils fussent, adoraient le spectacle. La « comtesse rouge » relevait la grisaille des réunions auxquelles elle assistait. Elle apportait de par sa beauté, rehaussée par l'extraordinaire prestige qui s'attachait au nom de Garibaldi, un peu d'irréalité et de poésie. En avait-elle conscience?

« Sans aucun doute », se dit Julie.

— On a enlevé Peppino! haleta le comte.

Ornella se figea. Pas un mot ne franchit ses lèvres, mais elle était devenue très pâle. Ses lèvres tremblaient. Filippo se mit à parler en italien, très vite, avec beaucoup de gestes, surexcité, véhément, comme s'il accusait sa femme d'avoir une quelconque responsabilité dans ce drame.

— Il faut retourner là-bas, dit Julie, prenant sa mère par le bras. Votre mari n'a rien voulu entreprendre sans votre accord, mais vous savez, comme moi, à qui il faut faire appel.

Elles échangèrent un regard l'une et l'autre. Pour la première fois Julie eut l'impression d'une vague complicité avec sa mère. Elle en fut bouleversée. Le cocher, en les voyant arriver, descendit de son siège pour ouvrir la portière.

— Rue Saint-Honoré... vite! ordonna Julie.

L'attelage descendait le boulevard Saint-Germain et Julie se rappela brusquement que l'hôtel particulier où demeurait David-Axel Dupeyrret était tout près de là, dans l'une des petites rues calmes du faubourg. Elle était assise à côté de sa mère. Leur faisant face, le comte Filippo qui tournait la tête, obstinément, en se mordant les lèvres. Ornella n'avait eu aucune réaction lorsque Julie avait fait allusion à l'homme qu'elle haïssait le plus au monde, à ce premier amant qui l'avait abandonnée alors qu'elle était enceinte...

— Il n'y a qu'une chose qui compte : retrouver votre fils, chuchota Julie. Or, personne en France n'est mieux placé que le ministre de l'Intérieur pour nous aider dans cette entreprise.

La comtesse consentit enfin à parler. Mais sans regarder sa fille.

— Vous prenez tout ceci très à cœur.

— Cela vous étonne? Vous oubliez que Peppino

est mon demi-frère... Dites au cocher de s'arrêter par ici. L'hôtel Dupeyrret est à deux pas. Si vous ne voulez pas m'accompagner, j'irai seule.

Ornela se tourna brusquement. Ses yeux étincelaient. Dans la pénombre de la berline elle était d'une beauté irréelle, mais Julie éprouva comme de la frayeur, car il lui semblait que cette femme était investie d'un pouvoir presque maléfique.

— Que David-Axel m'aide dans cette circonstance, c'est bien la moindre des choses. Mais je vous jure que si je pouvais m'en passer, de cette aide-là, je le ferais de grand cœur. Il est exclu que je le voie, que je lui parle. Exclu!

— Pensez à votre fils, murmura Julie.

— Précisément.

Elle pencha la tête hors de la portière.

— Arrêtez-vous, cocher!

L'homme tira sur les rênes.

Filippo posa à sa femme une question en italien; elle lui répondit brièvement, sur un ton agacé. Il se tut.

— Nous allons retourner au Saint-James. Peut-être qu'entre-temps on y a déposé un message à mon intention...

Julie remarqua qu'elle disait « à mon intention » et non pas « à notre intention » comme il aurait été normal; après tout n'était-elle pas comtesse della Roccafonde? Et Peppino ne portait-il pas ce nom?

— Vous n'avez pas peur seule dans les rues à pareille heure? demanda la comtesse.

Julie haussa les épaules. Elle voulut rendre la cape de soirée à son propriétaire, mais don Filippo l'en empêcha.

— Gardez-la, *per favore*. La nuit est fraîche, *signorina*!

— Quelle que soit l'heure à laquelle vous reviendrez à l'hôtel, venez nous trouver, murmura la comtesse Ornella.

Elle se pencha vers sa fille et lui donna, maladroitement, un baiser qui frôla à peine la joue de celle-ci. Julie en resta abasourdie.

— Étrange coïncidence, votre rencontre cette nuit avec Filippo, ajouta la comtesse.

Julie sauta en bas de la berline. Le boulevard était totalement désert. Le fiacre s'ébranla, emportant les époux Roccafonde de l'autre côté de la Seine. Julie s'engagea dans une rue où, derrière des murs à hauteur d'homme, se cachaient de fastueuses demeures. Tout au bout, devant une porte cochère, deux hommes en civil faisaient les cent pas. Julie les reconnut aussitôt pour ce qu'ils étaient, à savoir des policiers chargés de la surveillance de l'hôtel Dupeyrret. Subitement elle prit conscience de l'incongruité de sa démarche à une heure aussi avancée de la nuit. Elle n'était venue là qu'une seule fois, un an plus tôt, à la faveur d'une grande réception où elle s'était faufilée parmi les invités. La première rencontre avec son père...

Les policiers l'avaient vue venir de loin. Immobilisés devant la porte cochère, l'un appuyé sur sa canne, l'autre les mains derrière le dos, ils étaient, pour Julie, comme les « tours » d'un jeu d'échecs. Les échecs la firent penser à Raoul qui aimait ce jeu et elle eut une pensée pour son mari qui ne pouvait deviner que Julie, à l'aube, se hâtait vers la maison du ministre de l'Intérieur revêtue d'une cape d'homme doublée de soie rouge! Sans être garibaldien, don Filippo, à l'image de sa femme, arborait les couleurs du « libérateur ».

— Eh bien, beauté, qu'est-ce qu'on fiche sur le macadam à pareille heure?

Depuis qu'elle avait été arrêtée en compagnie de son mari dans les bureaux du *Lucide*, Julie était familiarisée avec le ton faussement débonnaire, plein de morgue, en usage chez ces messieurs en gibus noir. Elle se dit que le seul parti à prendre était celui de l'audace. Elle avança hardiment vers le « service d'ordre » en fait fort réduit. Elle essaya de prendre un ton dégagé.

— J'ai quitté Son Excellence tout à l'heure, dit-elle, pleine d'assurance, mais une affaire de la plus haute importance m'oblige à le faire réveiller.

— Vraiment? ironisa l'un des inspecteurs. Ainsi mademoiselle se promène en pleine nuit, à pied, avec une « affaire de la plus haute importance » dans son corsage?

— Je ne serais pas étonné, collègue, renchérit l'autre, que nous nous trouvions devant une de ces anarchistes réunies nuitamment au Quartier latin à conspirer, contre l'Empereur! Et si on la fouillait, cette petite histoire de vérifier qu'elle ne porte pas une bombe sur elle?

Un sourire obscène illumina la trogne abrutie de l'autre.

— Inspecteur, dit-il, le devoir t'inspire toujours des idées tout ce qu'il y a de plus égrillardes.

Il avança vers Julie, la saisit par le revers de sa cape qu'il arracha, révélant les épaules éblouissantes de la jeune femme. Son haleine était chargée de vinasse.

Julie, furieuse, lui administra une tape vigoureuse sur le bras, ce qui lui fit lâcher prise. Mais l'autre intervint.

— Comment? Comment? Outrage à fonctionnaire dans l'exercice de ses fonctions? Sais-tu, ma p'tite demoiselle, qu'un geste comme celui-là...

Il ne put achever sa phrase. L'air était déchiré par le roulement d'un véhicule sur les pavés inégaux, ce qui produisait un bruit d'enfer. Un coupé noir et brillant s'engageait à vive allure dans la rue. Les deux « fonctionnaires », comme touchés par le bout d'une baguette magique, rectifièrent la position. Celui qui avait une canne frappa contre le portail qui s'ouvrit aussitôt, « comme dans un rêve », se dit Julie impressionnée, à croire que derrière la porte cochère un troisième homme se tenait aux aguets, attendant ce signal. Et c'était bien le cas.

Son Excellence le ministre, penché à la vitre baissée de son coupé, découvrit avec stupeur sa fille qu'il croyait endormie depuis un bon moment déjà dans sa chambre de l'hôtel Saint-James!

— Julie!

Déjà il avait entrouvert la portière.

— Allons... monte, chérie.

Deux bras empressés, déférents, voulurent aider la jeune femme. Celle-ci se retourna violemment sur le policier.

— Ah! non.

A voir le visage stupide figé par la peur, elle éprouva un dégoût tel qu'elle se détourna sans rien ajouter. Quelques instants plus tard, au bout de la longue allée de tilleuls, la voiture du ministre s'arrêta devant la porte vitrée de l'hôtel, admirable construction qui datait de Louis XIV.

David-Axel devait avoir des domestiques qui, tels les policiers à l'extérieur, veillaient toute la nuit. Car un valet dévalait les marches du perron pour ouvrir la portière de la berline.

« A moins, se dit Julie, qu'il ne s'agisse d'un autre agent de la sûreté déguisé en laquais... »

Dupeyrret fit un signe de la main et l'homme alla reprendre sa faction.

— Qu'est-ce qui est arrivé, Julie?

Il semblait désarçonné, troublé. C'est alors seulement que Julie eut conscience qu'entre le moment où son père l'avait ramenée du restaurant Lapérouse et la minute présente, deux heures à peu près s'étaient écoulées. Son embarras s'expliquait dans la mesure où il pouvait croire que sa fille se posait des questions sur son emploi du temps nocturne. Mais Julie avait bien d'autres préoccupations.

— Il est arrivé quelque chose de très grave, dit-elle très vite. Sinon, croyez bien que jamais je ne me serais permis de me rendre chez vous à pareille heure.

En quelques phrases elle narra sa rencontre avec Filippo della Roccafonde, les circonstances de l'enlèvement du petit Peppino et, pour terminer, les retrouvailles avec sa mère.

David-Axel l'avait écoutée en silence. Jamais ils n'avaient évoqué entre eux le fantôme d'Ornella Villabianca. Celle-ci disait que David-Axel était mort pour elle. Etait-elle de même morte pour lui? Julie savait bien, pour l'avoir vécue, qu'une passion irraisonnée, folle, était difficile à tuer en soi. Il en restait toujours quelque chose, même si l'on s'en défendait; une marque indélébile que la mémoire n'arrivait point à effacer.

— Viens avec moi, murmura le ministre, ouvrant la portière.

Elle se souvenait de ces salons en enfilade. Le domestique de l'entrée alluma les bougies d'un chandelier. Dans cette vaste demeure, le gaz devait alimenter une partie seulement des pièces habitées.

— Allez me chercher le responsable de la surveillance, ordonna le ministre, prenant le chandelier des mains du valet.

A travers les pièces hautes de plafond, à peine meublées, lugubres, David-Axel, qui semblait n'être que de passage dans cette maison, précéda sa fille jusqu'à ce cabinet où elle s'était trouvée face à face avec lui la première fois. Les murs couverts de cuir, les bibliothèques en chêne... Le ministre alluma l'une des lampes à pétrole disséminées dans la pièce. C'est alors seulement que Julie se rendit compte que la main de David-Axel tremblait légèrement et que son visage reflétait un désarroi qu'elle ne lui avait jamais vu.

Déjà on frappait à la porte, discrètement, obséquieusement. Le ministre ouvrit, mais empêcha l'homme de pénétrer dans le cabinet. Il donna des instructions à mi-voix.

— Bien, Excellence... Comptez sur moi, Excellence...

David-Axel alla jusqu'à sa table, saisit une feuille de papier, traça quelques lignes à la hâte. L'homme, n'osant entrer dans la pièce, se tenait dans l'embrasure de la porte.

— Prenez ceci, filez à la Préfecture... C'est confidentiel, mais je ne tolérerai aucun retard dans la transmission. Vous m'avez bien compris?

L'homme avança vers la table. C'était sans nul doute un policier de rang supérieur. Au revers de sa redingote s'épanouissait la rosette de la Légion d'honneur. Julie se rendit compte, alors que Paris dormait sur ses deux oreilles, que deux catégories d'individus continuaient de mener une existence fort active : les amants et les policiers.

— J'ai donné les ordres nécessaires pour que des recherches soient entreprises, les frontières alertées par le moyen du télégraphe, expliqua le ministre. Je n'ignorais pas que le comte della Roccafonde se trouvait à Paris. Il a assisté à la première de *La Vie Parisienne* ce soir! Et tu sais qui me l'a appris?

— Richard de Metternich! murmura Julie se souvenant des airs mystérieux de Pauline au foyer du Palais-Royal.

Les Metternich connaissaient toute l'Europe, ainsi que l'Europe scandaleuse. Le couple peu ordinaire formé par Ornella et son époux défrayait la chronique bien au delà des frontières de l'Italie.

David-Axel avait installé sa fille dans un fauteuil anglais confortable au point qu'elle ferma les yeux et se sentit incapable de les rouvrir. La fatigue s'était abattue sur elle, brusquement.

— Julie, mon enfant...

Cette voix toute vibrante de tendresse... Il se tenait au-dessus d'elle. Il était encore en frac, mais il s'était débarrassé de la brochette de décorations qui lui barraient la poitrine et qui, au théâtre ou en voiture, émettaient un cliquetis intimidant chaque fois qu'il esquissait un mouvement.

— Tu es épuisée. Je vais te faire préparer une chambre.

Julie ouvrit les yeux, se redressa.

— Mais non. En aucun cas. Je dois retourner là-bas. Elle... je suppose qu'elle m'attend. Je lui dirai que vous avez tout mis en œuvre pour que l'on retrouve l'enfant...

Le ministre eut un geste qui pouvait signifier que, dans une telle affaire, la police ne pouvait faire des miracles. Julie pensa qu'en effet l'enfant et sa gouvernante pouvaient se trouver aussi bien captifs à Paris qu'en province, ou même, les heures s'écoulant, au delà des frontières.

Le ministre avait saisi la cape de don Filippo dont Julie s'était débarrassée en entrant.

— Mets ceci, chérie... Je te ramène à ton hôtel...

Julie ne dit rien. Elle attacha prestement le vêtement. Il lui avait suffi de ces quelques instants de répit sous la protection de son père pour vaincre la fatigue et l'envie de dormir. Elle en ressentit quelque fierté.

« Allons, se dit-elle, tu es toujours la même force de la nature. D'ailleurs, tu as de qui tenir. Pendant que ta mère passe ses nuits à courir les réunions politiques, David-Axel lui... Mais que fait-il donc de ses nuits, le très séduisant ministre de Sa Majesté? Et n'est-il pas étrange qu'il soit si peu question ici de cette mythique et britannique Mme Dupeyrret? »

Elle murmura quelques mots au sujet du dérangement occasionné.

— Paméla est retournée en Angleterre depuis que j'ai accepté d'assurer l'intérim au ministère de l'Intérieur, dit-il. Elle a la sagesse rare de savoir s'effacer quand il le faut...

Il ouvrit la porte du cabinet :

— N'avez-vous pas besoin d'elle? s'étonna Julie.

— Non, chérie. On n'a vraiment besoin des femmes qu'aux entractes de la vie...

Julie s'arrêta sur le seuil.

— Mais c'est affreux ce que vous dites là! s'exclama-t-elle, indignée.

Il sourit, un peu triste.

— Celles dont on a besoin constamment sont très rares, Julie. Et lorsqu'on a la chance d'en tenir une, il ne faut surtout pas la lâcher... Inutile de te dire que je pense à ton mari en disant cela. Tu viens?

Elle le suivit jusqu'à la voiture qui attendait au bas des marches. Le cocher impassible, les ombres noires des hommes chargés de veiller sur le ministre.

« N'ont-ils donc pas besoin de sommeil? » se demanda Julie. Mais ils devaient se relayer, tous semblables sous leur gibus, engoncés dans leurs vêtements couleur de la nuit. A travers Paris désert au point de paraître frappé de paralysie, le coupé roula à une allure si vive que Julie n'en revenait pas de se trouver en quelques minutes seulement de l'autre côté du fleuve, rue de Rivoli où la voiture s'immobilisa devant la seconde entrée de l'hôtel Saint-James et Albany qui voisinait avec celle de l'hôtel Wagram.

— Comment n'y ai-je pas pensé plus tôt! s'exclama Julie frappée par une idée subite.

— A quoi n'as-tu pas pensé, Julie?

— Aux deux entrées de l'hôtel! Celle-ci, sur la rue de Rivoli, est bien moins fréquentée que l'entrée principale de la rue Saint-Honoré. Si le petit garçon et sa gouvernante ont été enlevés, les ravisseurs ont dû passer ici. Une voiture devait les attendre... Don Filippo, comme nous, a assisté à l'événement de la saison théâtrale, la création de *la Vie Parisienne*. Le rapt a eu lieu pendant qu'il se trouvait au théâtre. On peut supposer qu'à ces heures-là la clientèle déserte l'hôtel et il doit y avoir un peu de relâchement parmi le personnel... Qu'en pensez-vous?

— Je pense, dit le ministre, que le chef de la Sûreté aurait intérêt à t'enrôler dans ses services...

Il jeta un coup d'œil bizarre à un immeuble voisin du Saint-James.

— C'est ici que nous avons habité durant quelque temps lors de notre retour en France, après la révolution de juillet 48, expliqua-t-il à sa fille.

— « Nous »?...

— Le prince Louis Bonaparte, futur Napoléon III, son compatriote Louis Orsini et moi-même!

« Je l'ai oublié, pensa Julie, mais il est tout à fait exact que c'est la Révolution qui leur a permis à eux, les proscrits d'alors, de rentrer en France. »

Elle sentit confusément la parenté existant malgré tout entre les idées de son père et celles de son mari, alors que l'un était bonapartiste et l'autre républicain. Elle comprit ce qui vingt ans plus tôt avait réuni au château d'Altareale, en Sicile, une jeune fille ardente et un aventurier de l'entourage du prince Louis-Napoléon... Les futurs parents de Julie Crèvecœur! Mais toutes ces pensées étaient balayées par l'inquiétude mortelle qui l'étreignait dès qu'elle pensait au sort de son demi-frère disparu du Saint-James.

Derrière les Tuileries le ciel s'éclaircissait; il faisait presque froid. Quand donc David-Axel se reposait-il?

— Rentrez chez vous, monsieur, dit Julie en posant les deux mains sur les épaules de son père. Vous avez été très bon, je vous en remercie. Je ferai de mon mieux pour rassurer ma... la comtesse.

Dupeyrret ne bougea pas. A droite et à gauche, l'enfilade des boutiques sous les arcades, fermées, cadenassées, les volets clos et, à intervalles réguliers, l'éclairage au gaz créant dans la grisaille du petit matin des zones de lumière.

— Je viens avec toi, dit le ministre.

Ils échangèrent un regard et leurs yeux reflétaient les questions qu'ils se posaient l'un et l'autre, leurs doutes, leurs inquiétudes et l'extraordinaire émotion qu'ils éprouvaient en pensant au destin qui les réunissait pour la première fois, au cœur de Paris, tous les trois : Ornella, David-Axel, Julie...

— Ne vous croyez pas obligé, murmura Julie.

— Mais si. Je me crois obligé.

Déjà il s'engouffrait sous le péristyle de l'hôtel qu'un employé, affalé à demi somnolent sur une chaise, gardait vaguement. Une sorte de galerie reliait la partie « rue de Rivoli », à la partie « rue Saint-Honoré » de l'ancienne résidence des Noailles, devenue ce rendez-vous select et cosmopolite.

Lorsque Julie pénétra dans le salon qui faisait partie de la « suite » qu'elle occupait au Saint-James, une longue silhouette jaillit du fauteuil où elle attendait le retour de la jeune femme : la comtesse della Rocca-fonde.

L'employé de l'hôtel qui lui avait ouvert les portes de l'appartement avait allumé par la même occasion quelques-unes des nombreuses appliques au gaz qui garnissaient les murs tendus de soie. Dans cette lumière très tamisée, les traits du visage d'Ornella paraissaient singulièrement adoucis. Ses admirables cheveux blond cendré tombaient librement sur ses épaules. Et, détail troublant, sous son grand manteau noir, elle arborait la tenue préférée de sa fille : blouse en flanelle rouge dite « Garibaldi », jupon de même couleur et de même étoffe sous une jupe noire.

Elle se tenait immobile. Julie avança vers sa mère. Elle savait que David-Axel s'était arrêté sur le seuil; elle devinait ce qui pouvait se passer en lui. Elle savait qu'Ornella venait de le reconnaître; il y avait eu un tressaillement autour de sa bouche et quelque chose d'indéfinissable dans le regard posé sur son amant d'il y a vingt ans, comme une lueur subite, aussitôt éteinte.

Julie, se trouvant entre sa mère et son père, se retourna sur ce dernier. Personne ne dit rien pendant un bref instant qui parut très long à Julie. Puis David-Axel entra dans la pièce, alla jusqu'à la comtesse. Ils se trouvèrent ainsi face à face, aucun ne détournant son regard de l'autre, muets.

Julie eut le souffle coupé à les voir si beaux tous les deux. En cette minute, il lui semblait que c'était là le plus merveilleux couple de l'univers. Ils semblaient avoir triomphé de l'âge, des tourments, du délabrement physique.

« Est-il possible, pensa Julie, qu'il faut qu'un enfant disparaisse pour qu'ils se revoient enfin? »

Vingt ans... Ils avaient passé vingt années à vivre chacun de leur côté une existence bien remplie, vouée à leurs passions respectives. Quelles pensées pouvaient être les leurs alors qu'ils se revoyaient pour la première fois, au seuil de la vieillesse? Julie était fascinée par eux. Elle s'oubliait totalement, elle n'était plus leur enfant, mais un témoin, rien de plus qu'un témoin, bouleversé cependant par ce qu'ils dégageaient, par ce qu'ils étaient. Julie ne pensa plus au mal qu'ils lui avaient fait en la privant de ce bien unique : une enfance heureuse. C'était bien dans son caractère que de ne penser qu'à eux, à ce qui pouvait se passer dans le cœur de cet homme et de cette femme que le destin remettait enfin en présence au bout de tant d'années.

Sa mère redevenait-elle pour une seconde Ornella Massamo Villabianca, la fille chérie du prince Tancrède tout-puissant sur ses terres de Sicile? Son père redevenait-il pour une seconde le conspirateur venu de France, le révolutionnaire, l'homme au verbe enflammé, David-Axel le proscrit?

« Ils se sont tant aimés, pensa Julie. Est-il possible qu'il n'en reste rien? »

Il n'y avait qu'eux pour répondre à cette question... Le silence ne dura certainement que quelques secondes, mais il parut une éternité à Julie Crèvecœur.

— C'est une absurdité, une folie, dit enfin le ministre d'une voix sourde. Qui peut avoir conçu cet enlèvement? Et dans quel but? Qui peut avoir intérêt à ce rapt?

216

La disparition de Peppino les mettait d'entrée sur un plan où le passé n'intervenait pas. Julie comprit que son père avait adopté la seule attitude possible dans la situation où il se trouvait : il voulait aider une mère à retrouver son enfant.

— On ne m'a encore demandé aucune rançon, dit Ornella. J'espérais un message des ravisseurs. Nous sommes rentrés depuis un bon moment. Il n'y a rien eu durant notre absence. Mais on sait que mon mari est très riche. Il paiera.

Tournée vers Julie, elle ajouta :

— ... Je l'ai forcé à prendre une heure de repos...

Tout en parlant, elle s'animait. Son visage exprimait une douleur très digne. Julie, qui savait à quel point elle tenait à son fils, s'étonnait même du calme qu'elle affichait à présent. Il y avait eu juste cette défaillance, à la sortie de l'université populaire de la rue Hautefeuille; défaillance qui avait duré une fraction de seconde et qu'un témoin moins attentif que Julie n'aurait peut-être même pas remarquée.

— Don Filippo pense que l'enlèvement pourrait avoir des raisons politiques, dit-elle. Ne croyez-vous pas, madame, qu'il faut envisager cette éventualité avec... avec le ministre?

« Je suis ridicule, pensa Julie, tout en parlant de la sorte. Je dis *madame* à ma mère et j'appelle mon père *le ministre*! »

Mais en même temps elle avait la certitude qu'elle rendait service aux auteurs de ses jours en les traitant ainsi, en personnages, voire en personnalités.

— Ce que pense don Filippo n'a aucune espèce d'importance, trancha la « comtesse rouge ». Les raisons politiques auxquelles mon mari fait allusion ne sont en fait que... que...

Que se passait-il? Julie n'eut même pas le temps de réaliser. Mais sous ses yeux, Ornella Villabianca, l'orgueil et la fierté en personne, essayait vainement de conserver cette sécheresse qui n'était peut-être qu'une attitude, ce contrôle de soi qui lui échappait, cette raideur, cette rigueur que Julie croyait partie intégrante de sa personne. Sa longue chevelure dénouée, était-il possible qu'elle aidât la comtesse rouge à s'évader du personnage qu'elle s'était construit au fil des années? Les larmes s'étaient mises à couler, alors que son visage se défaisait comme une tapisserie. En perdant de son absolue beauté il devenait humain.

« Merveilleusement humain.. », pensa Julie, témoin effaré de cette scène, alors qu'elle voyait son père, qui avait jusqu'alors fait abstraction de toute émotion, tendre les mains vers cette femme qui avait peut-être joué dans sa vie un rôle essentiel, même si devant sa fille il n'avait jamais soulevé le voile de la passion juvénile qu'il avait vécue auprès d'Ornella. Celle-ci s'agrippait à lui, levait vers l'homme pour lequel elle avait éprouvé tant de passion et de haine un regard implorant, noyé de larmes.

— David-Axel, c'est mon fils... mon petit garçon, comprends-tu? Ils ont visé là où ça fait mal, horriblement mal... Il faut m'aider à le retrouver... Tu le feras, n'est-ce pas?

Julie voyait sa mère prête à défaillir. Dupeyrret la soutenait, la relevait, l'attirait vers lui, lui caressait les cheveux doucement, presque avec maladresse. Son émotion était telle qu'il avait du mal à desserrer les lèvres, à trouver les mots.

— Ma belle, murmurait-il, ma douce, je te jure que je te le retrouverai, ton fils! Mais il faut m'aider, Ornella... Si tu as des soupçons, il faut m'en parler à l'instant même. Nous sommes ici tous les trois, rien que nous trois. De quoi as-tu peur?

Elle se détacha de lui avec une douceur dont Julie ne l'aurait jamais crue capable.

— Je n'ai peur que pour Peppino, murmura-t-elle. Que veux-tu qu'on me fasse, à moi? La mort... la vie... quelle importance? Ce qui est important, c'est... c'est eux!

Du doigt, elle désigna Julie. Celle-ci tressaillit. Comment s'empêcher de penser qu'il avait fallu vingt années à la comtesse della Roccafonde pour attacher quelque importance à sa fille? Mais Julie se le reprocha aussitôt, trouvant ce genre de réflexion dépourvue de générosité.

— Depuis que j'ai pris fait et cause pour Giuseppe Garibaldi, il y a cinq ans, les Bourbons de Naples, déchus de leur trône, déchus de leurs prérogatives, me poursuivent de leur haine.

Ornella retrouvait son calme, au fur et à mesure qu'elle parlait. Une aube frissonnante, laiteuse, envahissait la petite cour aux nobles proportions sur laquelle s'ouvraient les fenêtres du salon dont on n'avait point tiré les rideaux.

— ... Ils ont de l'argent, poursuivit Ornella, et ils ont des amis! Beaucoup d'amis dans l'Europe entière... J'ai reçu tant de menaces, à Palerme, que je n'y faisais même plus attention...

— On te menaçait d'enlever ton fils? questionna David-Axel.

— Jamais!

— Alors pourquoi à Paris?

— Parce que Paris est une ville immense où tout est possible, tu le sais mieux que personne. A Paris on peut voler, tuer, conspirer et disparaître dans la foule, échapper aux policiers... Affirmerais-tu le contraire, David-Axel?

— Non...

— Tu as connu Palerme, tu y as vécu. On y débarque à sa guise, mais si tu veux empêcher quelqu'un de rembarquer, rien n'est plus facile.

Julie écouta en luttant courageusement contre la fatigue. Par la porte entrouverte, elle pouvait voir sa chambre, le grand lit où elle s'endormait seule chaque soir en pensant à Raoul... Elle voyait ses parents comme à travers un voile; ils se découpaient sur la fenêtre. Elle les enviait d'appartenir à cette catégorie d'êtres qui savaient, en certaines circonstances, se montrer insensibles à la fatigue, au sommeil.

« Pourtant, pensa Julie, moi aussi, lorsque j'étais en Amérique... »

Ses yeux se fermaient malgré son désir de les garder ouverts. Leurs voix, basses, mais bien distinctes, lui parvenaient. Et une pensée, fulgurante, traversa son esprit. Elle se redressa sur le petit canapé où, malgré elle, elle avait failli s'assoupir.

— Et « Mademoiselle »? Pourquoi personne ne parle d'elle?

Ornella et David-Axel se tournèrent vers leur fille. Cette soudaine intervention de Julie avait dû les surprendre.

— Depuis tout à l'heure, je me demande ce qui me gêne tellement dans cet enlèvement, poursuivit la jeune femme. Je sais maintenant que c'est le personnage de la gouvernante. Pourquoi les ravisseurs l'ont-ils emmenée avec eux? Ils auraient pu maîtriser « Mademoiselle », la frapper, l'attacher, la bâillonner... Ils se sont compliqué la tâche en se saisissant d'elle. Est-ce que vous vous rendez compte du danger qu'elle représente pour eux? L'enfant est trop petit encore pour servir de témoin contre ceux qui l'ont enlevé. Mais la gouvernante...

David-Axel prit la comtesse par le bras; elle réprima un léger mouvement de recul qui n'avait pas échappé à Julie.

— Bien entendu, Julie a raison.

Ornella le regarda et Julie réalisa que durant un moment ils avaient dû parler d'eux-mêmes, évoquer peut-être le passé... Elle savait que son père avait une intelligence trop aiguë pour ne pas s'être posé déjà la question au sujet de cette gouvernante enlevée avec l'enfant. Mais elle devinait aussi à quel point Ornella retrouvée le troublait. Et elle? Julie éprouva à nouveau ce malaise inexplicable, face à sa mère qui s'était laissée aller un instant, révélant un autre personnage

220

que celui qu'elle voulait être. Mais s'étant reprise, elle dominait à nouveau une situation qui incommodait Julie. Ornella en savait-elle davantage qu'elle ne voulait le dire au sujet du rapt? N'avait-elle pas confiance en David-Axel?

— « Mademoiselle » est française, d'excellente famille tourangelle. Des petits aristocrates ruinés... Elle était déjà chez nous, au château d'Altareale, bien avant mon mariage avec Filippo. Elle est profondément attachée aux Villabianca et à présent aux della Roccafonde. Elle est d'autant plus dévouée à la famille que depuis des années elle est la maîtresse de mon mari!

Don Filippo était l'amant de la gouvernante! Elle venait de révéler cela avec le plus parfait naturel, sans la moindre émotion. Julie en resta abasourdie. Quant à David-Axel, rien sur son visage ne trahissait ses sentiments. Julie se dit qu'il connaissait trop bien la comtesse pour éprouver même de la surprise face à sa personnalité hors du commun.

— ... Cela m'arrange plutôt de l'avoir sous mon toit et sous ma tutelle! Ce que j'ai connu parfois d'un peu pénible avec Filippo au début de mon mariage est dès lors impossible. J'ai ma vie, mon mari a la sienne. Je ne sais s'il inspire de l'amour à ses maîtresses, mais je sais qu'il se montre avec elles d'une générosité exceptionnellle. Le dévouement que nous témoigne la gouvernante de Peppino n'est sans doute pas tout à fait désintéressé, mais il est à longue échéance. Il n'est pas dit qu'un jour ou l'autre elle ne prenne ma place auprès de Filippo. Comment imaginer qu'une personne aussi comblée puisse se faire la complice d'une bande de malfaiteurs?

« Elle a raison, pensa Julie. Elle a raison et pourtant il y a dans le personnage de la gouvernante quelque chose... quelque chose... »

Julie luttait contre l'envie de dormir. Elle essayait de se rappeler « Mademoiselle » qu'elle avait aperçue dans la villa Roccafonde, aux environs de Palerme.

C'était une petite personne plutôt insignifiante. Menue, pointue, sans âge. Bien tournée, oui. La voix... un peu précieuse, oui. « Dévouée », disait Ornella. Dévouée à la famille. A son amant? A ce gnome... Dévouée?...

Julie ne savait pas qu'elle s'était endormie. Elle avait basculé dans le sommeil, subitement. Combien de temps? Une heure? Une minute? A un moment donné, elle s'était sentie soulevée, emportée dans sa chambre. Elle n'en avait pas été surprise. Elle s'était à nouveau assoupie. Et, cette fois, c'était la lumière du jour qui s'insinuait entre ses paupières, lui faisait ouvrir les yeux et découvrir l'image la plus inattendue, parce que cela faisait bien des années qu'elle avait abandonné l'espoir que certains désirs de son enfance pouvaient un jour se concrétiser, devenir une réalité. Ce qu'elle découvrait au pied de son lit, c'étaient un homme et une femme, côte à côte, se frôlant et paraissant se compléter si bien qu'on eût pu croire qu'ils avaient passé leur vie ensemble... Ce que voyait Julie près d'elle, c'étaient ses parents qui la regardaient dormir avec quelque chose qui ressemblait à... Julie n'osa pas formuler sa pensée tant elle lui paraissait incongrue. Pourtant, oui, c'était bien de la tendresse qu'elle crut déceler dans ce double regard posé sur elle.

« Ainsi, j'ai dû attendre vingt ans et me défaire peu à peu de tout ce qui m'a tant manqué durant mes années d'enfance, pour les voir ainsi, mon père, ma mère, veillant sur mon sommeil... »

Et ce qu'il y avait de prodigieux, c'était que Julie, mariée à présent, prématurément mûrie, ayant déjà beaucoup vécu, beaucoup aimé, beaucoup souffert, se sentait comme transportée en arrière, au royaume de l'enfance qu'elle n'avait jamais connu. Pour prolonger ce moment unique, elle referma les yeux comme si elle ne s'était point réveillée. Et prise au piège de son propre jeu, elle se rendormit pour de vrai.

Les coups redoublaient. On avait d'abord frappé doucement à la porte, mais comme celui qui frappait n'obtenait aucune réponse, il s'était enhardi. Ce furent ces coups répétés qui arrachèrent Julie au sommeil. Elle se dressa d'une traite, ne sachant pas exactement si c'était déjà la nuit ou encore le jour. Ensuite la mémoire lui revint. Elle sauta à bas de son lit. Elle portait toujours sa robe de soirée; le taffetas n'avait pas résisté aux traitements subis. Julie n'en avait nullement conscience lorsqu'elle entrouvrit la porte et qu'elle découvrit la mine ahurie d'un employé de l'hôtel qui la regardait, l'œil rond, se demandant sans doute où elle avait bien pu passer la nuit pour se trouver dans un tel état.

« Je dois ressembler à quelque pocharde du Pont-Neuf! », se dit Julie, impavide.

— L'attelage de Madame... dans la cour... depuis plus d'une heure! Madame n'est pas souffrante au moins?

— Non, non... je ne suis pas souffrante... Demandez-moi du café, vous voulez bien?

Elle lui ferma la porte au nez. Pauvre, brave Félicien qui devait se morfondre sur son siège en se demandant ce que Julie, d'habitude si ponctuelle, pouvait bien faire ce matin.

« Il nous aurait été bien utile cette nuit, Félicien... », se dit Julie tout en arrachant sa robe, loque assez lamentable.

Dans le cabinet de toilette attenant à la chambre, elle versa le contenu du broc d'eau dans la cuvette et s'ébroua pendant un moment assez bref, car elle était pressée, remettant une toilette plus détaillée à plus tard. Pourtant, il y avait une superbe baignoire montée sur socle et un personnel qui ne demandait qu'à envahir l'appartement de la ravissante Mme de Saint-Cerre, transportant de l'eau chaude à plein bras.

Plus tard... La vie était redevenue une aventure.

Mais Julie, cette fois, n'éprouvait pas cette excitation presque joyeuse qu'elle avait connue en d'autres temps lorsque l'existence devenait périlleuse. L'image d'un petit garçon rieur entrevu à Palerme et qui avait disparu au cœur de Paris ne la quittait pas un seul instant. Elle en avait rêvé. Elle se demandait si David-Axel avait pu faire progresser l'enquête.

A un autre étage, le comte et la comtesse della Roccafonde tournaient sans doute en rond, perdus, désespérés, attendant qu'on leur donne ne serait-ce qu'une lueur d'espoir. Peut-être, pendant que Julie dormait, avaient-ils enfin été touchés par un message des ravisseurs?

Elle s'habilla très vite. Elle savait qu'à Auteuil on avait besoin d'elle, que la maison était bouleversée de la cave au grenier, qu'Antoinette faisait face à tout le monde, répétant inlassablement : « Je ne peux rien décider sans Madame. Elle sera là d'une minute à l'autre... » Non. Décidément, plus rien n'avait d'importance. Elle avala le café brûlant qu'on venait de lui apporter, debout. Elle eut une pensée fugitive et émue pour les petits déjeuners de Bruxelles avec Raoul. Le fou rire de la servante flamande, les draps chauds de la chaleur de leurs corps... Basta! Il valait mieux ne pas y penser.

« Mais, se dit-elle, ce serait plus facile si mon mari était là, près de moi. Pourquoi dans certaines circonstances nous retrouvons-nous toujours seules, nous autres femmes, alors qu'on nous a appris que l'homme avait été créé pour nous protéger? »

La jeune oratrice de la réunion féministe à l'université populaire de la rue Hautefeuille était-elle une exaltée un tantinet ridicule, cible trop facile des sarcasmes masculins ou, au contraire, annonçait-elle des temps nouveaux, d'autres rapports entre les hommes et les femmes?

« Peut-être, pensa Julie trouverons-nous le temps, avec Ornella, de nous parler un peu. En oubliant mes griefs, je ressentirai certainement l'admiration que j'aurais pu avoir pour elle? Après tout, c'est une femme exceptionnelle et j'ai bien vu que David-Axel avait été subjugué, vingt ans après, à la seconde même où il l'avait revue! »

Sans s'en rendre compte, elle avait repris le chemin de l'appartement des della Roccafonde. La porte était entrouverte. Elle entra. Ornella se tenait debout à la fenêtre donnant sur la petite cour. Immobile. Elle avait échangé sa tenue de flanelle rouge contre une robe d'intérieur bordée au col et aux manches d'une fourrure sombre et luisante qui encadrait son beau visage mis à nu par la souffrance et les heures de veille. Elle ne bougea point. Quelqu'un avait allumé un petit feu dans la cheminée où deux bûches se consumaient lentement. Avait-elle vu se dessiner une silhouette dans la vitre? Sans doute.

— On est venu chercher Filippo tout à l'heure...

Julie ne comprit pas très bien.

— Don Filippo?

— Un envoyé de votre père...

— Mais pourquoi?

Ornella se retourna :

— Pour l'interroger hors de ma présence, je suppose. D'ailleurs, il n'avait pas l'air tellement surpris, mon cher époux.

Julie se rappelait le désespoir sincère du comte lorsqu'elle était revenue de chez Lapérouse cette nuit.

— Je suis certaine qu'il n'est pour rien dans cette affaire, s'écria-t-elle. Il aime votre fils comme si c'était le sien.

— Je sais... je sais... (Elle se tut. Puis d'une voix sourde :) Il n'y a pas eu de message, aucune demande de rançon et les policiers qui ont investi l'hôtel dès l'aube n'ont pas découvert de témoignage intéressant. A croire que l'enfant et « Mademoiselle » se sont envolés! N'est-ce pas extravagant?

Elle essayait de paraître calme, mais Julie ne savait que trop bien ce qu'elle éprouvait, cette rage impuissante devant les faits, devant l'impossibilité d'agir, d'intervenir elle-même. Elle se demandait ce qui avait bien pu pousser David-Axel à faire chercher le comte au Saint-James, avec lequel il aurait pu s'entretenir sur place au lever du jour. Le ministre devait avoir ses raisons. Peut-être préférait-il voir della Roccafonde en dehors d'Ornella?

— Je vais aller là-bas, dit-elle, au ministère, et s'il y a du nouveau je reviendrai immédiatement à l'hôtel.

— Je n'en bougerai pas, murmura la comtesse.

Quelques instants plus tard, dans le hall, Julie vit surgir devant elle le directeur en queue de pie, la figure toujours inquiète, et qui lui glissa au creux de l'oreille :

— Depuis ce matin, ces messieurs en civil sont partout. Pourvu que les journaux n'en sachent rien! Ce serait la fin de notre réputation. Un enlèvement! Au Saint-James!

Devant le perron stationnait la berline. En apercevant sa maîtresse, Félicien sauta de son siège, se découvrit et ouvrit la portière.

— Madame n'est pas souffrante?

— Non, Félicien. Mais il se passe des choses très graves. Nous n'allons pas à Auteuil, mais au ministère de l'Intérieur!

— Bien, madame!

Il suffisait de descendre le faubourg Saint-Honoré jusqu'à l'hôtel Beauvau où Julie parlementa un instant avec les factionnaires avant que la berline pût pénétrer dans la cour du ministère. Deux minutes plus tard, le ministre la reçut alors que son antichambre regorgeait de visiteurs dont quelques-uns revêtus de l'uniforme étincelant des préfets.

David-Axel paraissait harassé. La nuit blanche qu'il avait passée marquait ses traits, mais il était fraîchement rasé, portait du linge blanc, éclatant. Julie savait qu'il avait un appartement de fonction au ministère même où il avait dû se rendre directement après avoir quitté le Saint-James.

— Mon intérim prend un tour définitif qui ne me plaît qu'à moitié, marmonna-t-il. L'Empereur est fatigué et rêve de libéraliser davantage le régime. Et M. Bismarck se fiche de nous. Nous nous essoufflons; l'Europe vit à l'heure prussienne.

Il frôla de ses lèvres les cheveux de Julie.

— ... Je suis fatigué, ma chérie, mais j'ai presque honte de l'avouer, je suis très heureux! Cette nuit, avec Ornella, nous sommes restés un long moment auprès de toi endormie. Malgré la gravité des circonstances, c'était... je ne pourrais pas t'expliquer...

Julie serra avec force la main de son père et ne dit rien. Elle regarda autour d'elle et puis elle se reprocha un peu sa naïveté : elle croyait que le comte Filippo se trouvait près de David-Axel. Elle réalisa qu'à cette heure-ci le ministre était l'un des hommes les plus occupés de l'Empire et qu'il se devait à sa charge.

— Pourquoi avoir fait amener ici le comte della Roccafonde? demanda-t-elle.

— Pardon?

Il la regardait comme si elle venait de dire une incongruité. Julie cessa de respirer. Elle sentait comme une crispation au creux de l'estomac. Tout en elle était aux aguets.

— Voyons, père... Tout à l'heure, un homme, un policier sans doute, est venu de votre part chercher don Filippo au Saint-James.

Une porte s'entrebâilla. Une tête suppliante se montra :

— Excellence... Les préfets!

— Fermez cette porte et disparaissez! hurla l'Excellence.

Le bonhomme s'évanouit comme dans une trappe.

David-Axel regarda sa fille, les sourcils froncés, le front barré d'une ride profonde.

— Personne n'a été envoyé par moi auprès du mari d'Ornella! Personne! On s'est servi de ce prétexte pour obliger le comte à se rendre je ne sais où!

Julie se laissa tomber sur un siège à haut dossier qui obligeait les visiteurs à se tenir droit devant le ministre. Celui-ci resta muet un instant, abasourdi, incapable de réagir. Il était, comme Julie, terrassé par cette nouvelle ahurissante.

— Et ceci se passe à quelques centaines de mètres de mon ministère, en face des Tuileries, au cœur de Paris.

Il avait tout de même fini par éclater.

— L'évasion de monsieur ton mari, au nez de l'Empereur et, ce qui est plus grave, au nez du préfet de Police et du ministre de l'Intérieur par intérim, c'était déjà une bonne plaisanterie que nous avons pourtant failli étouffer! Et voilà qu'on enlève des enfants dans un quartier où il y a autant de serviteurs de l'ordre que d'habitants...

— Don Filippo n'est pas un enfant, murmura Julie.

— Non, mais il en a la taille, ne put s'empêcher de répliquer David-Axel. (Il ajouta aussitôt :) Pardonne-moi, mais lorsque Ornella m'a présenté le comte, j'ai eu un haut-le-cœur. Que de choses gâchées dans nos vies. Et par ma faute...

— Il y a évidemment un rapport entre la disparition du comte et l'enlèvement de Peppino... supputa Julie.

— Evidemment... Pauvre Ornella!

Il posa les mains sur les épaules de Julie.

— Elle est persuadée d'être la cause indirecte de l'enlèvement de son fils. Elle s'est fait des ennemis irréductibles de par sa prise de position en faveur de Garibaldi. Tu connais les Siciliens, ou plutôt, tu ne les connais pas. Ils sont capables de tout; du meilleur et du pire.

— Mais comment peut-on s'attaquer à un enfant? s'exclama Julie.

— Cela me dépasse, moi aussi. Mais je te promets que rien ne sera négligé pour que la lumière soit faite. Tu sais, Julie...

Il se tut comme s'il n'osait poursuivre. Il paraissait soudainement perdu dans ses pensées, en proie à une sorte de désarroi que Julie percevait fort bien.

— Je crois avoir compris, père...

Il la fixa, perplexe.

— Qu'est-ce que tu crois avoir compris, chérie?

— Que tu aimes Ornella comme au premier jour; qu'elle est le seul être humain qui ait vraiment compté dans ta vie; que tu l'as redécouverte, cette nuit, émerveillé, et que tu t'es dit : « Mais j'ai gâché l'essentiel; je suis passé à côté de ce qui comptait vraiment... » Mais je me trompe peut-être?...

David-Axel était allé vers son immense bureau. Peut-être voulait-il dérober son visage à sa fille? Celle-ci resta sur place, immobile. Elle n'attendait aucune réponse. Le ministre avait pris place derrière sa table. Une porte s'entrouvrit aussitôt comme si ses faits et gestes étaient surveillés par des yeux invisibles. Mais il avait dû actionner une sonnerie.

— Faites entrer MM. les préfets!

Il regarda enfin sa fille.

— Rassure-la de ton mieux. Je... je reviendrai là-bas dès que possible!

C'est en émergeant du ministère sous le regard vide des inévitables « messieurs en civil » que Julie se rendit compte que son père ne lui avait fourni aucun détail sur les progrès de l'enquête. Elle en déduisit qu'il préférait attendre encore, la lourde machine policière n'ayant été mise en route que depuis cette nuit.

David-Axel avait beau occuper les fonctions qui étaient les siennes, cela ne suffisait certainement pas pour provoquer un miracle.

« Et retrouver rapidement la trace de Peppino dans ce Paris gigantesque, incontrôlable, cela semble du domaine de l'irréel... »

Comment ne pas se souvenir que Julie elle-même, il n'y avait pas si longtemps, désireuse de disparaître dans Paris, y avait parfaitement réussi, malgré les efforts de son défunt tuteur qui avait pourtant le bras long.

« On a enlevé Peppino, certes, mais non point pour l'emmener hors de France, supputa-t-elle. Mais don Filippo... que voulait-on de lui? Pourquoi? Pourquoi? »

— Nous allons à Auteuil, madame?

Félicien, à la portière, la regardait et elle pouvait lire dans ses yeux cette affection simple qui la réchauffait parfois, quand tout allait mal. La bonté du vieux cocher. La bonté d'Antoinette...

« Est-ce que mon père est un homme bon? » se demanda Julie. Mais était-ce bien le moment de se poser des questions de cet ordre? Une pensée subite, fulgurante, lui traversa l'esprit.

— Tu m'as attendue longtemps ce matin, au Saint-James, n'est-ce pas, Félicien?

— Je pense bien, mademoiselle... pardon, madame. Je pense bien. J'étais là comme convenu à 9 heures. Et même un peu avant. Même que je commençais à me faire des idées rapport à la santé de madame... Rien ne vaut le bon air d'Auteuil, l'air de la campagne...

— Dis-moi, pendant que tu attendais dans la cour du Saint-James, tu n'as pas vu un tout petit homme, vraiment tout petit, avec une barbe en désordre et...

— Je pense bien que je l'ai vu, madame! s'exclama le cocher. D'autant plus qu'il est monté dans une voiture de grande remise qui appartient au père Leleu, un vieux camarade à moi, tout heureux de ce fameux décret du mois de mars qui a rétabli la liberté de l'industrie des voitures publiques... C'est que Leleu ne s'était jamais fait, lui, à la fusion avec la toute-puissante Compagnie Générale des Petites Voitures...

Julie avait voulu vainement interrompre le cocher qu'elle soupçonnait d'avoir commencé la journée par plusieurs cafés arrosés. Mais elle était tout à fait consciente que grâce à ce « Leleu » providentiel, elle était peut-être en mesure d'éclaircir le mystère du départ matinal de don Filippo vers une destination inconnue. Elle se tenait debout au bas du marche-pied.

— Félicien, dit-elle très vite et à mi-voix, nous avons vécu ces derniers temps des moments peu ordinaires. Rappelle-toi seulement Sainte-Pélagie et notre envol à bord du *Sentimental*...

— C'est ce que j'appelle vivre dangereusement, madame!

— Eh bien, ce n'est pas fini. Il se passe ici, dans cet hôtel, des choses étranges depuis cette nuit. Tu as vu l'homme qui accompagnait le petit Italien à barbiche?

— Je vous crois, madame.

— Il faut retrouver au plus vite ton ami Leleu pour savoir où il a conduit M. della Roccafonde et son... son compagnon.

— Inutile d'aller le demander à Leleu, dit placidement le vieux cocher, puisque je sais très bien, moi, où ces messieurs sont allés.

Julie le dévisagea, stupéfaite. Félicien semblait très sûr de lui.

— Ecoutez, madame, dit-il, c'est pas compliqué : Leleu m'a dit que sa voiture, ses chevaux et lui-même travaillaient en ce moment à plein temps pour Mme la comtesse Walewska! Le reste se devine facilement : pendant que Son Excellence, M. le comte Walewski, président du Corps législatif, essaie d'avoir un peu d'autorité sur nos députés au Palais-Bourbon, la comtesse reçoit ses amis dans leur maison de campagne d'Etioles. Cette femme-là a encore plus d'amis que de chevaux et d'attelages. Alors elle fait appel à des remiseurs comme Leleu pour transporter tout ce beau monde entre Paris et la campagne.

Julie posa sa main sur le bras du cocher.

— Alors, tu crois, Félicien, que ces deux messieurs, tout à l'heure, se sont rendus à Etioles, chez les Walewski?

Félicien acquiesça du chef.

— Sûr et certain, madame!

Julie posa le pied qu'elle avait petit et charmant sur le marchepied de sa berline.

— Dans ce cas, Félicien, nous allons prendre sur-le-champ la route d'Etioles. Et au triple galop, s'il te plaît!

— A vos ordres, madame.

Il triturait son haut-de-forme à cocarde.

— Et Auteuil, madame? Et vos entrepreneurs?

— Je te jure, Félicien, qu'en ce moment il s'agit d'entreprises bien plus graves que celles qui consistent à empêcher la pluie de faire pousser des fleurs sur les tapis de mon salon!

Alors que l'attelage sortait à grand fracas de la cour du ministère après un demi-tour effectué de main de maître, Julie, très droite sur la banquette, essayait de comprendre pour quelles raisons un homme était venu quérir don Filippo soi-disant de la part du ministre de l'Intérieur, alors qu'il était envoyé par l'une des femmes les plus en vue de Paris, épouse d'un homme politique de premier plan, intimement liée au couple impérial... Julie était à la fois soulagée et vaguement effrayée, car elle soupçonnait une de ces intrigues dont la société gravitant autour de la Cour avait le secret. Une intrigue « à l'italienne » dont Ornella serait la victime...

Julie n'avait jamais rencontré Mme Walewska que l'on opposait souvent à Pauline de Metternich aux « séries » de Compiègne ou à l'occasion des innombrables festivités, bals costumés, charades et mondanités diverses au cours desquels un petit groupe de femmes célèbres rivalisaient de beauté, d'élégance ou d'esprit. Mais elle en avait beaucoup entendu parler tant du côté de son amie Pauline que par une autre de ses amies qui brillait d'un vif éclat à la Cour : Mélanie de Pourtalès. La propriété des Walewski en Ile-de-France avait une réputation qui n'était pas loin d'égaler celle de Saint-Gratien où la princesse Mathilde Bonaparte recevait ses amis innombrables et où Julie s'était rendue bien souvent du temps de ses amours, ô combien mouvementées, avec Alain Delatouche disparu au Mexique et reparu à Paris cet été, dans le sillage de l'infortunée Charlotte, épouse de l'empereur Maximilien.

Dans la tête de Julie se bousculaient les pensées les plus contradictoires. Elle cherchait vainement à trouver un lien entre l'enlèvement de Peppino, celui du comte Filippo et la personnalité de Marie Walewska dont on disait qu'elle avait eu le talent rare de s'être fait aimer à la fois de l'Empereur et de son épouse, Eugénie...

— Combien de temps nous faudra-t-il pour nous rendre à Etioles, Félicien ?

— Moins de deux heures, madame, en passant par Melun.

C'était peut-être une folie de se précipiter ainsi en Ile-de-France sur la foi des seules affirmations de Félicien. Mais celui-ci avait prouvé maintes fois son esprit d'à-propos. Julie aurait voulu laisser de côté une fois pour toutes les suppositions gratuites qui lui torturaient l'esprit, mais elle n'y arriva que par un très gros effort de volonté et aussi parce qu'au bout d'un moment, une fois sorti de Paris, l'attelage allait d'un trot si régulier que Julie faillit s'endormir.

L'automne était fastueux. Les bruns, les rouges, les ors composaient une palette magique sous un ciel d'un bleu pâle. La brume dissipée, le soleil pudique faisait chanter *mezza voce* un paysage qui touchait Julie d'autant plus qu'il était lié au souvenir de certains moments de l'existence qu'un champ de blé fauché ou un cavalier solitaire galopant en lisière d'une forêt suffisaient à réveiller.

Félicien évita Melun et ne ralentit sa cadence qu'à la traversée du village d'Etioles, bourg endormi, à la sortie duquel, au milieu d'une pelouse entretenue par un jardinier amoureux des gazons anglais, s'élevait une demeure longue et basse, éminemment aristocratique, quoique assez récente, de cette simplicité révélatrice d'un raffinement extrême. C'est en remontant l'allée qui conduisait vers la maison que Julie fut prise de remords en pensant qu'elle était partie sur un coup de tête en négligeant d'avertir Ornella. En même temps, elle constatait qu'un calme inattendu régnait aux alentours et que, s'il y avait beaucoup d'invités chez Mme Walewska, ceux-ci étaient sans doute en train de déjeuner.

Pendant que Félicien contournait l'inévitable pièce d'eau où nymphéas et feuilles mortes faisaient bon ménage, Julie fut prise de panique, car elle ne savait pas du tout ce qu'elle allait bien pouvoir dire lorsqu'elle se trouverait devant Marie Walewska. Mais, comme toujours, les événements lui dictèrent sa conduite. Elle sauta en bas de sa berline avant qu'un valet accouru en hâte n'ait eu le temps de l'aider. L'homme, très stylé, paraissait cependant troublé par l'arrivée intempestive de cette jeune femme qui lui lança avec assurance :

— Je désire voir le comte della Roccafonde.

— Ma... Signorina...

L'homme lui emboîtait le pas alors qu'elle était déjà sous le péristyle, cherchant l'entrée de la maison, la trouvant gardée par deux chiens noirs, des dobermans peu commodes et qui, à son approche, se mirent à grogner sans pour autant daigner se lever. En même temps, Félicien, dressé sur son siège d'où il dominait le parc, désigna de son fouet l'équipage rangé devant un bâtiment en retrait qui devait contenir les écuries et les dépendances :

234

— La voiture du père Leleu! s'écria-t-il.

Julie s'arrêta tout net. Le valet fit de même.

— Vous n'allez pas me dire que le comte della Roccafonde n'est pas ici? J'exige, vous entendez? J'exige de le voir immédiatement!

Elle voulut pénétrer dans le hall, mais les deux chiens se levèrent, énormes et cette fois franchement menaçants, les babines retroussées, les yeux injectés de sang.

— Que se passe-t-il?

Une voix charmante, teintée d'un très léger accent italien. Les chiens se détournèrent aussitôt de Julie. Une silhouette de femme, petite, mais proportionnée à la perfection, émergeant d'une vaste zone d'ombre où Julie distinguait des meubles massifs posés sur un parquet brillant au point de paraître la surface d'un lac figé où ils se reflétaient. Elle n'avait même pas eu besoin de rappeler les chiens. Ceux-ci vinrent se frotter à elle, presque à sa hauteur, essayant avec une bonne volonté touchante de faire croire qu'ils étaient chiens de salon...

Julie reconnut Marie Walewska d'après ce qu'on lui avait dit d'elle. Quoique nettement plus âgée que Pauline de Metternich, qui portait sa trentaine avec allégresse, la comtesse Walewska était des pieds à la tête une beauté petit format qu'une certaine lassitude, à la fois des traits et du comportement, rendait captivante en lui enlevant toute mièvrerie. C'était une blonde couleur des blés de mars avec des yeux gris bleu qui examinaient Julie avec une vivacité à la fois admirative et méfiante.

— Je suis un peu surprise de cette façon d'arriver chez moi comme la tramontane, dit-elle.

Et, cette fois, Julie, frappée par l'accent italien, se souvint de ce qui lui était sorti de l'esprit, à savoir que Mme Walewska était d'origine italienne, florentine, et que son nom de jeune fille était... Julie chercha dans sa mémoire et subitement le nom lui revint :

Ricci! Anne-Marie de Ricci, comtesse Walewska. Les potins du salon de la princesse Mathilde, ceux de Mélanie et de Pauline, tous ces propos échangés entre femmes, auxquels Julie prêtait si peu attention et où le nom de la comtesse Walewska revenait si souvent... Elle aurait été incapable d'établir un rapport quelconque entre cette beauté blonde et le comte della Roccafonde, mais le fait qu'ils fussent italiens l'un et l'autre pouvait avoir un lien avec les événements de la nuit dernière.

— Veuillez m'excuser, comtesse, murmura Julie, mais croyez bien que si je viens chez vous sans avoir été invitée, j'ai pour cela des raisons majeures. Je suis Mme Raoul de Saint-Cerre...

— Oh! dit la comtesse.

Elle jugea utile d'ajouter :

— Vous êtes la femme de ce journaliste républicain qui veut nous voir tous à la Bastille?

— Mais non, dit Julie, irritée, mais non : on peut aimer la liberté et respecter celle des autres, ce qui est le cas de mon mari.

Elle se tut brusquement, car elle avait perçu des éclats en provenance d'une pièce donnant sur le hall. Et elle avait fort bien reconnu la voix de don Filippo au comble de la colère et de l'exaspération. Marie Walewska, malgré sa suprême assurance, paraissait être prise de court. Avant même qu'elle n'ait eu le temps d'adopter une attitude, un homme d'une taille impressionnante jaillit de la pièce, ayant repoussé avec fureur les deux battants de la porte. Il désigna à son interlocuteur, que Julie ne pouvait apercevoir, le large escalier qui menait à l'étage tout en hurlant :

— Eh bien, qu'attendez-vous, don Filippo, pour exercer vos dons d'éloquence sur Mademoiselle? Vous croyez que je l'ai fait enlever avec le bambino? C'est votre droit. Vous l'imaginez dans les sous-sols de la comtessina, les fers aux pieds? Allez, avocato, allez vous en assurer vous-même avant de m'accabler de reproches... Et n'oubliez pas qui je suis! Ne l'oubliez jamais!

Il s'exprimait en italien, mais Julie avait à peu près compris le sens des menaces qu'il proférait. Il venait de découvrir Mme Walewska et s'avança vers elle :

— Combien je suis désolé, Marie, ma chère, ma très chère, de vous occasionnner tant de tracas dans votre maison, moi, mes gens, ma famille... J'abuse de votre hospitalité, je le crains.

— Vous savez bien, prince, que vous êtes ici chez vous de même que je me suis toujours considérée chez moi dans vos propriétés de Sicile! Un prêté pour un rendu...

L'homme qui s'était approché était très vieux. Dans son visage parcheminé, buriné au point de paraître comme un masque de cuir, seuls les yeux semblaient doués de vie; mais de quelle vie!

Dévisageant Julie, il secoua la tête lentement comme s'il avait du mal à comprendre quelque chose. Quoi? Derrière lui, apparaissant à son tour sur le pas de la porte à double battant, Filippo della Rocca-fonde. Il aurait voulu répliquer avec véhémence à la morgue presque insultante du vieillard, mais la présence de Julie le sidéra au point de le rendre muet.

— Ornella... murmura le vieil homme, Ornella, tu es revenue?

Il s'exprimait avec une douceur subite, boulever-sante. Julie, fascinée, le regarda et il évoquait pour elle un climat à la fois étranger et vaguement fami-lier. Une cravate monumentale de satin noir émer-geait de sa redingote en drap marron, cravate aux plis composés avec art, aux coques aplaties, qu'éclairait une épingle à tête de faune dont les yeux de rubis semblaient contempler, eux aussi, la jeune femme...

— Ornella, ma petite fille, murmurait-il avec une tendresse infinie.

Et il avança une main décharnée, très brune, nouée comme une branche. Il caressa la joue de la jeune femme avec une sorte de timidité. Il semblait avoir oublié la colère grandiose qui le secouait un instant plus tôt. Marie Walewska posa son bras sur celui du vieillard.

— Reprenez-vous, cher Tancrède. Ce n'est pas elle, voyons... Ce n'est pas votre fille et vous le savez bien...

— Pourtant... cette ressemblance...

Il paraissait perdu. Julie venait de comprendre que cet homme était le prince Tancrède Massamo Villabianca, le père d'Ornella, son grand-père! Le prince Tancrède, seigneur et maître du château d'Altareale où, vingt ans plus tôt, il avait accueilli trois jeunes gens venus de France dont l'un devait être le futur père de Julie Crèvecœur...

Elle resta comme hébétée l'espace d'une seconde.

« Moi qui me plaignais de n'avoir aucune famille, voici que celle-ci s'agrandit de jour en jour... Le voici donc, cet homme terrible, ce prince Tancrède qui adorait à la folie sa fille unique, Ornella, jusqu'au jour où cet amour se transforma en haine! »

Elle essaya de se rappeler tout ce qu'on lui avait dit au sujet des rapports difficiles existant entre le père et la fille, deux personnalités hors du commun, épris l'un et l'autre de démesure... Mais ce qui se passait présentement chez Marie Walewska accapara toute son attention.

Don Filippo, qui s'était repris, haussa le ton :

— Vous n'avez pas répondu de façon satisfaisante à mes questions, prince! Sans oublier le respect que je vous dois, j'exige des explications claires... Vous n'êtes pas en Sicile, mais en France, et malgré les hautes protections dont vous jouissez, vous ne pouvez vous conduire ici comme si vous vous trouviez chez vous, sur vos terres, avec le droit de vie ou de mort sur vos sujets, lesquels, d'ailleurs, ont bien repris du poil de la bête depuis que Garibaldi s'est plu à enrichir leur vocabulaire du mot : liberté!

C'était comme si un moustique outrecuidant venait

de piquer son cuir de pachyderme. Le gigantesque Tancrède fit volte-face et avança à grands pas vers le chétif et minuscule époux d'Ornella :

— Pauvre petit avorton! hurla-t-il, pauvre petite créature, pauvre miroir où se reflètent les pensées confuses de l'esprit confus qui habite la cervelle de mon unique fille! Que tu sois cocu de naissance, ce n'est que justice, mais que tu sois de surcroît un cocu béat d'admiration devant celle qui te cocufie, c'est insupportable pour un Massamo Villabianca! Je t'ai fait venir ici ce matin non pas pour recevoir de toi des leçons de politique italienne, mais pour te montrer mon petit-fils heureux près de son grand-père, que Mademoiselle, consentante et dévouée à ma maison, a bien voulu m'amener ici, à Etioles, afin que je l'emmène avec moi en Sicile où il recevra une éducation d'homme et d'aristocrate.

Témoin de cette véhémente explication familiale, la comtesse Walewska voulut se retirer. Tancrède l'en empêcha, la rattrapant par la manche.

— Restez, Marie de Ricci, restez, je vous prie... Je suis votre hôte, ceci est votre maison. Ce qui s'y passe ne doit pas être ignoré de vous...

Elle se dégagea doucement.

— Non, Tancrède. Je vous ai donné Etioles le temps de votre séjour en France. Tout ce qui s'y trouve est à vous et vos gens ont remplacé les miens. Mais je pense, mon très cher ami, qu'il vaudrait mieux que je ne sois pas dans le secret de tout ce qui se dit ici. Mon mari a épousé une Italienne, mais il ne comprend pas pour autant toutes les subtilités de nos tempéraments. Et, même s'il nous comprend, il risque de ne pas m'approuver dans mes actions. Et cela m'embarrasserait fort.

Elle regarda Julie, lui sourit un peu tristement.

— Je vous laisse avec eux, madame.

Elle se retira, suivie de ses chiens, traversa tout le hall jusqu'à son extrémité où de hautes fenêtres

s'ouvraient sur un parc où voletaient des feuilles
mortes. Julie savait qu'il était indispensable qu'elle
intervînt. Elle ne se demanda pas à cet instant si le
vieux Tancrède soupçonnait qui elle pouvait être. La
ressemblance de Julie avec Ornella l'avait frappé au
premier regard au point de lui faire perdre conte-
nance. Mais rien de cela ne comptait : il s'agissait de
l'autre enfant d'Ornella qui se trouvait ici, à Etioles,
au cœur de l'Ile-de-France, enlevé plus ou moins par
son grand-père.

— Monsieur, dit-elle à voix basse, je suis certaine
que vous aimez votre petit-fils, mais vous devez bien
savoir à quel point il est important qu'un enfant soit
près de sa mère... J'ai cru comprendre que la gouvernante de Peppino était l'auteur de cette mise en scène
odieuse qui a fait croire aux parents à un véritable
enlèvement. Mais cela est indigne de vous, indigne de
l'amour que vous éprouvez, que vous le vouliez ou
non, pour votre fille...

Julie, tout en parlant, avait senti qu'elle était en
mesure de se faire écouter par le vieil homme qui ne
pouvait détacher ses yeux de son visage et de sa
silhouette, qui se tenait auprès d'elle, immobile et
extraordinairement attentif à tout ce qu'elle disait.

— C'est aussi sa voix, chuchota-t-il. Oui, sa voix
et la mobilité de ses traits. Et ce sont les cheveux
d'Ornella...

Il quêta auprès de don Filippo une explication. Mais
le petit comte avait perdu sa hargne; ses yeux allaient
de son beau-père à Julie. Celle-ci toucha la manche de
la redingote du vieillard qui la dépassait, elle qui
était grande pour une femme, d'une tête ou presque.

— Peppino se trouve dans cette maison avec... avec
Mademoiselle.

Le prince Tancrède lui cligna de l'œil de façon complice. Un petit sourire rusé, satisfait, joua autour de
ses lèvres minces.

« Il est inconscient, pensa Julie. Habitué toute sa

vie à n'en faire qu'à sa tête, il est devenu bizarre avec l'âge. Mais ses bizarreries peuvent prendre une tournure dramatique. Don Filippo a sans doute raison lorsqu'il évoque le droit de vie ou de mort que les hommes de cette race se sont toujours cru sur leur entourage... »

— Bien sûr, acquiesça le prince Tancrède. Avant, bien avant que mon gendre ne se soit employé à oublier ses infortunes conjugales sur le sein de la gouvernante, j'ai fait à cette demoiselle le grand honneur de la combler de mes faveurs. Ceci remonte à... à quelques années. Mais les caresses d'un Massamo Villabianca ne s'oublient pas de sitôt. Cette personne m'est dévouée jusqu'à la moelle. De plus, elle est horrifiée par la vie que mène ma fille, par les opinions qu'elle affiche, par la sympathie ouverte qu'elle a manifestée et qu'elle manifeste encore à ce va-nu-pieds de Giuseppe Garibaldi, dictateur de la Sicile! Mon petit-fils est le dernier de notre lignée. Quelle jeunesse sera la sienne entre une mère qui milite à travers l'Europe pour des idées extravagantes qui n'ont ni queue ni tête et un père qui court les théâtres et les théâtreuses? Je n'ai pas eu grand mal à convaincre Mademoiselle de profiter du séjour à Paris de ma fille, de mon gendre et de mon petit-fils pour soustraire celui-ci au climat néfaste dans lequel on le fait vivre. Je me suis rendu moi-même en France avec une suite réduite, une trentaine de personnes. Mademoiselle n'a fait qu'exécuter un plan que j'avais soigneusement mis au point au préalable. Hier soir, mon gendre assistait à la première de *La Vie Parisienne* pendant que madame prêchait la révolte aux bas-bleus du Quartier latin. L'occasion rêvée pour faire quitter à Mademoiselle l'hôtel Saint-James avec mon petit-fils par l'entrée de la rue de Rivoli désertée, même par le personnel, aux heures des spectacles...

Julie eut l'amère satisfaction de voir se confirmer ses suppositions. Elle resta tout de même éberluée devant le sans-gêne avec lequel le vieux despote. sicilien avait agi et agissait encore dans un pays qui n'était pas le sien.

— Et personne ne vous a empêché de mettre à exécution votre plan? s'exclama-t-elle. Personne n'a jugé utile de vous prévenir, vous et les trente personnes de votre escorte, que vous étiez en train de violer les lois de ce pays et que toutes les polices de France allaient se trouver sur le pied de guerre pour retrouver les ravisseurs de votre petit-fils?

A la stupéfaction de Julie, le prince Tancrède éclata de rire. Un rire homérique qui secouait toute son immense carcasse, provoquant une quinte de toux, ce qui l'obligea à tirer de sa manche un mouchoir immaculé qui répandait une suave odeur de citronnelle.

— Chère, très chère, vous êtes ardente, mais cocasse! Ce sont des agents de votre police, en civil, certes, mais parfaitement honorables, enfin, aussi honorables qu'on puisse l'être dans la police, qui sont venus quérir mon gendre ce matin à l'hôtel Saint-James.

Julie le regarda avec une admiration mêlée d'effroi.

« Mon grand-père, pensa-t-elle, est vraiment fou. Complètement fou! »

— C'est sans doute exact! renchérit don Filippo furieux. Quand ce matin un inspecteur en civil s'est présenté fort courtoisement à moi, se disant mandaté par « Son Excellence » pour m'escorter, j'étais convaincu que « l'Excellence » en question était M. le ministre de l'Intérieur. Quand je me suis aperçu de mon erreur, il était trop tard : nous roulions déjà en direction d'Etioles.

Julie sentait la moutarde lui monter au nez.

— Je suis d'autant mieux placée pour savoir que l'inspecteur qui vous a emmené de force n'est qu'un imposteur, que je me suis entretenue, pas plus tard que tout à l'heure, avec le ministre de l'Intérieur qui vous fait rechercher activement, ne pouvant se douter que je vous ai retrouvés, vous, ainsi que l'enfant disparu et sa gouvernante.

Elle se tourna vers le prince Tancrède dans l'intention louable de lui décrire les inconvénients auxquels il s'exposait s'il continuait ainsi à braver les lois, mais elle n'en eut pas le loisir. Un homme tout de noir vêtu se tenait sur l'escalier en fer à cheval. Il avait dû être témoin d'une partie des propos échangés dans le hall.

— Désolé de vous contredire, Madame de Saint-Cerre, dit-il en prenant son temps pour descendre les marches. Je suis l'officier de police Martin chargé de veiller sur la sécurité de Son Altesse le prince de Villabianca. Je suis personnellement attaché à Son Excellence M. le ministre des Affaires étrangères que j'ai suivi quand il a quitté l'Intérieur le mois dernier...

Julie regarda le bonhomme dont les paroles mesurées lui firent entrevoir un monde complexe et féroce, celui du pouvoir. Ainsi l'affreux La Valette, ennemi personnel de David-Axel, avait, en quittant son cher ministère de l'Intérieur, conservé ses propres policiers dont il se servait à sa guise. A présent seulement, et assez vaguement, elle réalisa que le prince Tancrède était susceptible de discréditer David-Axel, favori de l'Empereur, en l'éclaboussant d'un scandale qui, bien exploité, pouvait faire la joie de certaines gazettes...

— J'aimerais vous rappeler, madame de Saint-Cerre, poursuivit le dénommé Martin, avec une légère emphase, que vous êtes l'épouse d'un prisonnier politique actuellement en fuite, que la comtesse della Roccafonde mène en France une action dite « féministe » franchement subversive, directement dirigée contre les lois en vigueur, alors que Son Altesse le prince de Villabianca est l'hôte du président de notre Corps Législatif et qu'il a toujours été un ami fervent de la France et de l'Empire! Voyez-vous un homme de cette importance se livrer à des actions répréhensibles? Non, n'est-ce pas?

Il aurait sans doute continué de la sorte, si le prince Tancrède ne l'avait fait taire d'un geste d'impatience, un peu comme s'il voulait se débarrasser d'une mouche trop insolente.

— Très bien, mon garçon, très bien. On m'avait dit pourtant que vous seriez présent, mais invisible. Or, on ne voit que vous ici.

— Veuillez m'excuser, Excellence...

L'homme s'inclina, remonta l'escalier et disparut derrière une porte du premier étage.

— Ce qu'il y a de désagréable avec ces gens-là, marmonna le prince, c'est qu'ils écoutent aux portes!

Julie fit de son mieux pour dominer sa colère.

— Que vous soyez venu en France pour vous emparer de votre petit-fils afin de le soustraire à une éducation que vous désapprouvez, cela ne regarde que vous. Puisque vous avez réussi ce que je considère comme un acte criminel, pourquoi n'avez-vous pas gagné aussitôt la frontière la plus proche avec l'enfant et sa gouvernante?

Le prince l'avait écoutée distraitement. Elle suivit la direction de son regard et vit don Filippo gravir les dernières marches de l'escalier et disparaître dans un couloir. Elle l'entendait appeler :

— Peppino... Mademoiselle... Mademoiselle...

Tancrède passa le bras de Julie sous le sien. Ce geste extrêmement familier la toucha. Elle ne put s'empêcher de se sentir attirée par ce personnage qu'elle trouvait à la fois odieux et poétique. Elle se dit que son grand-père, pétri sans doute des pires défauts, avait une qualité majeure pour un homme : le charme.

— Ma chère, dit-il, je suis moins fou qu'il n'y paraît. Mais ceci est entre vous et moi. Il m'a fallu beaucoup d'arguments pour convaincre Mademoiselle d'agir comme elle l'a fait, car elle tient à Filippo pour des raisons qu'il vaut mieux ne pas approfondir. Quoique la nuit tous les chats soient gris...

Il entraîna Julie vers l'escalier qu'il monta en tenant la rampe en fer forgé, mais avec une vigueur encore remarquable. Arrivé en haut, n'ayant pas lâché le bras de sa petite-fille, il colla son oreille à une porte et invita Julie à en faire autant.

« De quoi avons-nous l'air, ce vieil homme et moi, dans cette posture? » se demanda Julie.

De l'autre côté du panneau, elle perçut la voix, frémissante, de don Filippo et celle de Mademoiselle qui répondait par monosyllabes véhémentes aux reproches que lui adressait, en italien, le comte della Roccafonde.

« Mais où est le petit garçon? »

Il était impensable, en effet, que don Filippo et sa maîtresse puissent s'expliquer de la sorte en présence de l'enfant.

— Il reproche à Mademoiselle de ne l'avoir aimé que pour son nom et sa fortune! murmura Tancrède à l'oreille de sa petite-fille. Et pourquoi voulez-vous qu'on l'aime, ce grotesque?

— Don Filippo est un homme fort intelligent, répliqua Julie, indignée par le mépris qu'affichait le prince pour son gendre.

A présent ce fut au tour de la gouvernante de se faire véhémente. Julie n'y comprit rien, mais son grand-père faisait malicieusement office de traducteur.

— Elle lui jure qu'elle l'aime et qu'elle a exigé de moi que je le fasse venir ici afin qu'elle puisse se justifier à ses yeux. Ce qu'elle a fait, dit-elle, c'était dans l'intérêt de l'enfant que la vie de nomade que lui faisait mener sa mère risquait de perturber gravement... Et elle reproche à Filippo sa faiblesse à l'égard d'Ornella. (Il écouta encore et fit une grimace :) Elle dit qu'Ornella ressemble à son vieux père et que nous sommes aussi fous l'un que l'autre!

Il en avait sans doute suffisamment entendu, car

d'un geste brusque il baissa la poignée et pénétra dans la pièce où la discussion s'arrêta net. A cet instant très précis, Julie surprit un rire d'enfant venant d'une pièce située au bout du couloir. Dès lors, et d'une façon lumineuse, la marche à suivre s'imposa à Julie.

Après un bref silence, la discussion avait repris de plus belle derrière la porte où le concert se donnait à présent à trois voix. Julie pria le ciel que cet amour des Italiens pour les grandes explications aidât son dessein. Elle longea le couloir, s'arrêta devant une porte, écouta, puis pénétra dans la pièce. Agenouillé sur une peau de bête, un petit garçon était en train de lier les chevilles d'un homme tout vêtu de noir qui se laissait faire en protestant mollement; il avait déjà les poignets attachés.

— Je vous assure, monsieur Peppino, que c'est l'heure du déjeuner... Nous jouerons encore cet après-midi...

— Je suis Giuseppe Garibaldi et toi tu es le roi *Franceschiello* (1) dans son palais à Naples et tu es mon prisonnier!

L'enfant qui retaillait l'Histoire à sa manière, Julie le reconnut aussitôt, alors qu'elle ne l'avait vu qu'une seule fois dans sa vie, à la villa Roccafonde, aux environs de Palerme.

— Peppino, mon chéri, je viens te chercher pour déjeuner, dit-elle de sa voix la plus naturelle.

— Parfait! s'écria l'homme aux chevilles entravées. Auriez-vous l'obligeance, mademoiselle, de me détacher?

Le policier, car ce ne pouvait être qu'un policier, leva vers Julie un regard gentiment implorant. Elle reconnut alors l'un des inspecteurs venus arrêter Raoul quelques semaines plus tôt à la rédaction du

(1) « Pauvre François » surnom donné au roi de Naples François II.

Lucide. L'homme l'avait-il reconnue à son tour? Sans doute. C'était son métier, après tout.

« Il doit exister toute une brigade La Valette! » se dit la jeune femme.

Elle se pencha sur lui comme pour le délier de ses attaches. Elle constata que celles-ci étaient fort solides. Bravo, Peppino! Elle avait dans son décolleté un mouchoir en dentelle qu'elle fourra dans la bouche du policier pour l'empêcher d'appeler à l'aide. L'homme se débattait en poussant des grognements furieux. Peppino battait des mains.

— J'aime jouer avec toi! s'exclama-t-il. Comment tu t'appelles?

— Julie.

Elle le prit par la main, sortit de la pièce qu'elle ferma à clef en prenant soin de garder la clef sur elle. L'immense maison était d'un calme que ne pouvait expliquer que l'heure du déjeuner qui devait réunir quelque part, dans une autre aile du bâtiment, la « cour » de l'excentrique Tancrède Massamo Villabianca. Peppino suivit de confiance cette « Julie » qui tenait sa petite main dans la sienne, éprouvant un sentiment inconnu, nouveau, merveilleux. Elle le souleva et l'embrassa.

— Salut, petit frère!

En bas de l'escalier se tenaient deux hommes qui le dévisageaient, perplexes. Leur fonction était inscrite sur leurs visages soupçonneux. Julie prit le parti du sourire.

— Bonjour, messieurs...

Ils la laissèrent passer sans rien dire. Julie, tenant toujours Peppino par la main, se trouvait à cinq mètres de la porte d'entrée grande ouverte. Elle voyait la malle arrière de sa berline qui stationnait toujours au même endroit.

« Pourvu que Félicien soit resté à son poste... »

Elle perçut des aboiements. Les chiens!... Elle avait oublié les chiens. Peppino se détacha et courut au-devant des deux féroces dobermans qui firent fête au petit garçon.

— Peppino... (Il revint.) Donne-moi la main...

Il fallait avoir l'air naturelle. Tout à fait naturelle. Félicien était assis sur son siège, immobile, les bras croisés. Julie avança vers la berline; elle avait l'impression que des centaines d'yeux la suivaient et qu'elle n'y arriverait jamais. Les gens du prince Tancrède allaient surgir de toutes parts, se saisir d'elle, de l'enfant... Rien. Rien du tout. Ils devaient être en train d'engloutir des spaghettis aux cuisines.

— Félicien!

Le cocher avait déjà sauté en bas de son siège. Il lui avait suffi d'une fraction de seconde pour comprendre. Irremplaçable Félicien.

— Vite, Félicien, vite... Partons d'ici et essayons d'arriver à Paris sans incident de parcours.

La berline était déjà au bout de la longue allée, près du portail d'entrée, lorsque Julie put voir par la vitre arrière un groupe d'hommes qui se concertaient sur le perron, suivant du regard l'attelage qui sortait de la propriété, s'engageant sur la route de Melun. Félicien faisait claquer son fouet. La voiture soulevait dans son sillage un tourbillon de feuilles mortes.

— Alors, c'est vrai, tu es ma sœur? demanda le petit garçon.

— C'est à moitié vrai, murmura Julie.

Depuis le début de l'après-midi, il pleuvait sur Paris. Une pluie tellement fine qu'elle ressemblait à de la poudre de pluie. Félicien dut ralentir son allure, car les chevaux, ferrés, glissaient facilement en ville, sur le macadam humide. Comme toujours, en pareil cas, la circulation devenait plus difficile dans le centre. Julie avait eu la tentation de s'arrêter place Beauvau afin d'avertir son père de ce qu'elle venait de vivre. Mais, toute réflexion faite, imaginant l'inquié-

248

tude d'Ornella, seule à l'hôtel Saint-James, elle décida de s'y rendre sur-le-champ avec Peppino qui ne trouvait rien d'étonnant à tout ce qui lui arrivait. Il avait demandé à Julie pourquoi « Mademoiselle » n'était pas venue avec eux. Julie lui avait répondu que sa maman s'ennuyait de lui, qu'elle regrettait de ne pas l'avoir accompagné à la campagne. Cette explication enchanta le petit garçon qui adorait sa mère et qui était habitué aux déplacements incessants, aux changements de programme et s'y accommodait avec cette facilité qu'ont les enfants à ne pas contracter des habitudes.

Lorsque l'attelage s'arrêta dans la cour de l'hôtel et que Peppino, le nez à la vitre, fit un signe d'amitié au voiturier qui était accouru, la nouvelle de son retour au bercail se répandit avec une rapidité incroyable. En un rien de temps, Julie vit rassemblés autour de sa berline une demi-douzaine d'employés de la direction en queue de pie qu'elle dut écarter en leur assurant qu'il s'agissait en fin de compte d'un regrettable malentendu et que tout le monde avait bien fait de garder, depuis la veille, le silence sur une affaire qui n'en était pas une...

Tenant dans sa main serrée celle du petit garçon, elle intima l'ordre au cocher de se tenir prêt à repartir, le temps de griffonner un mot destiné à David-Axel Dupeyrret. Quelques lignes lui suffirent pour dire l'essentiel. Elle remit le billet à Félicien.

— En main propre!

— C'est que, madame, au ministère de l'Intérieur, on n'y entre pas comme dans un moulin...

— Je compte sur toi!

Dans l'escalier menant aux étages, Julie et Peppino se livrèrent à une véritable course de vitesse. La porte de l'appartement des della Roccafonde était ouverte.

Ornella était assise sur le lit de son fils, très droite, les bras croisés, le regard perdu. Il y avait dans son attitude rigide un grand désespoir que Julie ressentait et qui faisait qu'en cette minute elle ne pensait plus guère à tout ce qui la séparait de sa mère à laquelle elle ressemblait tant et qui, cependant, lui était étrangère par bien des côtés. Ornella tenait dans ses mains un jouet de Peppino, une de ces carrioles comme Julie en avait vues en Sicile, bariolées de couleurs vives, et que tirait un âne plus vrai que nature.

L'enfant se jeta dans les bras de sa mère avec une fougue extraordinaire, en riant et en parlant très vite, sur un ton excité, en italien, ne laissant même pas à la « mama » qu'il ne voyait pas suffisamment en tête à tête le temps de se ressaisir.

— C'était beau, tu sais, avec deux chiens hauts comme ça et des tas de bonshommes dont quelques-uns qui parlaient italien et des chevaux dans les écuries, comme chez nous, et je n'ai pas du tout eu peur des chiens... Et la signorina qui est si belle qu'on dirait que c'est toi, si, si, tout à fait toi, maman, elle est venue jouer avec moi et elle m'a dit que tu t'ennuyais ici toute seule, hé oui, puisque tout le monde est là-bas et qu'il pleut... Et naturellement, je suis venu avec elle... C'est vrai que c'est ma sœur, dis, mama, c'est vrai?

Ornella pleurait et aurait voulu que son fils ne la vît pas, son fils qu'elle serrait contre elle répétant sans cesse :

— Merci... merci, chère...

Elle disait « chère » parce qu'elle n'osait pas dire « chérie ». Et puis, subitement, elle se dressa, ses yeux lançaient des éclairs, elle secoua son fils qui continuait de babiller et qui lui parlait de cet homme immense et vieux, si vieux, et qui lui avait répété sans cesse en le soulevant de terre, très haut, au-dessus de sa tête : « Appelle-moi grand-père, garçon! »

Julie ne comprit pas tout ce que disait l'enfant,

mais ses gestes et ses mimiques l'aidaient à suivre le dialogue entre la mère et le fils.

— Ton grand-père! Ton grand-père, bien sûr... J'aurais dû m'en douter... Tout ceci lui ressemble tellement, à cet homme fou d'orgueil, à ce faux libéral qui a passé sa vie à se bercer de ses propres mensonges.

Elle fixa Julie de ce regard extraordinairement brillant et aigu, le regard du prince Tancrède, et elle s'écria :

— Alors, tu l'as vu, toi aussi, le vieux tyran d'Altareale, le charmeur, le sorcier, ton grand-père?

— Je l'ai vu, murmura la jeune femme, et c'est bien à lui que j'ai enlevé Peppino...

Elle s'agenouilla près d'Ornella; elle aurait voulu lui expliquer, lui faire comprendre, mais était-ce bien la peine? La comtesse n'avait-elle pas déjà tout compris?

— C'est lumineux, dit-elle. Il a acheté Mademoiselle d'autant plus facilement qu'elle n'est jamais sortie de son orbite et que je savais bien qu'elle était, dans ma maison, une espionne à la solde de mon père.

« Décidément, pensa Julie, j'ai là une famille qui n'est pas de tout repos. De la beauté, du panache, de l'élégance à en revendre, mais je sais enfin d'où me vient ce que Raoul appelle mon mauvais caractère! »

On frappa à la porte : Félicien, retour du ministère de l'Intérieur qui n'y avait point trouvé David-Axel et qui ramenait le billet rédigé par Julie, n'ayant voulu le confier, selon les instructions reçues, à qui que ce fût.

— Est-ce que nous allons à Auteuil? demanda le cocher en triturant son haut-de-forme.

Auteuil... La maison, Antoinette, les entrepreneurs... « Un autre monde », se dit Julie. Et puis elle posa le bras sur l'épaule d'Ornella.

— Vous aimeriez peut-être voir ma... notre maison où nous nous installerons définitivement lorsque Raoul pourra rentrer en France?

C'était dans la minute présente ce qu'il fallait à la comtesse : s'évader de cet hôtel où elle venait de passer des heures de cauchemar. Julie avait le sentiment qu'Ornella était toute prête à quitter la France, avec son fils, le jour même. Et sans savoir sur le moment ce qui la poussait à vouloir l'en empêcher, elle estimait de son devoir de ne pas quitter sa mère, fût-ce pour quelques heures. Ce qui la frappait aussi, c'était qu'Ornella n'avait posé aucune question concernant don Filippo. Elle comprit combien était profonde la séparation de ces époux que rien n'aurait jamais dû rapprocher et qui vivaient côte à côte en s'ignorant.

— Je serais très heureuse de voir ta maison, Julie, dit la comtesse en se levant sans lâcher la main de son fils. Et toi, Peppino?

Le petit garçon était toujours d'accord sur tout, à condition d'être en compagnie de ceux qu'il aimait. Et il trouvait la réunion d'Ornella avec cette « Julie » qui semblait la réplique juvénile de l'autre, comme un bonheur qui valait la peine d'être savouré.

Ainsi, peu de temps après, arrivèrent-ils tous les trois en vue de la villa d'Auteuil. Et l'on pouvait se rendre compte, de loin déjà, que les corps de métier y menaient joyeux sabbat.

Il ne s'écoula pas une heure avant qu'une calèche noire ne pénétrât dans la cour intérieure où étaient entreposés outils et matériel des maçons.

En quittant le Conseil des ministres qui s'était tenu aux Tuileries, David-Axel s'était présenté au Saint-James où on lui avait appris que « ces dames et l'enfant » s'étaient rendus à Auteuil. Il n'avait encore jamais vu Peppino et il lui serra la main, comme à un petit homme, plus ému qu'il ne voulut paraître devant le fils d'Ornella.

— Une partie du Conseil a été consacrée à cette affaire où je reconnais bien la main du prince Tancrède! expliqua-t-il tourné vers Ornella.

Julie put lire dans son regard une sorte de tendresse

qu'elle ne lui avait jamais vue. A présent, elle savait qu'elle ferait n'importe quoi pour retenir Ornella parce qu'elle avait compris que David-Axel serait profondément affecté par un départ précipité de celle qu'il avait tant aimée vingt ans plus tôt...

Les heures écoulées depuis cette nuit comptaient d'un poids singulier, puisqu'elles avaient rapproché de manière surprenante cet homme et cette femme qui ne s'étaient jamais revus. La présence auprès d'elle de David-Axel alors qu'elle touchait le fond du désespoir avait-elle fait vibrer chez Ornella une fibre cachée, sensible? C'est ce que pensa Julie, émerveillée, éblouie en constatant peut-être que ce qu'elle avait imaginé un instant, alors qu'au petit matin elle faisait semblant de dormir, observant sous ses paupières à demi closes ses parents au pied du lit, pouvait se métamorphoser en réalité. En même temps, elle se rendit compte à quel point il était stupéfiant qu'on eût évoqué, aux Tuileries, l'enlèvement de Peppino!

Le ministre s'en expliqua.

— La Valette exultait! Il brossa pour l'Empereur un tableau effrayant des activités subversives qui se déployaient à Paris, évoquant des réunions clandestines au Quartier latin où l'on faisait acclamer des mots d'ordre républicains, sous l'égide de certaines personnalités venues de l'étranger pour fomenter des troubles en France.

Ornella, écoutant ces explications, avait une réaction que Julie trouva surprenante : elle souriait. Un sourire imperceptible, mais qui n'échappa point à sa fille. Quant à David-Axel, il paraissait animé par une excitation juvénile qui lui allait à merveille, effaçant comme par miracle certaines rides du front, colorant son teint.

— Ainsi ce monsieur me croit vraiment capable de fomenter des troubles en France? interrogea Ornella. Imagine-t-il les femmes françaises, réduites plus ou moins à l'esclavage comme partout ailleurs, dresser des barricades aux Champs-Elysées et envahir les Tuileries au cri de : « A bas l'Homme, vive la Femme! »?

— La Valette, non sans astuce, répliqua le ministre, s'est permis d'attirer l'attention de Sa Majesté sur le fait troublant que l'épouse d'un journaliste d'opposition évadé de Sainte-Pélagie, et réfugié à Bruxelles, habitait depuis peu un appartement voisin de celui de la « Comtesse Rouge » à l'hôtel Saint-James! De là à imaginer quelque complot visant directement la vie de l'Empereur et tramé à quelques pas du palais des Tuileries...

Julie n'en croyait pas ses oreilles.

— Mais c'est un tissu d'absurdités! s'exclama-t-elle. Il s'agit manifestement de la part de La Valette d'une manœuvre grossière pour vous discréditer auprès de l'Empereur qui a mis en vous toute sa confiance.

— Très juste, ma chérie. Mais il n'en est pas moins vrai qu'un ministre de l'Intérieur, même par intérim, qui possède des... comment dire... des liens familiaux aussi compromettants que moi, peut paraître aux yeux de certains comme politiquement peu sûr. C'est, je le crains, l'opinion de l'Impératrice qui essaie de jouer à présent auprès de Louis-Napoléon le rôle d'éminence grise dont elle a toujours rêvé... Elle ne m'aime guère, entre nous soit dit.

Il se tut. Puis ajouta sur un ton presque badin :

— Aussi ai-je estimé souhaitable et opportun de présenter à Sa Majesté ma démission!

Ornella, cette fois, cessa de sourire.

— Et il l'a acceptée? demanda-t-elle.

— Non. Il a dit seulement : « Messieurs, je déteste les ragots de cuisine. De surcroît, j'estime que les régimes politiques qui n'évoluent pas sont voués tôt ou tard, de par leur usure, à se voir remplacés par d'autres. Aussi ai-je l'intention de prendre les devants. Il ne me déplaît pas que tel ou tel de mes ministres se voie suspecté de sympathies dites radicales ou socialisantes. Mon rêve serait d'être un souverain qui ferait peur à sa femme! » Et il s'est tourné vers moi pour ajouter : « J'ai toujours adoré faire peur aux femmes... » Alors la voix de La Valette s'est fait entendre dans un silence quelque peu perplexe : « Sire, a dit le ministre des Affaires étrangères, Sire, permettez-moi de vous rappeler respectueusement que selon toutes les enquêtes menées par mes soins ce sont surtout les femmes qui soutiennent Votre Majesté et incitent leurs maris à voter pour Elle! »

— Et comment ce Conseil peu ordinaire s'est-il terminé? questionna Julie qui se dit que de tout ce qu'elle venait d'entendre Raoul aurait sans doute tiré un éditorial éblouissant pour *Le Lucide* s'il ne s'était agi de sa propre famille.

— Le commissaire spécial que j'avais mis sur l'affaire de l'enlèvement de ton fils, Ornella, m'attendait dans une antichambre du palais avec les résultats de son enquête. Il m'a brièvement fait savoir que ton père se trouvait chez les Walewski, à Etioles, que Peppino n'avait jamais été enlevé, mais que sa gouvernante avait pris la responsabilité de conduire le petit-fils chez son grand-père sans t'avoir consultée au préalable! Très officiellement protégé par certains services de sécurité totalement dévoués à La Valette, le prince Tancrède aurait certainement eu toutes les facilités pour ramener l'enfant en Sicile afin de te le soustraire et veiller sur son éducation...

Ornella tourna la tête vers Julie qui baissa les yeux, presque gênée, sous le regard de sa mère. On pouvait y lire une sorte de ferveur que la comtesse devait avoir du mal à s'expliquer, elle qui s'était tant désintéressée de Julie.

— Ma très chère, dit-elle (sans le savoir, elle s'exprimait comme son père), ma très chère, je sais ce que je te dois. Je pense qu'il a suffi de peu de temps à mon père pour se rendre compte que tu as le courage et l'esprit d'initiative des Massamo Villabianca dont les mauvaises langues de Palerme disaient que les femmes recevaient en héritage le goût de dominer, au point de ne vouloir se trouver couchées au-dessous de leurs époux dans l'acte d'amour!

Cette affirmation rendit David-Axel muet de surprise. Il regarda la comtesse, puis Julie. Il dit enfin d'une voix légèrement altérée, mais qu'il aurait voulue badine :

— Ornella chérie, essaie de te souvenir...

Et puis, il ne dit plus rien, se rendant compte qu'il se trouvait en présence de sa fille et que, même à quelques mois de la fin de l'année 1866, donc à l'aube, ou presque, de l'an 67, une telle conversation était proprement impensable. Quant à Julie, elle se divertissait fort de la situation créée par sa mère. Celle-ci ne paraissait nullement embarrassée.

— Ce qui m'échappe, dit-elle, c'est l'intérêt excessif que des personnages si importants me témoignent à moi qui ne suis, après tout, qu'une militante féministe parmi beaucoup d'autres. On en trouve en Angleterre, en Amérique et un peu partout en Europe sans que les gouvernements ne s'en émeuvent outre mesure...

— Je suppose, dit Julie, que M. de La Valette est convaincu que si l'opinion publique était informée des liens qui attachent David-Axel tant à moi, qui suis sa fille, qu'à vous, qui êtes ma mère, cela serait suffisant pour ruiner son avenir politique...

— Vraiment? s'étonna la comtesse.

— Au point, surenchérit le ministre, que j'ai appris de la bouche du fonctionnaire de police que j'avais chargé de l'enquête dès la nuit dernière, que *Le Pays* du banquier Mirès, à la dévotion de La Valette, s'apprête à sortir demain des révélations sensationnelle sur la vie privée d'un homme qui avait capté la confiance de l'Empereur alors qu'il pactisait avec les pires ennemis du régime impérial. Inutile de vous dire que je suis l'homme en question et qu'on a l'intention de se servir de ton fils, Ornella, pour faire pleurer les ménagères sur le sort d'un enfant innocent mêlé à l'existence dissolue d'une anarchiste italienne qui vient relancer son vieil amant pour ainsi dire sous les fenêtres de l'Empereur, afin de l'inciter à la trahison et au déshonneur.

Julie admira le détachement avec lequel son père était en train de décrire le processus entamé qui signifiait la fin d'une carrière hors série. Elle le regarda comme si elle ne l'avait jamais vu : était-ce le même homme qui, il y a peu de temps encore, lui avait fait comprendre qu'il se sentait investi d'une responsabilité à l'échelon national? Que s'était-il donc passé pour que David-Axel Dupeyrret puisse aujourd'hui parler presque avec humour de sa propre chute?

Ornella devait avoir des pensées analogues.

— Tu parles bien légèrement de ce qui me paraît d'une extrême gravité, David-Axel... L'impératrice Eugénie et ses amis feront pression sur Napoléon pour qu'il t'écarte du pouvoir. Et comme on dit l'Empereur en mauvaise santé, il n'aura pas l'énergie de leur résister.

Le ministre leur tournait le dos. L'après-midi était déjà fort avancé. Il regardait les nappes de brouillard qui flottaient au-dessus des pelouses et noyaient le paysage d'Auteuil.

Antoinette précéda un domestique qui vint allumer le feu dans la cheminée. Lorsqu'ils furent sortis, David-Axel se retourna.

— Et si j'avais envie de vivre? dit-il de façon un peu abrupte.

Il regarda Ornella qui ne détourna pas les yeux.

— Et si j'avais oublié de vivre pendant toutes ces années? Ce « scandale » qui n'en est pas un, mais que les journalistes sauront gonfler suffisamment pour qu'il devienne « affaire d'Etat » tombe peut-être juste au bon moment? Près de quinze années au service de Louis-Napoléon, c'est beaucoup, non?

Il s'avança vers les deux femmes, immobiles, et que la mi-obscurité de la pièce rendait irréelles parce que si semblables l'une à l'autre qu'on les aurait pu croire dédoublées.

— Il y a eu d'abord Julie qui a bouleversé ma vie, poursuivit l'homme d'Etat. Depuis hier, c'est toi, Ornella, qui est revenue. Nous devrions être étrangers l'un à l'autre et tu devrais éprouver à mon égard pire que de l'indifférence : de l'aversion. Je suppose que tu vas éclater de rire si je te disais que je regrette aujourd'hui, alors que vingt années se sont écoulées, de n'avoir pas su comprendre que j'étais tombé amoureux d'une femme exceptionnelle dont j'aurais dû faire ma femme, que j'aurais dû enlever à son père pour vivre avec elle?

Il y eut un silence. Ornella resta parfaitement immobile. Julie aurait été incapable de dire ce que pouvait penser sa mère devant cette déclaration d'amour incongrue et qu'elle, Julie, trouvait bouleversante.

— David-Axel, dit enfin la comtesse, tu sembles oublier que nous sommes mariés l'un et l'autre...

— Si peu! dit le ministre. Nous le sommes si peu, ma chère... Pas plus que toi, je n'ai fait un mariage d'amour. Comme toi, j'ai aimé... comment dire... en marge.

« Etrange dialogue, pensa Julie. Etrange leçon de vie qu'ils me donnent, mes parents... »

Mais elle se garda bien de les juger. Elle les aimait et les acceptait tels qu'ils étaient. Imparfaits.

— Je crois bien, dit-il, que je quitterais le pouvoir aujourd'hui même et sans l'ombre de regret si... s'il existait une possibilité pour toi et pour moi de rattraper le temps perdu.

En prononçant ces paroles, il n'avait pas quitté du regard Ornella. Julie avait la sensation d'un moment absolument unique comme si leur vie à tous les trois pouvait changer en cette minute, comme si le temps perdait sa signification, devenait arbitraire et permettait au miracle de s'accomplir. Et Julie eut aussi une vision tout à fait étrange : ses parents se dépouillaient des années qui pesaient sur leurs épaules, retrouvaient leurs vingt ans, le climat passionnel qui avait été le leur. Oui, tout était possible en cet instant. On frappa à la porte. Antoinette vint annoncer que le dîner était servi.

— Il y a au moins dix personnes qui m'attendent au ministère, grommela David-Axel.

Ornella qui était restée silencieuse reprit la parole.

— Si tu as vraiment envie de changer d'existence, autant t'habituer tout de suite à ne plus vivre comme si tu étais engagé dans une course contre le temps.... Tu vas t'en aller, David-Axel? Nous laisser dîner seules, Julie et moi?

Il prit la main de la comtesse, la garda dans la sienne, l'embrassa doucement, sans hâte.

— Non, dit-il. Non, évidemment...

Pendant le dîner, Julie ne parla point. En tant que maîtresse de céans, elle présidait la table. Ornella lui faisait face. Le ministre était assis entre les deux femmes. Antoinette, éblouie et abasourdie par cette réunion de famille impromptue, avait fait allumer les bougies des torchères Louis XVI, ce qui rappelait à Julie ses dîners d'adolescente, face à son tuteur. Etrange réunion, vraiment : même les ombres étaient présentes à l'appel! Ornella, malgré les affres vécues durant ces dernières vingt-quatre heures, était très belle à la lumière des bougies. Julie observait son père qui la contemplait avec admiration.

La comtesse, peut-être sous l'effet du champagne rosé de chez Hédiard, réserve spéciale de feu M. Gaspard, s'était défaite de ses aspérités. Ce que Julie lui connaissait de farouche, d'impitoyable, ce mépris des hommes qu'elle affichait volontiers, qu'en restait-il ce soir? Etait-il possible qu'elle fût sous le charme de celui qui avait été son premier amant et qui l'avait abandonnée? Etait-ce vraiment concevable lorsqu'on connaissait Ornella Massamo Villabianca comme Julie croyait la connaître? Elle discutait certes d'égale à égal avec David-Axel, mais elle savait se taire à point nommé, se montrer admirative, ce que les hommes adoraient.

David-Axel faisait la roue. Caustique, spirituel, jamais méchant, souvent profond... Comment ne pas penser à Raoul qui, lui aussi, avait un esprit en forme de feu d'artifice!

Julie fit servir le café et les liqueurs dans la bibliothèque. Elle prétexta une fatigue bien compréhensible, embrassa ses parents avec un sentiment inconnu, étrange et grisant. Et elle pria Antoinette de la suivre dans sa chambre. Antoinette avait refusé d'assister au dîner, arguant que sa charge d'intendante la forçait à veiller à la bonne marche des choses. Julie aimait la délicatesse de la jeune femme qui avait été au service de son tuteur comme simple domestique et qui était devenue pour Julie une amie, une confidente, l'élément sûr de son existence aventureuse.

— Vous avez l'air fatiguée ce soir, fit Antoinette, soucieuse. Vous avez bien fait de les laisser en tête à tête et de monter vous reposer. Les chambres sont à nouveau habitables et les travaux presque achevés.

Arrivée devant la porte de Julie, elle ajouta :

— Ils ne sont plus très jeunes, certes, mais rudement beaux à voir quand même, vos parents!

Julie partageait tout à fait cette opinion.

— Et Peppino?

— Il a mangé comme un ogre et je l'ai couché dans la chambre bleue.

— Allons l'embrasser.

L'enfant dormait profondément. Julie referma la porte tout doucement. Il ne s'était pas trop étonné de l'absence de son père et de Mademoiselle qu'il voyait habituellement autour de lui.

Julie retourna dans sa chambre. Pendant tout ce temps, elle n'avait cessé de penser à ce qu'elle était en train de vivre sous le toit (tout neuf) de la villa d'Auteuil où se trouvaient réunis un homme, une femme et l'enfant qu'ils avaient fait, et ce, pour la première fois!

A la stupéfaction d'Antoinette qui s'apprêtait à aider Julie dans sa toilette du soir, celle-ci sortit de la penderie un long manteau dit *waterproof* qu'elle enfila.

— Ecoute-moi bien, Antoinette...

— Vous allez sortir?

— Oui. Et je ne veux pas que... que mes parents se doutent que je sois sortie...

— Puis-je vous demander ce que cela signifie?

— C'est ton droit.

Julie fit volte-face et regarda son amie bien en face.

— Depuis le dîner, je ne cesse de penser à ce que j'ai entendu et observé. Quelquefois on vit davantage et plus intensément en quelques heures qu'en quelques années; c'est ce qui m'est arrivé. Je n'aimais pas ma mère, mais je ne l'avais vue qu'une fois dans ma vie. Je crois mieux la connaître à présent. Mon père la regarde comme s'il la découvrait et je pense qu'il est tombé amoureux d'elle à nouveau.

— Et elle? demanda Antoinette, captivée par ce que Julie lui apprenait. Elle aussi, est-elle tombée amoureuse à nouveau de Son Excellence?

Julie se tut. Puis, au bout d'un moment :

— Je suis convaincue que David-Axel la trouble... Sa jeunesse d'esprit, ce charme qu'il a conservé et qu'il conservera toujours... Et aussi cette silhouette de jeune homme... Généralement les hommes craignent les femmes comme Ornella, trop belles, trop intelligentes, trop indépendantes aussi... Mais pas David-Axel Dupeyrret. Il la domine, comme il y a vingt ans, et elle en a conscience.

Julie réfléchit un instant, perdue dans ses pensées.

— Mon père a consacré sa vie entière à la politique,

poursuivit-elle enfin, à l'exercice souvent occulte du pouvoir. Depuis vingt-quatre heures, je le sens prêt à tout sacrifier pour ce qu'il considère comme l'essentiel : l'amour d'Ornella. Eh bien, moi, Julie Crèvecœur, j'ai un devoir à accomplir...

Elle parlait bien plus à elle-même qu'à son amie qui avait du mal à la suivre.

— Il faut éviter à tout prix, vois-tu, que David-Axel Dupeyrret, le pur, l'intègre, l'ami sans peur et sans reproche de l'Empereur, démissionne à la suite d'un scandale. Il faut qu'il quitte le pouvoir de son plein gré, la tête haute, et non pas honteusement comme un serviteur indélicat que l'on chasse. Ce scandale qui n'en est pas un, qui est une machination, je crois être en mesure de pouvoir le désamorcer.

Elle se rapprocha d'Antoinette.

— Préviens Félicien, discrètement... Dis-lui que je désire me rendre à Paris, que c'est très important et que je dois quitter Auteuil à l'insu de nos hôtes. Il comprendra.

Antoinette la regardait comme si elle était victime d'un accès de fièvre.

— Vous voulez que Félicien attelle à cette heure-ci? Mais qu'est-ce que vous allez faire à Paris, toute seule, en pleine nuit?

Julie lui prit le bras, affectueusement, mais avec fermeté, et la guida jusqu'à la porte.

— En tant que femme de journaliste je suis mieux placée que personne pour savoir que les journaux du matin se font la nuit!

La rédaction du *Pays* se trouvait proche de la rue du Croissant, dans un quartier presque entièrement voué aux entreprises de presse. Il y avait dans l'air une curieuse odeur d'encre et de mélasse. Le café du Croissant, rendez-vous des rédacteurs, étincelait toute la nuit de tous ses globes d'éclairage au gaz, et Julie reconnaissait, d'après les descriptions que lui avait fournies son mari, les rédacteurs politiques qui refaisaient le monde sur un coin de table, avant d'aller « couper » et « coller » leurs articles au « marbre » de leur journal.

— Vous désirez, madame?

L'immeuble du *Pays*, très cossu et passablement nouveau riche, à l'image de la bonne société du Second Empire où ce journal recrutait le gros de sa clientèle et qu'il portait aux nues, dénonçant de-ci de-là quelque scandale afin de prouver qu'un corps sain était parfaitement capable d'éliminer lui-même les cancers susceptibles de le ronger...

— Je désire voir le rédacteur de minuit.

— Mais... madame... c'est impossible... Vitu n'est pas visible avant que ne tombe le journal!

— Il est très, très important que je le voie maintenant, tout de suite... Si vous ne m'annoncez pas, monsieur, vous risquez de perdre votre place demain, croyez-moi...

L'homme devait avoir l'habitude de toutes sortes de visiteurs extravagants au cœur de la nuit. Mais il connaissait la consigne qui voulait que dans un quotidien on ne refoulait jamais un visiteur susceptible de porter une information inédite, voire sensationnelle. Il héla un jouvenceau pressé arborant un gilet à grands revers taillé, semblait-il à Julie, dans le velours d'un vieux fauteuil.

— Dites à Vitu que je suis Mme Raoul de Saint-Cerre et je suppose qu'il comprendra l'objet de ma visite, lui lança Julie.

Le jeune homme au gilet monta quatre à quatre les marches d'un escalier de marbre blanc menant aux bureaux rédactionnels. Trois minutes plus tard, il était de retour, hors d'haleine.

— Suivez-moi, madame.

Julie avait gagné le premier « round » comme on disait dans les milieux pugilistiques friands d'anglicismes. Il était alors un peu plus de 11 heures et raisonnablement le journal du lendemain n'était pas encore prêt pour l'impression. Les rotatives, d'après ce que Julie avait appris par la bouche de Raoul, se mettaient rarement à tourner avant minuit. Le gilet de velours s'inclina pour introduire Mme de Saint-Cerre non pas dans une salle de rédaction fébrile, mais dans un grand bureau lambrissé de chêne clair où se tenaient plusieurs personnages, tous en tenue de soirée, frac, plastron blanc, décorations, gardénia ou rose à la boutonnière.

Décontenancée par cet accueil inattendu, Julie resta sur le seuil.

— Veuillez prendre place, madame de Saint-Cerre...

— Je crains qu'il n'y ait malentendu. Je désirais voir M. Vitu, votre rédacteur de minuit...

L'homme qui l'avait invitée à s'asseoir s'avança d'un pas. Il était massif, court sur pattes, large d'épaules, comme un lutteur sur une place publique. Il avait un visage qui reflétait à la fois la ruse et la méfiance, des sourcils en accent circonflexe, des yeux à demi fermés comme pris dans l'axe d'un compas, des bajoues et une bouche aux lèvres pincées, démesurément longues, pareille à la fente d'une tirelire...

— Je m'appelle Jules Mirès, madame, et je suis le propriétaire de ce journal. Voici M. La Guironnière, mon rédacteur en chef...

Un pékin en habit s'inclina.

— MM. Grandguillot... De Cassagnac...

Plongeons de queues de pie. Julie, un peu ahurie, réalisa qu'elle se trouvait en présence de l'équipe au complet qui présidait aux destinées du *Pays*. Mais s'ils étaient là, à l'heure sacro-sainte du souper galant, il devait y avoir une raison majeure à cela. Et cette raison, Julie crut la deviner.

— Messieurs, dit-elle, ignorant le siège que Mirès lui avait avancé, je connais jusque dans ses moindres détails l'article sensationnel qui va, je le suppose, occuper dès demain toute la première page de votre journal. Je vous propose, dans votre propre intérêt, de le supprimer purement et simplement, non pas parce qu'il contient des inexactitudes, mais parce qu'il est, comme dirait mon époux, grillé.

— Grillé? répétèrent en chœur les quatre hommes en habit.

— Grillé!

Sûre cette fois de l'effet produit par ses paroles, Julie prit place dans le fauteuil, les gestionnaires du *Pays* restant debout, en demi-cercle, leur cigare au bout des doigts.

« Il faut jouer vite et serré », se dit-elle.

— D'abord, messieurs, il faut que vous sachiez que le petit enfant pur et innocent dérobé au nom de la morale, de la famille et des institutions à sa mère indigne a été rendu à celle-ci à l'heure du déjeuner, ce qui risquerait de vous rendre ridicules pour peu que l'un de vos concurrents, *Le Siècle*, par exemple, journal réputé libéral, publie lui, au même moment que vous, l'exacte vérité au sujet d'un scandale qui n'en est pas un...

Julie avait calculé qu'elle aurait le temps de fournir à M. Havin, directeur du *Siècle*, et ex-patron de Raoul, une relation complète de ce qui était arrivé au Saint-James, avec le nom au moins d'un des policiers à la solde de La Valette et la preuve évidente d'une machination grossière, d'un règlement de comptes sordide imaginé par La Valette dans le but de discréditer auprès de l'Empereur un homme, Dupeyrret, qui avait au moins le mérite d'être un honnête homme au milieu d'une bande d'aigrefins.

— Je pense, en effet, poursuivit-elle, qu'il est de mon devoir de vous signaler, estimant par là vous rendre un fier service, que j'ai réservé l'exclusivité de mes déclarations à M. Havin, directeur du *Siècle* et, comme vous le savez, ancien patron de mon mari. Ces déclarations sont d'autant plus intéressantes, journalistiquement parlant, que je me suis rendue aujourd'hui à midi chez les Walewski à Etioles où j'ai eu le plaisir de rencontrer la comtesse Walewska de même que mon grand-père, le prince Tancrède de Massamo Villabianca. C'est moi qui ai enlevé mon demi-frère Peppino à l'autorité abusive du prince Tancrède dans des conditions tout à fait particulières dont les lecteurs du *Siècle* apprécieront le caractère à la fois humain et angoissant... Mon reportage, messieurs, sera, croyez-moi, très supérieur à celui de votre collaborateur dont la seule source d'information est M. de La Valette dont la police personnelle sera clouée au pilori dès demain matin par *Le Siècle*. Le petit garçon se trouve actuellement en sécurité aux environs de Paris, auprès de sa mère... Le public, vous le savez bien, aime prendre le parti des faibles contre les puissants. Votre feu d'artifice est mouillé.

Elle regarda les quatre hommes, immobiles et muets, dont les cigares s'étaient éteints. Les avait-elle convaincus? Comment le savoir? Rien ne pouvait se lire sur ces visages fermés.

— En rendant service au ministre des Affaires étrangères, vous vous faites les complices d'une mauvaise action, messieurs, et qui risque fort de se retourner contre vous.

Le silence devenait insupportable. Un frisson parcourut le banquier. Aussitôt l'un des assistants, avec obséquiosité, couvrit les épaules de son patron d'une cape de soirée dans laquelle Mirès se drapa comme un sénateur romain.

— Très bien, dit-il, tout cela est très bien. Mais autorisez-moi, madame, à vous demander une copie de l'article que publiera *Le Siècle* dans son édition de demain matin. J'ai pour habitude de toujours décider en connaissance de cause...

Il fallait s'y attendre. Julie réfléchit fiévreusement. Elle avait voulu prendre tous les risques pour empêcher la campagne de presse du *Pays* contre son père. Parant au plus pressé, elle avait voulu d'abord neutraliser le journal de Mirès. Il aurait suffi que celui-ci eût des espions chez Havin pour apprendre que l'article écrit par Julie pour *Le Siècle* était une invention de la dernière minute. Mais le temps jouait en faveur de la jeune femme.

— Non, dit-elle, pas question. Ce serait trahir mes engagements pris vis-à-vis du *Siècle*. Mais je vous propose de prendre contact avec l'un des policiers à la solde de M. de La Valette ou mieux encore : le ministre des Affaires étrangères lui-même, puisqu'il est de vos intimes. Je serais fort étonnée qu'il ne vous confirmât point par point ce que je viens de vous apprendre au sujet des événements d'Etioles.

Elle se leva.

« Jules Mirès est un banquier, se dit-elle, un homme de l'espèce de feu mon tuteur. Donc, un joueur. Il se mettra en contact avec La Valette avant que ne soit imprimé le journal. Il pèsera le pour et le contre. Avec un peu de chance, il estimera que, dans cette affaire, il n'a rien à gagner. Il doit se dire en ce moment que *Le Siècle* s'est toujours montré favorable à David-Axel Dupeyrret, considérant ce dernier comme l'un des rares impérialistes « purs » du régime. Il doit se dire aussi que l'Empereur, rêvant de son empire libéral, risque de prendre fait et cause pour David-Axel contre son ministre des Affaires étrangères. Moi, Julie Crèvecœur, je ne cherche qu'un seul but : empêcher que mon père soit obligé de quitter le pouvoir à la suite d'un scandale plutôt que de prendre sa retraite de son propre chef! Advienne ce qui pourra. S'il est écrit que l'article du *Pays* doit paraître demain, il paraîtra. J'aurais échoué. Tant pis. »

— Je vous souhaite une bonne nuit, messieurs! dit-elle.

Quelques minutes plus tard elle retrouva la berline qui stationnait aux abords de la Bourse. Félicien, qui paraissait inquiet, se tenait au pied de l'attelage.

— Madame a été longue, murmura-t-il, soucieux. Madame ne devrait pas s'aventurer seule sur les boulevards à cette heure-ci...

Lorsqu'elle se laissa tomber sur la banquette, Julie ferma les yeux. Elle aurait voulu poser sa tête sur l'épaule de Raoul, oublier les problèmes qui l'assaillaient, savourer la chance merveilleuse qui lui avait permis de retrouver l'homme qu'elle aimait au lieu de laisser parler jusqu'au bout son orgueil.

« Oui, se dit-elle, je suis bien leur fille; il aurait suffi d'un rien pour que, moi aussi, je gâche ma vie, que je m'enferme en moi-même comme dans une prison, refusant d'accepter l'homme que j'aime tel qu'il est... Or, Raoul existe, il m'aime, il se bat courageusement pour ses idées, pour une certaine conception qu'il a du bonheur des hommes. C'est cela qui compte, ce respect que je lui porte et qui est au moins aussi important que le goût que j'ai de son corps, de l'envie que j'ai d'être dans ses bras, de lui être soumise tout en me révoltant contre son insupportable et cependant délicieuse tyrannie. »

Julie était à bout de forces, à bout de nerfs, proche de l'épuisement, mais la fatigue la rendait lucide.

« Je sais très bien ce que je dois faire à présent. Il n'est plus temps d'attendre, d'espérer. Notre bonheur, c'est nous et nous seuls qui en serons responsables... »

Elle sentait le sommeil la gagner progressivement. Elle s'abandonna à cet état semi-comateux jusqu'au moment où la berline entra dans la cour de l'hôtel Gaspard, à Auteuil.

A la grande surprise de Julie, la calèche noire du ministre y stationnait toujours, alors que les lumières du salon et de la bibliothèque étaient éteintes. Très droite, sur un siège rigide et carré emprunté au mobilier des monastères de la Renaissance espagnole, au fond du hall, se tenait Antoinette. Elle se leva lorsque Julie parut, enlevant son *waterproof*.

— Pourquoi m'avoir attendue?

Antoinette l'aida à se défaire de son vêtement sans répondre.

— J'étais inquiète, murmura-t-elle enfin. Je croyais que vous aviez changé, mais je vois bien que vous ne changerez jamais... Vous êtes bien leur fille.

C'était sorti comme un cri du cœur.

— Crois-tu qu'ils se soient aperçus de mon escapade nocturne?

Comme Antoinette, Julie parlait à mi-voix. Son amie, qui la précédait sur les marches de l'escalier s'arrêta, se retourna, haussa les épaules.

— Pensez-vous... Ils étaient bien trop préoccupés d'eux-mêmes.

« Autre cri du cœur... », se dit Julie.

Mais cette fois sa curiosité était piquée au vif.

— Explique-toi, Antoinette...

— J'ai donné la chambre de feu M. Gaspard à Son Excellence, murmura-t-elle, et la grande chambre d'amis, la plus belle, à Mme la comtesse... Les deux pièces sont séparées par la salle de bains de M. votre tuteur... Eh bien, vous ne le croirez pas, mais ils avaient tant de choses à se dire, vos parents, qu'ils n'ont cessé d'aller de l'une à l'autre en parlant, toujours en parlant. Même qu'ils riaient si fort qu'on les entendait dans le couloir. Qu'est-ce que vous dites de ça, mademoiselle Julie?

Julie hésita avant de répondre.

— Ils essaient peut-être de rattraper le temps perdu, dit-elle enfin.

— Le temps perdu, ajouta Antoinette, à mon avis, ça ne se rattrape jamais.

— Je voudrais que tu aies tort...

Julie entra dans sa chambre, enleva ses vêtements, enfila un long déshabillé. Elle éprouva subitement le besoin de parler à David-Axel. Allait-elle lui raconter l'entretien qu'elle venait d'avoir avec Mirès, l'un des hommes les plus redoutés de Paris? Non. En aucun cas. Elle se réjouissait de savoir qu'il la croyait couchée depuis longtemps.

Elle descendit un étage et frappa doucement à la porte de ce qui, au temps de son enfance, avait été un lieu sacro-saint devant lequel on passait sur la pointe des pieds : la chambre de son tuteur. Elle n'obtint aucune réponse; pourtant un rai de lumière passait sous la porte. Elle baissa la poignée, la porte s'ouvrit. Là aussi, le feu pétillait dans la cheminée, rehaussant les rouges et les ors de la soie des Indes qui recouvrait les murs.

— Père...

Pas de réponse... Silence. Elle entra dans la pièce. Le lit, haut et large, était intact. Il n'y avait personne. Une bûche s'effondra dans une pluie d'étincelles, émettant un chuintement caractéristique. Julie voulut se retirer, mais un bruit de voix, indistinct, étouffé, la cloua sur place. La porte de la salle de bains était grande ouverte. De l'autre côté se trouvait la chambre d'amis...

— *Ti voglio bene...*

— Ornella, *anima mia...*

Une nouvelle bûche s'effondra. Julie sortit de la chambre, vaguement honteuse. Elle referma la porte, très doucement. Et c'est alors seulement, dans le couloir, qu'elle comprit que ce qu'elle avait voulu de façon un peu enfantine, désiré de toute son âme, était arrivé : Ornella et David-Axel avaient mis vingt années pour se rendre compte qu'ils s'aimaient. Mais que venait donc de dire Antoinette quelques instants plus tôt? Que le temps perdu ne se rattrapait point? Et si Antoinette avait raison? Julie essaya de chasser ces pensées. Ce qui s'imposait à son esprit comme une évidence, une nécessité, c'était que sa place à elle était nulle part ailleurs qu'aux côtés de son mari. Elle regagna sa chambre, accomplit les gestes habituels du coucher sans s'en rendre compte et sans dire un mot, alors qu'Antoinette lui brossait ses longs cheveux. Puis elle se coucha. Avant de s'endormir, elle dit à haute voix dans le silence de la nuit :

— Je partirai demain pour Bruxelles et je ne quitterai plus jamais l'homme que j'aime.

Elle se réveilla encore une fois, à l'aube, parce qu'une voiture sortait de la cour. Elle se leva, alla à sa fenêtre, souleva les rideaux et vit la calèche noire passer sous le porche et s'engager sur la route de Paris.

Pour la dernière fois peut-être, Son Excellence M. le ministre de l'Intérieur par intérim regagnait son ministère!

Julie dormit tard dans la matinée, mais dès son réveil elle exigea que Félicien se procurât la première édition du *Pays*. Sur quatre colonnes on y révélait que l'exposition universelle de 1867 allait drainer vers Paris et la France tout ce qui, dans le monde, avait un nom, du talent ou du génie. A tous ceux qui osaient dénigrer S.M. l'Empereur et le régime de progrès instauré par ce dernier pouvaient toujours, tel M. Victor Hugo à Bruxelles, cracher sur l'Empire : les chiens aboient, la caravane passe...

Pas un mot sur la présence à Paris du prince Tancrède de Massamo Villabianca, de sa fille, la « comtesse rouge » et des événements étranges qui s'étaient déroulés à l'hôtel Saint-James durant les dernières quarante-huit heures. Le mutisme absolu, même dans la rubrique mondaine.

Julie se laissa tomber dans ses oreillers. Elle éclata de rire. Elle se dit qu'elle aurait beaucoup de choses à raconter à son mari, ce soir, dans leur chambre d'hôtel à Bruxelles...

Ensuite elle descendit le cœur un peu battant à la pensée de retrouver sa mère, Ornella, amoureuse de David-Axel comme elle, Julie, était amoureuse de Raoul. Et elle se mit à chantonner, essayant de ne pas trop penser à cette phrase d'Antoinette qui encombrait sa mémoire et l'empêchait de savourer la présente situation : « Le temps perdu, ça ne se rattrape jamais. » Qu'en savait-elle? Avait-elle vécu? Avait-elle aimé? Pourtant, Julie le savait bien, son amie avait une sagesse ancrée en elle comme un trésor : son héritage paysan.

Mais ce n'était pas Ornella qui se dressa devant elle, dans le hall, ce fut son père. Il venait du dehors. On voyait en bas du perron s'affairer autour de la calèche les corbeaux noirs qui ne le quittaient jamais, infatigables et vigilants tant qu'il était encore ministre... Ils avaient dû s'abattre sur la villa d'Auteuil dans le courant de la nuit. Julie ne les avait point vus lors de son aller-retour effectué entre Auteuil et Paris.

David-Axel tenait, déployé, au bout de son bras, *Le Pays*.

— Fausse alerte, chérie! Mirès a gardé pour lui la matière journalistique fournie par son ami La Valette. On ne saura jamais pourquoi, mais je parierais que voilà une belle amitié compromise...

— Je m'en réjouis du fond du cœur, murmura Julie en l'embrassant. J'aimerais vous parler...

— Moi aussi, figure-toi, j'aimerais te parler.

Elle le précéda dans la bibliothèque dont elle referma les portes. Il semblait à Julie que David-Axel avait rajeuni de plusieurs années. Il la couvait du regard, semblait heureux de vivre. Il était vêtu ce matin-là avec un soin tout particulier.

— Chérie, dit-il, chérie, si tu savais...

Il semblait avoir hâte de lui faire partager son bonheur; du moins était-ce ainsi qu'elle interprétait son exaltation.

— Je sais, père!

Il fut tellement surpris par cette exclamation de sa fille qu'il ne sut comment enchaîner. D'ailleurs, elle ne lui en laissa pas le temps.

— Je sais que vous avez retrouvé le seul être qui

compte à vos yeux. Je sais que vous l'aimez et qu'Ornella vous aime; je sais que vous avez le désir de changer votre vie, de même qu'elle a besoin, elle, de changer la sienne...

David-Axel, abasourdi, voulut intervenir, mais Julie éprouvait le besoin de lui dire tout ce qui, depuis longtemps, avait mûri en elle; s'il existait un homme au monde susceptible de l'écouter avec son cœur, c'était bien lui, son père. S'il existait un homme au monde susceptible de comprendre qu'elle avait besoin de la vérité, de sa vérité à elle, c'était bien lui, ce magicien souriant, qui avait passé une partie de sa vie à vouloir le bonheur des gens, à sa manière, selon ses opinions, et qui avait dû se rendre compte que son acharnement dans l'ombre de Louis-Napoléon l'avait mené dans une impasse...

— Je sais que vous allez tourner le dos à ce qui a été jusqu'à aujourd'hui l'essentiel de votre vie. Et j'en suis... oui, j'en suis très très heureuse! Sans le savoir, en quelques heures, vous m'avez tous les deux aidé à voir clair en moi-même. Grâce à vous, mes parents, que je trouve beaux, que je trouve fascinants, grâce à vous qui m'étonnez et que je critique, bien sûr, et que je juge tout en m'en défendant, je vois la vie, ma vie, telle qu'elle est, telle qu'elle doit être. Comme toi, comme ma mère, je suis un petit monstre d'orgueil. Comme toi, comme Ornella, j'ai bien failli passer à côté du bonheur. J'étais bien partie, moi aussi, pour détruire l'essentiel au bénéfice de je ne sais quelle idée que j'avais de l'indépendance, du rôle que je pouvais jouer éventuellement dans un monde où il y a tant à redresser, même pour une femme... Tu n'es pas fâché, n'est-ce pas, que je te parle ainsi, père, moi qui n'ai jamais osé te dire « tu »? Tu n'es pas fâché de te trouver devant ta fille qui te regarde ce matin comme un homme très ordinaire, dépouillé de tout ce qui faisait ton prestige à mes yeux?

Elle posa les deux mains sur les épaules de David-

Axel qui était très ému et essayait vainement de n'en rien laisser paraître.

— Je sais quel est l'homme que j'aime, pourquoi je l'aime, ce qui m'attache à lui. Je suis sûre de lui autant qu'on puisse être sûre d'un homme qui vous aime aujourd'hui et peut vous aimer moins demain. Il est sûr de moi autant qu'on puisse être sûr d'une femme. Alors chaque heure qui passe et où je suis séparée de lui est une heure perdue, gâchée. Vous êtes là tous les deux pour me rappeler à l'ordre : ne fais pas les mêmes bêtises que nous, Julie! Eh bien, non, la leçon que vous m'avez donnée porte ses fruits. Je vais quitter Paris très vite, le plus rapidement possible, tout à l'heure... Ce soir, je serai à Bruxelles, dans les bras de mon mari. Ce soir, tu penseras à moi, vous penserez à moi, tous les deux, à votre fille qui est... qui est... (Elle eut du mal à poursuivre. Elle avait des larmes plein les yeux. Son père la serra contre lui :) Vous penserez à votre fille, murmura Julie, qui est très heureuse de... de vous avoir, qui... qui vous aime tels que vous êtes et... et qui est sans doute aussi folle que vous l'êtes, vous, ses parents, qui devriez être sages et raisonnables parce que vous êtes vieux. Mais ce n'est pas vrai du tout. Vous avez oublié de vieillir. Peut-être que la folie, ça conserve?

Elle riait et elle pleurait en même temps. Elle embrassa son père.

— Au revoir, père... au revoir... Quand venez-vous à Bruxelles voir vos enfants? Quand?

— Jamais! s'exclama David-Axel.

Cette fois ce fut au tour de Julie de rester muette de saisissement.

— Jamais, chérie, parce que tu n'as pas voulu me laisser placer un mot depuis l'instant où j'ai pénétré dans cette maison. Je reviens des Tuileries où l'Empereur a bien voulu se rendre à mes arguments et accepter ma démission. Je reviens des Tuileries avec un cadeau pour toi...

— Un cadeau pour moi? fit Julie, stupéfaite.

— Ton mari est gracié. Et ce n'est même pas la peine que tu ailles en Belgique pour lui annoncer la nouvelle. L'ambassade de France à Bruxelles en a été télégraphiquement avisée. Avec un peu de chance, Raoul sera là ce soir!

Gracié... Il se passa un phénomène que Julie avait toujours jugé ridicule, même décrit avec art par un romancier épris d'images audacieuses. Les livres de la bibliothèque firent mine de vouloir s'envoler, déployant leurs pages comme des ailes; le plafond eut tendance à se rapprocher du sol et les meubles Philippe II semblèrent vouloir danser sur la musique délirante de M. Offenbach, malgré leur poids et malgré leur âge. Tout commença à valser autour de Julie Crèvecœur dans un tourbillon insensé. S'il n'y avait eu son père pour la retenir, elle aurait sans doute chaviré, quelque peu évanouie, comme dans un drame d'Alexandre Dumas...

Gracié... Ils allaient vivre ensemble non pas dans l'exil, mais sous le toit tout neuf de cette vénérable maison. Ils allaient vivre ensemble, Raoul et Julie de Saint-Cerre...

— Julie, qu'as-tu? Julie...

— Rien, je n'ai rien. Je suis heureuse, voilà tout.

Les personnages de ce roman figuraient déjà dans Julie Crèvecœur, tomes I et II, Les amants de Palerme, tomes I et II, et A l'amour comme à la guerre, *tous parus aux Editions J'ai lu.*

ROMANS-TEXTE INTÉGRAL

L'AVENTURE MYSTÉRIEUSE
du cosmos et des
civilisations disparues

TARADE Guy

A 214** SOUCOUPES VOLANTES ET CIVILISATIONS D'OUTRE-ESPACE

Les vaisseaux de l'espace peuvent être retrouvés dans des textes datant du Moyen Age et de l'Antiquité

TOCQUET Robert

A 273** LES POUVOIRS SECRETS DE L'HOMME

Les possibilités insoupçonnées du cerveau humain : médiumnité, télépathie, voyance

A 275** LES MYSTERES DU SURNATUREL

Dans ce second tome, l'auteur prouve la réalité des ectoplasmes, des maisons hantées et des guérisons paranormales

VALLEE Jacques

A 308** CHRONIQUES DES APPARITIONS EXTRA-TERRESTRES

Les apparitions de soucoupes vo-lantes depuis les mythes de l'Antiquité jusqu'à nos jours

VANDENBERG Philipp

A 336*** LA MALEDICTION DES PHARAONS

Trente archéologues meurent moins d'un an après avoir ouvert la tombe de Tout-Ankh-Amon

WEBB Dominique

A 348** L'HYPNOSE ET LES PHENOMENES PSI

Homme de spectacle, Dominique Webb est aussi un investigateur de l'inconnu

WILSON Colin

L'OCCULTE :

A 330*** I. HISTOIRE DE LA MAGIE

A 331*** II. LES POUVOIRS LATENTS DE L'HOMME

Une étude approfondie de tous les faits « anormaux » et des hommes qui ont tenté de percer leurs secrets

ÉDITIONS J'AI LU

31, rue de Tournon, 75006-Paris

diffusion

France et étranger : Flammarion - Paris
Suisse : Office du Livre - Fribourg
Canada : Flammarion Ltée - Montréal

IMPRIMÉ EN FRANCE PAR BRODARD ET TAUPIN
7, bd Romain-Rolland - Montrouge.
Usine de La Flèche, le 08-11-1977.
6875-5 - Dépôt légal 4ᵉ trimestre 1977.
ISBN : 2 - 277 - 11748 - X